遂園瑣錄

張之淦 著

臺灣學生書局印行

編輯前言

本書爲先師張之淦眉叔先生所作。先生績學鴻才，平生爲文，至爲矜審，不輕著述。故雖於《史記》《漢書》《呂氏春秋》《戰國策》……等皆有講疏，然不以之爲著作也；於杜甫詩、李商隱詩、蘇軾詩以迄近人詩文集多有批校，亦未嘗寫定。偶因時事所激，發願撰《明代北方邊事述略》，積稿盈尺，竟付一炬。我輩搶拾不及，徒呼奈何。侍坐之頃，不免痛申感慨，先生始允於日記中摘抄若干論學語以爲脞錄。先生曾參密勿，日記中臧否時事、關係朝局者至多。摘抄既已，亦皆焜去。一代才人，其所表襮於世者，遂僅此小冊而已，傷哉！唯困學有記、日知則錄，藉此瑣瑣，亦可以見先生學殖襟量之一斑也。稿初成，熊琛先生曾爲覈定，略有去取。先生則爲初校。校畢，囑余重爲編次。而醫者命其住院矣。既入院，余往視疾，乃談笑風生，論學議古，不減曩昔。唯頗掛念此書，曰：「當即早付梓，勿令我死不及見也」。俄而先生竟逝。余編校不及，遂負先生重託，愧悔無地。因請同門連清吉君協助，始就臧事，然先生終不及見也，嗚呼！先生生平仕履學術之大凡，另詳余所撰〈事略〉，此不贅焉。壬午七月門人廬陵龔鵬程敬誌。

遂園瑣錄

張之淦

目　錄

讀史小記

點《通鑑》卅八卅九兩卷畢，甚有感慨。梁任公曾云：「王莽晚年篤崇符讖天命，種種荒憒愚罔，以及劉聖公即位惶悚委瑣之狀，皆史家因其驟敗以成此誣解，何王莽前後之愚智，乃判若天淵耶？」其說略見所著《歷史研究法》。成敗論英雄，千古皆然，昔讀《夏貴傳》，彌惜其死之不早也。早數年而死，寧不與文山方烈耶？君子惡居下流，君子愛人以德，奈何一代英雄豪傑，惜數年之生命權勢，輕棄其千載令名？我思古人，可嘅已，重可嘅已！

張九齡論姚崇之言曰：「自君侯職相國之重，持用人之權，而淺中薄植之徒，已延頸企踵而至，諂親戚以求譽，媚賓客以取容，其中豈不有才，而所失在於無恥」。語見《蒿盦隨筆》引。此誠一針見血之言，不徒《千秋金鑑錄》爲可貴也。顧寧人恒以「行己有恥」誨人，余重思之，事殆莫大乎是。又輒設想曰：使張子壽而生於今世，更當作何言語耶？

古今地名考

顧寧人云：「凡考地理，當以《水經》、《皇覽》，《郡國志》等書爲據，昔人註書皆用之。若近年郡邑志乘，多無稽之言，不足信」，語見《譎觚》，此言良是。然今時則更當擴大範圍，以續出之書正多也。

顧祖禹《讀史方輿紀要》，最稱精博，依明代州域地名溯說，今人不能深究明代方域地理，則亦不能悉通其說也。吾鄉楊綿仲先生嘗欲爲此書作補正，似亦未見刊布，稿或散佚可慮。

近人錢賓四有《史記地名考》，其於湖湘一帶地名，春秋戰國之際者，多本王夫之說，此外又另標新說，自亦成一家之言，然未能爲的據也。

清胡林翼著《讀史兵略》，雖俱涉及地理，但重在論兵事方略，於地理考證無大助益。

近人臧勵龢等編《中國古今地名大辭典》，參稽甚富，亦頗依顧書爲說，特便檢查地名，不及顧書敘述之有統系。

余曾爲《左氏傳》講解，稍稍查證今名，費時已近三月，但麄工略記而已，莫能求其詳晰。古今地名城邑水道變易甚多，且更多湮沒者，弗能知也。

先君子嘗有志著《水道歸合圖考》。余幼日曾見所手繪之巨圖，朱墨細絲密字，知所注精力之深。今圖已無存，更未知當時已著手綴文否，然竊計決非一人之力可能遽就。而先君年不及強仕已溘逝矣，悲夫！

就大體言之，今時輿地之學，視往昔遠爲精密。余曩曾發願寫《明代北邊兵事考略》，地理爲其中主要事項之一。數百年來變易非多，志乘亦頗可資參稽。惟是部族及明室中樞與地方之關係影響，與夫邊方貿易之稽禁流通、疾疫死傷、兵制變遷等等有關施設籌策爭議，考索難備，尤其人事上之扞格留難破阻轇轕有必須釐清者，而書闕難於考索，遂爾功近可成而敗，亦頗自惜也。

歷代官制考

看瞿蛻園《中國官制史》。此書頗粗略，闕漏之處亦多，考論未悉精碻，未足資為引據。然頗能舉其要點，具導發作用，文字亦通俗，異夫以繁博夸傳為能者，甚便初學。蛻園，吾鄉績學士也，久居滬上，著述甚豐。

因看《官制史》，遂檢黃本驥《歷代職官表》參閱，兩書對照看，遂較易明白。黃著係據清乾隆官修本刪略而成，尋閱較簡便，但官本原來之誤點，自亦未容有所改正，更因刪削而致文字上復增新誤，為甚可惜，但此書亦彌足珍視耳。

因查一事件，復檢傅樂成著《中國通史》略看，亦未找出頭緒。此書篇幅頗欠剪裁，南北朝上及西晉，頗致其詳，且間有詳其所不必詳者，宋以下則殊簡略。其序言中已具言之。既自知其病，奈何復憚改耶？

兩漢五經博士

檢清張金吾《兩漢五經博士考》。金吾與陳揆子準頗有所論難。王應麟伯厚云：《漢書·儒林傳贊》，「武帝立五經博士」，立五經而獨舉其四，蓋「詩」已立於文帝，今並詩爲五耳。其說甚韙，而金吾駁之。按西漢儒生各專一經，莫能兼通也，申公（魯詩）、韓嬰（韓詩），爲文帝博士，轅固生（齊詩）爲景帝博士，是則魯韓齊博士之立，實始於文景時，特其時未標齊魯韓之名已耳。其證甚堅，浚儀之說不可非也。金吾覆陳書引劉子駿〈移太常博士書〉，謂「至孝文皇帝，天下眾書往往頗出，皆諸子傳說，猶廣立於學官，爲置博士。若然，則孝文時止有傳記博士，無五經博士也明甚」云云，按傳記云者，指經今文，先世口耳相傳，漢初始著於竹帛者也。是傳記之所傳記者即是五經，安得謂爲無五經博士乎？且尋「猶」字之義，即今語尚且。諸子傳說尚且立於學官。又得謂五經轉闕之也乎？

讀宋史選舉志

查《宋史·選舉志》，尙未能得所欲考之事，然讀其序言，大足感人。《宋史》於諸史中成書最草率最稱蕪冗，然固有其甚可取處。

序之言曰：「兩漢而下，選舉之制不同，歸於得賢而已。考其大要，不過入仕則有貢舉之科，服官則有銓選之格，任事則有考課之法。然歷代之議貢舉者，每曰取士以文藝，不若以德行；就文藝而參酌之，賦論之浮華，不若經義之實學；議銓選者，每曰以年勞取人，可以絕超躐而不無賢愚同滯之歎；以薦舉取人，可以拔俊傑而不無巧佞捷進之弊；議考課者每曰拘史文則上下督察浸成澆風；通譽望則權貴請託徒開利路；於是議論紛紜莫之一也」。

凡諸所言，與今日紛囂執論者殆無二致。余曩受命撰考試院施政報告考核文，所指論與此略近。其改良方策，後來院長劉某，引爲基準，亦用稍慰。

余自張默君先生招爲襄試後，任典試委員閱國文科試卷前後殆近卅年。初爲總統任命，嗣改院長聘任，可薦用襄試委員。典試用紅筆爲覆閱，襄試用藍筆爲初閱，其核定分數則依紅筆。其後，復有閱卷委員等等名目，所聘不免浮濫，且有不通文理不曉事理之輩溷雜其中。評分則典試閱卷兩數相加而平均之，或「遇人不淑」，往往評分懸殊。諍則不屑，默又不忍，以是蕭繼宗相與約曰：後此當堅卻典試之聘云。

讀歐陽文忠集

《六一詩》余昔曾點讀，今一字不能記；其詩之大體風格，亦無甚印象矣，學荒良可懼也。今復點讀《歐陽集》，字小不敢多看，其中若干文辭，乃童丱時所熟讀者。《六一集古錄》，欲稍細看而未能。第一卷金石文字，考釋文簡樸甚可讀，而原蹟諸字多不識，釋文闕者亦多，恨不在魯實先未歿時一從叩之也。

趙文敏云「看一書當即只看一書；不可看他書」，信眞讀書者之言也。余輒左抽右掣，多所旁及，故看書乃至徒爲遮眼，略無實獲。頃雜志到又轉看諸雜志，老年人乃正如村童之逃學，可哂已，亦自欺之甚者。

讀歐陽集，覺文中間有接合生強者，或者原本審校之未精耶？抑余學力過淺讀不懂如此文章耶？嘗謂孫子兵法注者爲曹操杜牧梅聖俞，孫子乃甚有契合於詩人之心也，兵家與詩家妙合，蓋有以夫！竊嘆歐陽公之絕不道孫子也。昔人嘗訾歐公「描詩」，以其太近青蓮也。又謂其詩如嫠婦終身不見華飾。此實過論，蓋清峻之氣太甚耳。若六一之詞婉麗靡曼，豈非華飾乎？實言各有宜爾。

歐陽〈問進士策三首〉中，其問《中庸》大義一條，極有味，與其〈易或問〉〈易童子問〉俱為開闢思路之文。至其〈本論〉，謂「使民感知禮義，則可以勝佛老二氏之說」，雖若較退之闢佛之論為進一層，究其實，殆迂夫子之言耳，其晚年所刪定之一文，則為論不如此之僻。

昔抗戰時趙翼《廿二史箚記》，頗為當時諸人所糾議，蓋其中有非戰、全民力諸義，被指為投降主義。歐陽氏〈正統論〉，不予魏予梁，而不能不承認魏與梁。幸今時人不甚究心歐文，否則又將引起一番無謂之筆墨官司矣。蓋所謂「正統」者，余夙以為一無聊之說辭爾，主人主地本不能有一定之是非，矧在今日耶？

宋賢詩話多矣，有甚好，亦有不足觀者，其間評騭時人，或雜黨見，尤不可不審察。《六一詩話》卷帙不多，中有數條為卓識，其餘固平平。極崇青蓮而薄少陵，亦是其一種見解，固非必能使人同然。

《歸田錄》記一時掌故，雜以時人軼事，甚有味。其《筆說》及《試筆》各若干卷，蓋編集者蒐其零紙碎錦為篇爾，有甚清妙語，用寫條幅良佳。

讀東坡事類

雜看《東坡事類》《東坡題跋》《東坡詩話錄》《東坡詞》等書，東坡集曩已點過，故未取閱。覺雖未盡能擺脫塵囂，亦自有一種清適灑落之感，在鬱悒中是一頗可取快之事。

東坡記羅浮穎老取凡飲食雜烹之，名「谷董羹」，吳子野云：「此羹可以澆佛，翟夫子無言，但嘸唾而已」。今時食肆中有雜取山珍海味諸俊品，一鑊烹之者，命曰「佛跳牆」。此之取名，殆緣東坡此記而衍化擴充之也乎？

東坡對歐陽修誦文與可詩云：「美人卻扇坐，羞落庭下花」，修云：「此非與可詩，世間元有此句，與可拾得耳」。放翁云：「佳句本天成，妙手偶得之」，應是祖六一意。

東坡云：「司馬長卿作大人賦，武帝覽之飄飄然有凌雲之氣，近時學者作『拉雜變』，便自謂長卿，長卿固不汝嗔，但恐覽者渴睡落床，雖以凌雲耳」。近時有好爲長聯者殆七八百字，自詡爲古今第一長聯，尋其辭，眞是疥橐駝，東坡翁所謂「拉雜變」者也。繼宗曰：「敢問夫子惡乎長？曰『乾矢橛簍串成之爾』」！此亦可發一笑。

東坡在黃州日，鄰近四五郡送酒至，坡合置一器中，謂之「雪堂義樽」。元祐二年在汴京，王晉卿致墨二十六丸，凡十餘品，坡擣合爲一品，名之曰「雪堂義墨」。

東坡曰：「世以琴爲雅聲，過矣，琴正古之鄭衛耳。今世所謂鄭衛者，皆胡部非復中華之聲」。坡老此言益過矣，文王宣尼諸操如何解說耶？六經記琴事者正多，又豈其爲鄭衛耶？

周越書蹟余未嘗見，僅在《藏眞帖》後有數題記，刻亦尙精，東坡山谷咸鄙其書，謂俗謂險劣，似亦未必盡是。檢東坡諸題跋，於孫過庭書無一語及之，或未之見邪？於張長史但亟稱其郎官石柱書，草書無多褒語。至於懷素，有一則乃辨爲贋者，另則乃評其爲的筆，亦不甚推許，可怪！黃山谷則云：「自得竊素師法後，草書益進」也。

近年大陸荊州掘地得古編鐘，蓋楚宮之遺也。其實在宋代即早有所發現。東坡記云：「黃州西北百餘里有歐陽院，院僧畜一古編鐘，云得之耕者，發其地獲四鐘，斲破其二，一爲鑄銅者取去，獨一在此耳。其聲空籠，頗有古意」。

東坡極稱諸葛散卓筆，其形製未有述，余所弗知。坡又記黃魯直所藏徐偃筆云：「筆鋒如著鹽曲鱔，詰曲紙上，有筋無骨，眞可謂名不虛得」。余實深疑此等筆將如何作字乎？坡所述殆又不必盡然也。

東坡述蔡君謨語云：「藝益工而人益困」，蓋信然也。韋誕善書，而使懸架書宮殿榜；閻立本善畫，而使之作《王會圖》；陸鴻漸喜論茶，乃有「煎茶博士」之辱；倪雲林工畫，亦不免於被人澆便溺。凡此俱可證矣。

東坡〈鳳咮硯銘〉有云：「坐令龍尾羞牛後」。歙縣產龍尾硯石，此銘遂甚爲歙人所病，其後求硯於歙，終不得善硯。東坡書硯之文頗多，余但取其二語：「硯之美止於滑而發墨，其他皆餘事也」。又曰：「硯之發墨者必費筆，不費筆則退墨，二德難兼」。硯之美惡貴賤，余所弗知，亦所弗究，用東坡之說而已。今時骨董家殆已不甚重此。故廬先人所蓄亦有數硯，雖非珍物，似亦頗能入品，今不知流落何所矣。在臺曾見何武公所藏文衡山硯，原春輝所藏方孝孺硯，眞贋余弗能考。故宮博物院硯展，則萬寶雜陳也。今時墨汁製法超精，磨墨又大費時力，硯之爲用日式微焉。

讀宋史宦者傳

讀《宋史・宦者傳》，有感梁師成事，輒節錄之。

梁師成字守道，慧黠習文法，稍知書，初隸賈詳書藝局。詳死，得領睿思殿文字外庫，主出外傳道上旨。政和間，得君，貴幸，至竄名進士籍中，積遷晉州觀察使……，拜太尉，開府，儀同三司……。

徽宗留意禮文符瑞之事，師成善逢迎，希恩寵。帝本以隸人畜之，命入處殿中，凡御書號令皆出其手，……外廷莫能辨。

師成實不能文，而高自標牓，自言蘇軾出子。是時天下禁誦軾文，其尺牘在人間者皆毀去，師成訴於帝曰：先臣何罪？自是軾之文乃稍出。

(師成)以翰墨爲己任，四方儁秀名士，必招致門下，往往遭點污。多寘書畫卷軸於外舍，邀賓客縱觀，得其題識。合意者輒密加汲引，執政侍從可階而升。

王黼父事之，雖蔡京父子亦諂附焉。都人目爲「隱相」，所領職局至數十百。……

策勳進少保，益通賄……。

師成貌若不能言，然陰賊險鷙，遇間即發。

鄆王楷寵盛，有動搖東宮意，師成能力保護。

欽宗立，孌臣多從上皇東下（按即徽宗被虜北狩），師成以舊恩留京師。於是，太學生陳東布衣張炳力疏其罪。

帝迫於公議，猶未誦言逐之。師成疑之。寢食不離帝所，雖奏廁亦侍於外。詔暴其罪，責爲彰化軍節度副使。開封吏護至貶所，行次八角鎮，縊殺之。以暴死聞，籍其家。

嗟乎！是可以觀矣！

讀斜川集

蘇過《斜川集》十卷，《四庫全書總目提要》略云：「《文獻通考》作十卷，世無傳本」。此集乃近時坊間所刻，然考晁說之所作〈蘇過墓志〉，過卒於宣和五年（一一二三），此集所稱乃嘉泰開禧諸年號（一二〇一－一二〇七），語及周必大姜堯章韓侂冑諸人，過何從見之？其中所指時事，亦皆在南渡以後，尤爲乖剌。案劉過《龍州集》中所載諸詩，與此盡同，蓋作僞者因二人同名爲過，而鈔出冒題爲《斜川集》，刊以漁利耳。

《斜川集》今頗罕傳，清乾隆時吳長元得舊鈔殘本《斜川集》，益以所撰集斜川詩文合爲一編，阮元釐定爲六卷，進呈內府，此即《委宛別藏》本。周永年從《永樂大典》中輯出六卷，即刊入《知不足齋叢書》之本，法式善復從《大典》中輯出補遺二卷，見《邵亭知見傳本書目》，趙懷玉亦有輯本見《書林清話》卷九。

斜川詩風神俊爽，典雅有遠致，大多能紹父風，傳其家學。而不幸爲匪類所戕，使其永年，其成就當何如耶？

東坡教子固有所造就矣，而余於此亦牽連有頗覺遺憾者。東坡於世家得王定國，於宗室中得趙德麟，獎許不容口。然定國其後乃偕宦官梁師成以進，師成自承為東坡外婦子，都人號為隱相者也。而德麟亦諂事譚稹。知人之難如此，薄俗之移人又如此。不磷不緇，固先聖之所稱也，吾知勉夫！

讀陳簡齋詩

《陳簡齋詩集合校彙注》，鄭騫撰。此書既不收入胡注，則不足謂之彙注矣，命名良可商。序文中有云：「中華四部備要重排本之外，又有民國十年蔣國榜覆刻宋本」。按中華備要本乃係據蔣書重排者，此之所云，頗與事實相違。

鄭書不信胡注自序「編紀歲月而悉箋之」之語，堅謂簡齋詩原稿即按年編錄，且係簡齋自行選定者。按吳興本，爲簡齋門人周葵所刻，此爲最早之本，樓攻媿序即有「取公詩離爲若干卷」之語，此即有所編次之意。向使原稿即已釐然有序，又何須「離爲若干卷」耶？惜此本今已不可見矣。卷十六美哉亭詩，編在鄧州北歸陳劉諸作之中，詩有成皐關語，鄭氏以爲自陳至鄧，並不經由成皐，疑是簡齋往來洛陽時所作，誤編於此。果係簡齋原稿已自行編年，則又何致有此等誤失耶？此鄭氏不能自圓其說者也。

外集游峴山次韻三首又再賦三首，尋詩語似與人同游者，且無亂離之感。鄭以爲：「峴山在襄陽，簡齋何時游峴山不可考」，又云：「與葛勝仲同遊，就兩人仕迹參證，亦無可能」，其語良是。此峴山或即河南信陽南之峴山歟？《通鑑》：「梁天監三年，魏圍義陽，詔曹景宗王僧炳馳救，僧炳將二萬人據鑿峴，既而景宗頓鑿峴不運，義陽遂降於魏」。《通鑑注》：「鑿峴在關南，即峴山也」。葛勝仲曾知汝州，則其地固非遠，又此兩作中似並不與襄陽峴首山有何點實牽及之處；此亦可爲參證者也，仍俟續考。

卷廿一至廿二，岳州避土寇貴仲正之亂一節，詩所紀甚詳，「五月二日避貴寇至洞庭」，「過君山不獲登覽」，「泊宋田遇厲風」，「自北沙移舟作，是日聞賊革面」（鄭定爲六月廿二日當是），「舟抵華容」。自五月二日避寇轉徙湖中，復從華容道鳥沙還郡，「七月六日出小江口宿焉」。「徙倚柂樓書事」十二句，據此數作，其行迹略可尋已。鄭氏據《無住詞・憶秦娥》，五日移舟明山下作。又據《輿地紀勝》，指明山在盧陽，宋沅州治盧陽，即今湖南芷江縣云云。以此兩據定年譜爲「五月二日避土寇貴仲正入洞庭湖，五月五日至沅州（今湖南芷江縣）城外之明山，六月二十二日聞仲正降，遂經華容（今湖南華容）還岳州，七月下旬抵岳」。按當春漲盛時，岳州當不能四日之內即可抵芷江。鄭氏知其說之難通，乃於詞箋中飾其辭曰：「明山去洞庭湖已遠，詞云洞庭湖懷古，蓋約略言之耳」。作考證庸可以「約略言之」也乎？矧簡齋詩固曰「避寇轉徙湖中」，是則並未離洞庭湖水域也。所謂「巴丘左移右，章華西轉東」，正寫其轉徙湖中之迹也。〈憶秦娥〉詞有「洞庭懷古」語，又有「移舟來聽明山雨」語，並無避亂之意，當不能與此避亂事牽合。又簡齋詩有「泊舟華容縣，湖水終夜明……阿瞞狼狽地，山澤空崢嶸」語，孟德狼狽於華容道，地約當今之湖北公安，又非今湖南華容縣也。惟惜詩中諸山地名不可考耳。鄭譜此段，殊有未安。

鄭書於簡齋曾權知均州、郢州得差未赴，及妻周氏爲武岡人周儀之後諸節，均大有助研究簡齋行迹。又搜列葛勝仲等人唱和之什，彌見用力之勤。讀簡齋詩宜從夏敬觀注入手，夏所選甚精，注尤簡當，而鄭顧甚薄之，何耶？

鄭氏工爲詩，當俟別論之。其評詩，亦大出尋常手眼上，別具詮釋，然固未可盡從。余既好讀簡齋時，又覺鄭氏詩饒有別趣，故長言之如此。

余於去非詩，最賞其七言律句雄闊蒼潤，爲得老杜之一體，今復細讀其七古五古亦殊工，簡健中實蘊靈妙，須靜味之乃得爾。簡齋最善寫雨意，浴室觀雨云：如「摧擊竟自碎，映空白烟走，餘飆送未了，日色在井口」。上兩語狀寫橫風疾雨入神，自來無此警妙，覺髯蘇〈有美堂暴雨〉詩之尚須另假物色，爲落第二乘。緊接餘飆句，亦眞此詩所云：「誰能料天公，辨此穎脫手」者也，井口字固係瞥眼寫實，竟亦不可易。此意極微，近人好作分析，徒張碎義，究無能釋其神理。又〈雨晴〉詩云：「天缺西南江面晴，纖雲不動小灘橫，牆頭語鵲衣猶濕，樓外殘雷氣未平，盡取微涼供穩睡，急搜奇句報新晴，今宵絕勝無人共，臥看星河盡意明」。此是千秋高詠，盡人皆能成誦者。無一典故，但是直寫而又非直寫，眞乃神來之筆。〈積雨喜霽〉云「積雨得一晴，開窗送吾目，疊雲帶憒慣，變化雜神速，夕陽盡意紅，詰朝固難卜」。〈雨〉詩云：「雲起谷全暗，雨時山復明，青春望中色，白澗晚來聲，遠樹鳥群集，高原人獨耕，老夫逃世日，堅坐聽陰晴」。又〈雨〉云：「蕭蕭十日雨，穩送祝融歸，燕子經年夢，梧桐昨暮非，一涼恩到骨，四壁意多違，袞袞繁華地，西風吹客衣」。

〈晚晴〉云：「幽臥不知晴，檣頭見斜日，披衣起四望，天際山爭出，光輝渚蒲靜，意氣沙鷗逸。」步驟神理，皆與「天與西南」一首同，特各具警策，讀之遂覺面目生新耳，就中兩首，結尾俱用宕筆，即方回所謂作「出場」者，或亦別有寓意，此不詳析。昔人曾議其「穩送祝融」句淺俚，「一涼恩到骨」句刻厲，所譏良然。

驟雨開晴，一段清新朗潤之氣，貫流楮墨間，令人毛髮俱爽。近人張大千破墨山水，世推獨步，余獨賞其雨後荷花雨後修竹，其筆墨不到處，饒有此種清新氣息，撲人眉宇。意其亦善能讀簡齋者歟！

簡齋詩佳作綦多，此僅錄其詠「雨」者而已，愚意以為此實其特具之詣，鮮人能道者。昔人有云畫所不能到，向來常見國畫作者繪雨景特扶織披簑戴笠呼牛……等等，殆俱落套，無新意可言，曾見藍蔭鼎氏作水彩畫，寫雨後蘆叢，雨後街景，俱國畫家所未曾有，雨氣著人，衣袂俱潤矣。有人譏近俗，此實不知異量之美，酸葡萄味作祟是已。居臺灣數十年中遇颱風地震蓋亦多矣，曾不見於此等者有何名作也。我思簡齋，亦思遺山之詠風矣。

簡齋詩斷句，如〈出山道中〉云：「雨氣滲春曉，雲氣山腰流」，頗近蘇州；〈試院書懷〉云：「疏疏一簾雨，澹澹滿枝花」，雖狀寂靜無憀之感甚工，固是小家手段；〈元夜〉云：「列宿雨後明，流雲月邊速，空簷垂斗柄，微吹生叢竹」，〈休日早起〉云：「開門知有雨，老樹半身濕」，則刻意摹杜，亦頗得其神理，不以琢畫為工者。

讀元遺山詩

重點《元遺山詩》，此集前歲點未竟事者。覺其五言詩，氣清辭秩，甚可觀。近體結處多用宕筆，偶爲之自是佳趣，集中多有此種，乃見其氣力窘耳。取宋法，間有出魏晉者。構句往往襲用古語，王湘綺訾之爲「十八扯」，則「已甚太過」，然固是微眚爾。施國祈注雖用力甚深、論事明晰，而於古事稍有失注者。

金哀宗天興元年（一二三二），蒙古速不台圍汴京。哀宗走河北，汴城疫癘死者數萬。金西南元帥崔立叛，殺樞密副使完顏魯申、習捏阿不等，立衛王子從恪爲監國，立自稱太師尚書令鄭王，降於速不台而父事之。立自以爲有救生靈功，嗾國人爲立功德碑。據劉氏《歸潛志》，元遺山張信之挾勢脅祈爲撰文，遺山又以爲未愜，更定其文。時王若虛則以死拒，文就，但爲點定數字而已。諸人皆曾汙崔立僞命，納降款、削髮改巾，所撰碑乃磨宋徽宗甘露寺碑改鐫。北兵又至，遂不果立。此遺山最損名節之事。

《遺山年譜》有翁方綱凌廷堪施國祈李光廷及夏敬觀諸作，翁凌李之譜，力辯碑非遺山作，施譜則據《歸潛志》坐爲元撰。夏譜則又以爲碑爲劉祈作，但謂遺山初亦依違其間，而未決然引去；及崔立被殺，遺山乃有「逆豎終當鱠縷分，揮刀今得快三軍」之句。

全祖望論遺山云：「其力修金史，亦思效忠於金，卒被阻而罷，惟亦惓惓至矣。惟遺山以求修史之故，不能不委蛇於元之貴臣。讀其碑版文字，有爲諸佐命作者，至於加先太師先相先東平之稱，以故國之逸民，未免降且辱也；又致書耶律中書令，薦上故國之臣四十餘人，勸其引進，是非可以已而不已者耶？顧言呼諸子，相從潁水濱，古人之風節尚哉。要之，遺山祇成文章之士，後世之蒙面異姓，而托於國史以自脫者，皆此等階之厲也。嗚乎，宗社亡矣，寧爲聖予所南之介，不可爲遺山之通，豈予之過責哉」！全論頗允，亦是當明亡之後，若干托史事以自脫或靦顏仕清廷者，中建此說，以嚴春秋賢者之責，故如是言之爾。文中先太師等語，指遺山撰耶律楚材父耶律履碑，耶律中書令則爲耶律楚材，聖予則宋遺民龔開宗，所南則宋遺民鄭思肖也。

遺山於壬子歲與張德輝北覲，請（元）世祖爲儒教大宗師，世祖悅而受之，《元史·張德輝傳》其言如此。又遺山於新朝權貴如趙天錫、嚴實、張德輝、白華、張柔等，交往頗密，生事多資之爲力。遺山修金史稿，其資料得之於張柔，柔固遺山僚壻也。

論遺山生平，以全謝山之說爲平正，論遺山詩則趙雲松說爲有體會，至於「無官未害餐周粟」，於遺山深有怨辭，清人持論固應爾也。又若「賦到滄桑句便工」，又慨乎言之矣。

盛如梓《庶齋老學叢談》，述遺山改張橘軒詩「富貴倘來良有命，才名如此豈長貧」，易「倘來」爲「逼人」，易「此」爲「子」。又「半篙溪水夜來雨，一樹早梅何處春」，易

「一樹」爲「數點」。又「萬里相逢眞是夢，百年垂老更何鄉」，易「垂老」爲「歸死」，眞乃點鐵成金。萬里聯，橘軒壬辰北渡寄遺山句也。

查初白說遺山《香雪亭詩十五首》，執「重來未必春風在，更爲梨花住少時」，以爲「若是金亡後過汴京，不應作如許語」。此遺山追憶圍城時留汴之心情也，亦固詩家常法。若如查說，則此詩後之「湘君淚盡」「回望都門」「氈車走雪」「明妃負漢」「金水河頭是墓田」「杜鵑啼血」「空園深閉」「蕪城筆」等語，將作何解？此等詎可以逆臆未來事說之耶？此定爲金亡重過汴京詩也。

放翁多梅花詩，後人有能道其本事者。遺山多杏花詩，獨恨無人作鄭箋耳！

郝經志遺山墓，謂遺山「以五言雅爲正，出奇於雜言」。出奇之論自碻，以五言爲雅正則未必也。楊雲翼亦稱遺山「五言造平淡，許上蘇州壇」，亦曰過矣，蘇州謂韋應物也。竊以爲五言宋賢已不能極工，遺山則又下宋賢者也，遺山五言詎謂能造平淡而攀蘇州者耶？王湘綺論詩最薄遺山，至云遺山「初無工力，而欲大家，取古人詞意而雜揉之，不古不唐不宋不元」。更有前揭「十八扯」之論，則泰過矣。

余友劉君紹唐編行傳記文學雜志，蒐羅保存史料甚多，國史館及國民黨史會所不能及。風行海內外三十年，讀者謂以一人敵一國，因譽爲野史館，取義則源於遺山之「野史亭」也。而今時文士有不解「野史亭」何謂者，客有見問，因爲說之。若論風概，則余實有取乎紹唐焉。

財賦鹽漕談往

明代中葉以後用人之例，浙東四明一帶及江西人，俱不用爲戶部官，蓋以此兩地人甚精細工計術，精覈則慮流於朘刻也。清代雖無明條申禁，然大都仍沿明代遺意。國府定都南京以後，銀行圜府浙士滬人居其泰平，且多屬光武故人。今則時移勢異，浙士雖稍減，然仍有甚大之操縱力量也。古人有言，天下事半壞於邪慝之小人，而更泰半壞於不明事理之君子。蓋其愎剛拒諫，見一端而昧於全局，偃蹇自高，遂必致僨事。吾於數十年，問財賦有司，輒作如是觀。

清咸同之際，肅順實一能幹之滿員，其整飭度支（戶）部積弊，大損諸王公及閹豎向來之陋規肥利，府怨叢怒。辛酉政局突變，乃群起致毒而致殺身，甚可鑒戒也。

清名臣陶澍任兩江總督時，釐革鹽漕諸秕政，江南人初甚嫉之，致種桃樹而斫之，取與其名諧聲藉以洩憤也。其後，以改革於民生大有利，眾感德，閭閻馨香以祀。此與鄭子產治鄭之遭遇有近同處。

「笑天獅子」與巡按御史

去余湘上舊居甘棠村五里許，有獅子崙，層巒疊嶂，高聳雲表。絕頂有高冢，冢下鑿一池。早冢廢泉枯矣，余未嘗登覽。山頂依形家言非宜墓葬，而此乃爲特異吉壤，曰笑天獅子，乃某巡按御史祖塋。山戶中有人剪伐鄰墓樹枝，巡按咆怒，迫令具太牢少牢白豚，距墓三里起席紅氈，俾之奠墓，威勢凌逼，有自縊者。山區有寺，住持僧具道力，甚不平，聚桐油數百觔，鐵亦數百觔，鎔鐵熱油，連鑽鑿十數深穴注之，斬其龍脉，此獅子者遂死，巡按不久即譴廢。鄉老相傳有此事，或未必眞。邇日台灣忽傳有術者爲人以鐵釘墓殺地氣，豈堪輿家故有此法耶？

巡按御史爲明官，巡按爲差，御史則爲其官也。《明史職官志》「巡按代天子巡狩，所按藩服大臣府州縣官，諸考察舉劾尤專，大事奏裁，小事立斷。……出按覆命，都御史覆核其稱職不稱職以聞」。《明會要》「永樂元年二月，遣御史分巡天下，自是遂爲定制」。其職權可謂甚大，怙勢權以橫暴者往往而有。

論嘉靖萬曆間政事者，輒謂「小官怕巡按，巡按怕大官」，蓋都御史有提督各道，查勘其績，許其回道或罷黜之權也。「大官怕太監」，諸帝久不視朝，宰輔亦希得見，司禮秉筆太監之權乃特重，或謂至高於首輔。茲舉一例言之：張居正有明良相也，居正聯中官馮保爲內助遂得柄大政，綜覈名實，政體爲肅。但居正仍不敢開罪閹豎。《明史・張居正本傳》：

「南京小閹，醉辱給事中，言者請究治，居正謫其尤者趙參魯以外，以悅（馮）保，而徐說保裁抑其黨，毋與六部事。其奉使者，時令緹騎陰詗之，其黨以是怨居正，而心不附保」。

「居正以御史在外，往往凌撫臣，痛欲折之，一事不合，詬責隨下，又勑其長嚴加考察」。

「御史劉臺……論居正專恣不法。居正怒甚，帝爲下臺詔獄，……由是諸給事御史益畏居正，而心不平」。

「居正以江南貴豪怙勢，及諸奸猾吏民，善逋賦，選大吏精悍者，嚴行督責。賦以時輸，國藏日益充，而奸猾率怨居正」。

「初，帝所幸中官張誠，見惡馮保，斥於外。帝使密詗保及居正，至是（按時居正已死），誠復入，悉以兩人交結恣橫狀聞。……帝執保禁中……禁籍其家，……命司禮張誠及侍郎邱橓……籍居正家。誠等將至荊州，守令先期錄人口，錮其門，子女……餓死者十餘輩。……得黃金萬兩，白金十餘萬兩」。

依上揭，凡御史、閹官、大臣、州縣吏，地方豪猾，種種牽連不法情狀，可概見焉。而余讀《明史》，引論今時事，則不獨深有嘅於巡按，益有憾於閹宦閹黨也。

宋訥與海瑞

余嘗謂人持躬須端方肅飭，但亦須養長其活潑天機，決不可不近人情以自苦苦人。昔老蘇論王荊公，云凡人之不近人情者鮮不爲大姦焉。荊公雖執拗，特亦非大不近人情者。遜清曾國藩素方嚴，而軍事倥傯中日常圍碁一局；每日與屬僚會餐，輒掀髯舉一笑話；克金陵不久，即命復秦淮酒舫燈肆。是信能知團體領導之術，與爲政以寬和劑困暴之方者已。讀《明史》其所旌推之諸人中，則實有大不近人情者，姑拈一二例言之。

首言學官宋訥。訥於元至正時舉進士，明洪武二年徵儒士編禮樂書，訥與焉。事竣不仕歸。久之，因四輔官杜斆之薦，授國子助授，以說經爲學者所宗，超遷翰林學士，改文淵閣大學士。嘗寒附火，燎脅下衣，至膚始覺，帝（洪武）製文警之。洪武十六年爲國子監祭酒，敕諭之曰：「太學天下賢關，禮義所由出，人才所由興，卿夙學耆德，故特命爲祭酒，尙體朕立教之意，俾諸生有成，士習丕變，國家其有賴焉」。又命曹國公李文忠領監事，車駕時幸。學子嘗數千人。訥爲嚴立學規，終日端坐講解無虛晷，夜恒止學舍。所習自四子本經外，兼及劉向《說苑》及律令書數御製大誥。洪武十八年復開進士科，所取士出自太學者三之二，再策士，亦如之。有譖訥者，太祖怒殺之。帝嘗使畫工瞯訥，圖其像，危坐有怒色。明日入對，帝問昨何怒？訥驚對曰：諸生有趨蹌者碎茶器，臣愧失教，故自訟耳；且陛下何自知之？帝出圖，訥頓首謝。二十三年春，訥病甚，仍止學舍，其子請歸私第，叱曰：時當丁祭，敢不敬耶？祭畢，舁舍而卒，年八十。訥逝，帝甚思之，其後更申命誡諸生嚴守訥所訂學規，違者罪至死云。趙翼《廿二史劄記》引《草木子》云：「宋訥以元臣降爲國子祭酒，極意嚴刻以稱上意。監生自縊者月不乏人，死必驗視乃殮，其酷甚於周興來俊臣云」。而《明史》訥傳絕不及之。

尋右所錄，但一種刻厲森栗之氣充塞行間而已，舞雩鼓瑟之風復何有哉！所可比類者，殆惟近日本人所謂「魔鬼訓練」耳，此豈造士之正軌歟？其人附火衣燎至脇乃覺，麻木歟？心別有所屬歟？父母遺體不敢毀傷之教又安在耶？學生衣冠步履飲食必嚴飭中節，固爲學規所訂；偶或趨蹌碎茶器，亦一細事，申教可耳，抑何至蘊怒宿恨積久見於顏色乎？其科舉取士，自太學出者綦多，是其時明祖銳意造興之一代士風，故特以律令大誥等課士。國學最所講求，乃能深探投合時主意嚮，錄取固所宜然，實爲不足旌異者。明祖使畫工密瞯訥容，猜察亦甚矣，司教者敢不凜凜如履薄冰耶？夫學規所以範生徒謹學程者也，違者乃竟罪可至死，其作法之殘賊人性慘毒可知。雖《明史·選舉志》曾謂「學規條目屢次更定，寬嚴得其中」，又云「鉗束亦甚謹」，其初時制法之苛，史文縱多回飾，固仍隱約可見。凡此皆可徵其爲不近人情者。

次舉海瑞一例。大陸曾以「海瑞罷官」新劇諷刺時政，致興大獄。時政容當可議，而海瑞則實又一不近人情之人也。瑞宰淳安時，布袍脫粟，令僕藝蔬自給，總督胡宗憲嘗語人曰：「昨聞海令爲母壽市肉二斤矣」。夫守廉茹素，並非仕宦之所難能，母壽市肉二斤，何乃任人張揚若是，上聞於總督？余竊疑其矯厲以干譽也。宗憲子過淳安時，怒驛吏倒懸之，瑞以爲必非宗憲子，搜發其橐金數千納庫，可謂健令。嚴嵩爪牙都御史鄢懋卿行部過縣，懋卿恃嚴嵩寵，奢侈無度，其按部與妻偕行，製五綵輿令十二女子舁之，道路傾駭。獨瑞供張甚薄，謂小邑不足以容車馬。鄢銜之，歛威去。旋使其黨劾瑞貶興國州判官。按其時嚴嵩當國，老耄倚其子世蕃治政，世蕃席父寵招權利無厭，筐篚相望於道，尤好古尊彝奇器書畫，趙文華、鄢懋卿、胡宗憲之屬，所到輒輦致之。文華諂事嵩，結爲父子，最親暱。自嘉靖廿九年以來，浙江倭寇日亟，卅四年遣文華督視海防，譖殺總督張經，復連訐斥繼任數督。明年文華還京，遂以胡宗憲總督軍務討倭。其歲五月復遣文華視師。宗憲之進，實由附文華因而夤緣嚴氏父子以得者。歲遺金帛子女珍奇淫巧無數與嚴。文華死，宗憲結嚴益厚，威權震東南。廣招致士大夫，名流如徐渭沈明臣余寅等輩，皆嘗居幕中，游揚聲譽頗得力。以翦除海寇汪直徐海等著功，又迭進獻白鹿五色芝白龜秘術等。世宗甚寵任之。洎嚴氏敗，言路交章劾宗憲，帝曰宗憲非嚴黨，徒以獻祥瑞爲羣所嫉耳。尋以事下獄瘐死。鄢懋卿暱附嚴嵩世蕃父子，嘉靖卅五年自左僉都御史尋晉左副都御史，嚴嵩用之總理兩浙兩淮長蘆河東四運司鹽政，盡握天下利柄，所至市權納賄，鹽司郡邑吏膝行蒲伏，性貪恣極欲，以文錦被廁牀，白金飾溺器，勒索富民屬吏，濫受民訟，虐殺不辜，苛斂淮商，幾至激變。兩淮餘鹽歲徵銀六十萬，懋卿增至百萬，饋遺嚴氏及諸權貴不可勝紀。迨繼事者，乃減復六十萬徵額焉。懋卿論遣戍。文華、懋卿，俱入《明史·奸臣嚴嵩附傳》者。當嚴黨勢焰薰天之頃，瑞乃敢與之抗，視昔之強項令者，殆有加矣。守廉節，抗權勢，爲有千載嘉稱令名，區區一令得失抑何足計，瑞固能審權輕重者哉。昔李贄最欽重海瑞。顧其亦有論曰：「避害之心，不足勝其名利之心，以救犯害而不顧，而況無其害而且有大利乎。」

瑞去淳安，史家不一其說，有謂削職，有謂遷嘉興通判，有謂謫興國州判官，《明史·海瑞本傳》，則謂「時已擢嘉興通判，坐謫興國州判官。久之，陸光祖爲文選，擢瑞戶部主事」。按光祖之爲吏部文選郎，乃由吏尚嚴訥自禮部調任，考《明史·七卿表》，訥掌吏部在嘉靖四十二年（一五六三）三月至四十四年四月。其間，光祖又改官太常，是瑞之入戶部，當在四十二年春後不久。其詳或能考得，吳晗所爲書宜已具述。余未能讀吳書，遂弗能悉已。

調部後，瑞所建白舉措，史無所紀。四十五年（一五六六）三月，上疏言時政，極陳世宗修齋醮、興土木、不視朝諸失，請御正朝與宰相侍從言官講求天下利害，語至激切。帝得疏大怒，抵之地，顧左右曰：「趣執之，毋使得遁」。宦官黃錦在側曰：「此人素有癡名，聞其上疏時，自知觸忤當死，市一棺，訣妻子，待罪於朝，僮亦奔散無留者，是不遁也」。帝默然，少頃復取讀之，日再三，爲感動太息，留中者數月。逮瑞下詔獄，刑部論死。獄上，仍留中。考《明史》，嘉靖四十一年（一五六二），嚴嵩以罪免，四十四年（一五六五）嵩子世蕃伏誅。嵩罷，徐階代爲首輔，《明史·階本傳》稱：「於是朝士侃侃，得行其意，……言路益發舒。」瑞疏之上，殆亦所謂「鵰鶚乘時起者」歟？昔賢詩云：「避人焚諫草」，誠不肯彰君過以揚己名耳，今瑞積年仗馬忽爾長鳴，買棺訣妻散僮僕，舖張揚厲以爲之，聲聞徹內廷，夫豈忠直所當爲？以視稍前死諫諸人如楊最、楊爵、沈鍊、楊繼盛等，蓋有間矣。其年十二月世宗崩，《史》云：「時外廷多未知，提牢主事聞狀，以瑞且見用，設酒饌款之，瑞自疑當赴西市，恣啖飲不顧。主事因附耳語，宮車適晏駕，先生今出即大用矣。瑞曰：信然乎？即大慟。盡嘔出所飲食，殞絕於地，終夜哭不絕聲」。史文盛著其事，然使愚騃處此，又將如何乎？況乃瑞耶？通上疏案前後觀之，史殆有微旨焉，是在讀者之能辨之耳。

穆宗嗣立，隆慶元年（一五六七），得釋，復故官。俄改兵部，擢尙寶丞，調大理，歷兩京左右通政。三年（一五六九）夏，以右僉都御史巡撫應天十府。《史》言屬吏憚其威，墨者多自免去，有勢家朱丹其門，聞瑞至，黝之。中人監織造者，爲減輿從。瑞銳意興革，請濬吳淞白茆，通流入海，民賴其利。素疾大戶兼併，力摧豪強，撫窮弱。貧民田入於富室者，率奪還之。徐階罷相里居，按問其家無少貸。下令飇發淩厲，所司惴惴奉行，豪有力者至竄他郡以避。而奸民多乘機告訐，故家大姓時有被誣負屈者。又裁截郵傳冗費，士大夫出其境，率不得供頓，由是怨頗興。都給事中舒化，論瑞迂滯不達政體，宜以南京清秩處之。帝猶優詔獎瑞。已而南給事中戴鳳翔劾瑞庇奸民，魚肉搢紳，沽名亂政，遂改督南京糧儲。瑞撫吳甫半載，小民聞當去，號泣載道，家繪相祀之。將履新任，會高拱掌吏部，素銜瑞，併其職於南京戶部，瑞遂謝病歸。清名臣張伯行曾撰《剛峯海公行狀》，寒齋未有《正誼堂集》，未能悉考。

尋右所揭，則所指涉者多矣。《明史·輿服志》，「品官房舍門窗戶牖，不得用丹漆」，是士庶更無論已，勢家憚瑞而黝其門，固乃依定制也。《食貨志》「兩京織染，內外皆置局……。孝宗……乃給中官鹽引以供費……自劉瑾用事，倖璫陳乞漸廣，有未束髮而僭冒章服者，濫賞日增，中官乞鹽引關鈔無已，監督織造，威劫官吏，至世宗時其禍未訖」。蓋其時織造中官，威勢甚張，瑞力摧折之，亦可謂不畏強禦矣。明代紳權頗強，能干懾地方有司，怙勢兼併民田，甚且勒逼投獻，農民有淪爲貧苦佃戶或仍世僕役者，民怨甚深，逐漸形成對立之社會階級。徵諸爾後流賊竄擾及清兵下江南，世家大戶，被惡僕勞農焚掠凌逼之慘可見。世宗時此種不平之社會現象實已蘊毒府怨。顧鼎臣曾建陳請定均糧限田之制，事具〈食貨志〉。要爲當時論政者之共識。〈徐階本傳〉：「御史齊康劾階，言其二子多干請，及家人橫里中狀。階疏辯乞休」。〈高拱本傳〉：「（徐）階子弟頗橫鄉里，拱以前知府蔡國熙爲監司，簿錄其諸子，皆編戍，所以扼階者無不至」。階柄國時，所以保全維護瑞者甚多，而乃亦按問其家不貸，亦是不以私害公，古賢拔大本強宗之意。按其尤而豪右惕慴，平閭閻下民之積憤，或者不免過聽偏右，開罪權門鉅室。至於郵傳驛遞，考《明史·職官志》，「承宣布政使司參政參議，派管驛傳，按察司副使、僉事分司清軍道，驛傳道，知府於驛遞、道路之事，則雖有專官，皆總領而稽覆之」。按〈志〉：「驛、驛丞，典郵傳迎送之事，凡舟車夫馬廩糗裯帳，視使客之品秩，僕夫之多寡，而謹供應之。」巡檢驛丞各府州縣有無多寡不同。《明會要》：「洪武元年置各處水馬驛站，……九月改各站爲驛」。「二十年十月定勳戚出使，非奉符驗，不得乘驛」。「永樂元年十月定驛傳事例」。「宣德六年許進表官得宿驛舍，御史得乘驛馬」。「兵部尚書張本奏，今在外凡有符驗官司，及鎭守中官，每以常事泛濫給驛，皆宜禁」。又按大臣歸休許馳驛者，事例不一而足。品官挾勢苛責供張者，如前述胡宗憲子倒懸驛吏之事，亦比比皆是。瑞所裁蓋在是。瑞素性刻嗇，屬吏承風，不免過分竄陋裁削，乃致供應不如法，而召怨取謗也。〈瑞本傳〉稱「撫吳甫半載」，考陳鶴《明紀》瑞罷吳撫繫在隆慶四年（一五七〇）二月，夏燮《明通鑑》繫在是年三月，距其受任之始俱已匝歲，是必有一舛。當就實錄考之。更按〈瑞本傳〉隆慶元年，御史齊康劾徐階，瑞颺言：「徐階畏威保位誠亦有之，然自執政以來，憂勤國事，休休有容，有足多者。康乃甘心鷹犬，搏擊善類，其罪又浮於高拱」。〈高拱本傳〉「御史齊康爲拱劾階」，「三年冬，帝召拱以大學士兼掌吏部，拱乃盡反階所爲，凡先朝得罪諸臣，以遺詔錄用贈卹者一切報罷」。拱修前怨，瑞遂罷吳撫。又考《明會要》，「南京糧儲，舊督以都御史」。「隆慶四年三月裁革總督南京糧儲都御史，以其事屬之南京戶部侍郎」，於是瑞乃無官守而不得不謝病歸矣。其撫吳任內於地方建設，可紀者厥爲請濬吳淞白茆通流入海，《明史·河渠志》「江面蓋三十丈，增開十五丈……計濬五千餘丈，役夫百六十四萬餘口……，力破羣議，挑自上海江口宋家橋至嘉定艾祈八十里。」《明通鑑》則繫其事在隆慶四年（一五七〇）三月，或瑞去尚未竣工也。《明史紀事本末·治水江南條》，「穆宗隆慶四年，巡撫海瑞委松江府同知黃成樂，上海知縣張嵿開浚王渡起至宋家港，共長一萬一千五百七十一丈，濶三十餘丈，今議半開河面一十五丈，濶七丈五尺，深一丈五尺六寸共用工銀六萬餘兩，是歲大饑，畚鍤雲集，不兩月而河工告成，民得仰食焉」。綜上所述，惟見瑞之峻刻風厲偏激，寬和之政無聞焉。〈瑞本傳〉稱：「撫吳甫半歲，小民聞當去，號泣載道，家繪像祀之」，不及歲周，德惠焉能浹洽至是？雖其時澆漓淩虐之弊甚深，矯枉或須過正，抑何至如此之躁驟，任性行之，露才以揚己也哉！此又其所以爲不近人情也。

瑞罷歸甚久，神宗繼穆宗立，曰萬曆（一五七三）。張居正爲首輔。居正世稱其綜覈名實，彊毅任事者也，〈瑞本傳〉言（居正）亦不樂瑞，令巡按御史廉察之，御史至山中視瑞，設雞黍相對食，居舍蕭然，御史歎息去。居正憚瑞峭直，中外交薦卒不召」，居正死於萬曆十年，〈瑞本傳〉十三年（一五八五）五月召爲南京右僉都御史，道改南京吏部右侍郎，瑞已年七十二矣。是瑞生於明武宗正德九年（一五一四），吳撫去官時當爲五十六歲。罷官閒住已十六載也。上疏以爲「垂老將死，比古人尸諫之義，請嚴刑懲貪吏，舉太祖剝皮囊草之法，及依洪武三十年定律，枉法八十貫論絞」。其他規切時政語極剴切。考《明會要》：「明祖嚴於吏治，凡守令貪酷者，許民赴京陳訴，贓至六十兩以上者，梟首示衆，仍剝皮實草。公座旁各懸一剝皮實草之袋，使之觸目警心」。勸帝虐刑，時議以爲非。帝屢欲召用瑞，執政陰沮之。乃用爲南京右都御史，諸司素媮惰，有御史偶陳戲樂，瑞欲遵太祖法予之杖，百司惴恐，兩京給御連糾之。瑞亦屢疏允休，十五年（一五八五）卒官。《瑞本傳》云：「無子，卒時，僉都御史王用汲入視，葛幃敝籯，有寒士所不堪者，因泣下，醵金爲斂，小民罷市。喪出江上，白衣冠送者夾岸。酹而哭者百里不絕。贈太子太保謚忠介。瑞生平爲學以剛爲主，因自號剛峯，天下稱剛峯先生。嘗言，欲天下治安，必行井田，不得已而限田，又不得已而均稅，尙可存古人遺意。故自爲縣，以至巡撫，所至力行清丈，頒一條鞭法，意主於利民，而行事不能無偏云」。夫井田制上世未必信已行之，其勢乃決爲無法可復，漢末之規措挫廢，己有明驗，可弗論已。所謂限田者乃在嚴限官田莊田等之請乞濫賜，勳臣戚畹咸有定額，豪民勢戶侵奪兼併嚴其禁制，過制者還民。所謂均稅者厥爲釐平官田民田科賦，定上中下三則輸納，矯除詭寄逃賦，並減科蘇松嘉湖諸區重賦等等。所謂一條鞭者，據《明會要》爲：「總括一縣之賦役，量地計丁，丁糧畢輸於官，一歲之役，官爲僉募。力差，則計其工食之費量爲增減。銀差，則計其交納之費，加以贈耗；以及土貢方物，悉併爲一條，皆計畝徵銀，折辦於官」。夷考其所主諸法，如限田、均糧稅、一條鞭法、力行清丈等，張居正即力行清丈，顧鼎臣於瑞所主諸事，早有建陳，且已次第有所施行。迹其所說，固亦一時通見已耳，非有絕特之深識大猷也。惟瑞能在舉世恬嬉酣豢中以苦自見，爲可取也。

然君子不以其所能者驕人，更不以其所能者過責於人，而瑞特剛愎自用，善自標揭以取聲譽。尋其所操履，一苦行僧已耳！亦既仕矣，不當取入世法乎？苟一世咸如其所踐，不羣將食土壤飲黃泉如死灰槁木矣乎？當君權之世，爲政所恃者刑賞而已，設人人咸若貧賤不能移、威武不能屈、富貴不能淫，是俱爲敷治之絕物也，政教不幾於熄歟？昔人謂天下半敗壞於貪鄙無行之小人，半亦敗壞於自信廉節而不通世務之君子，瑞誠此類君子之選也。果於自信而憍蹇以臨之，更乃以此繩人、以此命世，其可乎哉？處昏亂之時，矯枉或不需免取過正之術，然而非常道也，非中行之士所爲也，史訾之曰偏，不其宜乎？

宋訥、海瑞，有明一代名臣，余特惡其不近人情耳！然而今日世衰道敝，不得中行士以挽之，遂不得不思狂簡才以戢之遏之，我思古人，乃益有取於狷者矣。

讀李卓吾焚書

幼日聞有李贄卓吾所著《焚書》，家藏無此，遂未獲一覩。及入台始於坊肆購得，亟發而讀之。據卓吾自序：「自有書四種，一曰《藏書》，上下數千年是非，未易肉眼視也，故欲藏之。言當藏於山中，以待後世子雲也。一曰《藏書》，則答知己書問，所言頗切近世學者膏肓，既中其痼疾，則必欲殺我矣，故欲焚。言當焚而棄之，不可留也。《藏書》之後，又有別錄名爲《老苦》，雖同是《藏書》，而另爲卷目，則欲焚書焚此矣。獨《說書》四十四篇，眞爲可喜，發聖言之精蘊，闡日用之平常，可使讀者一過目，便知入聖之無非，出世之非假也。信如傳注，則是欲入而閉之門，非以誘人，實以絕人矣，烏乎可……」。袁中道〈李溫陵傳〉曰：「公素不愛著書，初與耿公（按定向）辯論之語，多爲掌記者所錄，遂裒爲《藏書》。後以時義詮聖賢深旨，爲《說書》。最後理其先師所銓次之史，焦公（弱侯）刻之於南京，是爲《藏書》」。余所購得之本爲新刻，書末有黃節跋，云「卓吾此書之外，復有《續藏書》《說書》《卓吾大德》等著。《藏書》述史始自春秋，訖於宋元，《續藏書》則述明一代萬曆以前事」。此等余俱未之能見。據黃跋，明季此書兩經禁燬，一焚於萬曆之三十年（一六〇二），再焚於天啓五年（一六二五）。再據此書「點校說明」，《焚書》一五九〇年初刻於麻城，是時贄爲六十四歲，但現所刻書收有七十歲後作品，可見今本已非原刻之舊。依說明論之，則無惑於與〈自序〉所云云者有所出入矣。

《明史・耿定向傳》：「定向嘗招晉江李贄於黃安，後漸惡之，贄亦屢短定向，士大夫好禪者往往從贄遊，贄小有才，機辯，定向不能勝也。贄爲姚安知府，一旦自去其髮，冠服坐堂皇（按即公廨上座），上官勒令解任。居黃安，日引士人講學，雜以婦女，專崇釋氏，卑侮孔孟。後北游通州，爲給事中問達所劾逮，死獄中」。據袁中道所爲傳：「獄舍中……薙髮……持刀自割其喉」。

嘗見一說部節引贄《藏書・自序》曰：「前三代吾無論矣，後三代漢唐宋是也。中間千餘年而獨無是非者，豈其人無是非哉，咸以孔子之是非爲是非，天下乃眞無是非也。然則予之是非人也，又安能已。……《藏書》者何？言此書但可自怡，不可示人，故名曰《藏書》也。而無奈一二好事朋友，索覽不已，予又安能以已耶？但戒之曰：晚則一任諸君覽，但無以孔夫子之定本行賞罰也則善矣……」。《藏書》凡六十八卷《續藏書》二十七卷，有新意，其是非不揆於正，以秦始皇爲千古一帝、武則天爲聖人、馮道爲社稷臣，種種皆背於昔聞。

今就所見《焚書》檢論之，凡分六卷。卷一、二爲書答，卷三、四爲雜述，卷五爲讀史，卷六爲古今體詩，後者增補二種，凡文十三篇。略倣學譜語錄並雜述論書之。

書答：

天下無一人不生知，無一物不生知，亦無一刻不生知者，但不自知耳。然又未嘗不可使知之也。惟是土木瓦石不可使知之者，以其無情難告語耳，賢智愚不肖不可使知之者，以其有情難告語也。

既成人矣，又何佛不成，而更待他日乎？天下寧有人外之佛，佛外之人乎？

無善無惡，是謂至善，於此而知所止，則明明德之能事畢矣。

人能知止，則常寂而常定也，至靜而無欲也，安安而不遷也，百慮而一致也。

古今賢聖皆豪傑爲之，非豪傑而能爲賢聖者，自古無之矣。

穿衣喫飯，即是人倫物理，除却穿衣喫飯，無倫物矣，學者只宜於倫物上識眞空，不當於倫物上辨倫物。於倫物上加明察，則可以達本而識眞源，否則只在倫物上計較忖度，終無自得之日矣。支離易簡之辨，正在於此。

所謂「空不用空」者，謂是太虛空之性，本非人之所能空也。若人能空之，則不得謂之太虛空矣。若空得一毫人力，便是塞了一分眞空。

精則一，一則不二，不二則平，一則精，精則不蹂，不蹂則實。但得一，萬事畢，更無有許多事物虛實高下等見解也。

今世俗子與一切假道學，共以異端目我，我謂不如遂爲異端，免彼等以虛名加我。

果致虛極而守靜篤乎？此是何等境界，而可以推測擬議之哉，故曰「億則屢中」。非不屢中也，而億則其害深矣。夫惟聖人不億，不億故不中，不中則幾焉。

人知病之苦，不知樂之苦，樂者苦之因，樂極則苦生矣。人知病之苦，不知病之樂，苦者樂之因，苦極則樂至矣，苦樂相乘，是輪迴種，因苦得樂，是因緣法。願作聖者師聖，願為佛者宗佛，不問在家出家，人知與否，隨其資性，一任進道。在家可也，孔孟不在家乎？出家可也，釋迦佛不出家乎？

夫惟陳相信師，而後陳良之學始顯。惟西河之人疑子夏於夫子，而後夫子之道益尊。何公（按何心隱）死，不關江陵（按：張居正）事，何公有「此人必當國，當國必殺我」等語，則以何公自許太過，不意精神反為江陵所攝，蓋皆英雄肯相下之實，何公布衣之傑也，故有殺身之禍；江陵宰相之傑也，故有身後之辱。（卓吾學術淵源姚江王守仁，龍溪王畿為姚江弟子。龍溪之學一傳為何心隱（即梁汝元），再傳而為卓吾，心隱披猖不撿於正，李義河揣江陵意殺之。而卓吾此說，乃推心隱而並不責江陵，傳學之誼則固已略舛矣。）

夫天生一人，自有一人之用，不待取給於孔子而後足也。若必待取足於孔子，則千古以前無孔子，終不得為人乎？故為願學孔子之說者，乃孟子之所以止於孟子，僕方痛恨其非夫，而公謂我願學之歟？

孔子未嘗教人之學孔子也。使孔子而教人以學孔子，何以顏淵問仁，而曰為仁由己而不由人也歟哉！何以曰古之學者為己，又曰君子求諸己也歟哉！惟其由己，故諸子自必問仁於孔子，惟其為己，故孔子自無學術以授門人。是無人無己之學也，無己，故學莫先於克己；無人，故教惟在於因人。

夫天下之人得所也久矣，所以不得所者，貪樂者擾之，而仁者害之也。仁者以天下之失所也而憂之，而汲汲焉而貽之以得所之域，於是有德禮以格其心，有政刑以縶其四體，而人始大失所矣。

今彼講是非，而我又與之講是非，講之不已，至於爭辯。且我以信義與人交，已是不智矣，而又責人之背信背義，是不智上更加不智。愚上加愚。

「大學之道，在明明德，在視民」，只此一「親」字，便是孔門學脈，能親便是生機。既能明德，則自然親民。

善與惡對，猶陰與陽對、柔與剛對、男與女對，蓋有兩則有對，其勢不得不立虛假之名以分別之。

聖人不責人之必能，是以人人皆可以爲聖，故陽明先生曰：「滿街皆聖人」，佛氏亦曰：「即心即佛，人人是佛」。

遯世不見知而不悔，此學的也。眾人不知我之學，則吾爲賢人矣，此可喜也。賢人不知我之學，則我爲聖人矣，又不愈可喜乎？聖人不知我之學，則吾爲神人矣，尤不愈可喜乎？

夫所謂仙佛與儒，皆其名耳。孔子知人之好名也，故以名誘之，大雄氏知人之怕死，故以死懼之。老氏知人之貪生也，故以長生引之。皆不得已，權立名色以化誘後人，非眞實也。

親見本來面目，無我故也。本來無我，故本來無聖。本來無聖，又安見得已之爲聖人，而天下之人非聖人耶？

愚之所好察者邇言也，而吾身之所履者，則不貪財也、不好色也、不居權勢也，不遺得失也，不遺居積於後人也，不求風水以圖福蔭也。

無拘無礙，便是西方淨土、極樂世界，更無別有西方世界也。

凡有大才者，其可以小知處必寡，其瑕疵處必多，非眞具眼者與之言必不信。

眾人之病，痛病在好利；賢者之病，病在好名。

豪傑凡民之分，只從疵人與疵於人處識取。

邑姜以一婦人而足九人之數，不妨其與周、召、太公之流並列爲十亂；文母以一聖女而正二南之風，不嫌其與散宜生、太顚之輩並稱四友。（按：此爲其講學男女雜坐解謗之說）

世人厭平常而喜新奇，不知天下之新奇，莫過於平常也。

佛高一尺，魔高一丈。昔人此言，只要人知有佛即有魔，如形之有影、聲之有響，必然不相離者。知其必然，便不因而生恐怖心，生退悔心矣。世但有魔而不佛者，未有佛而不魔者。人患不佛耳，毋患魔耳；不佛而魔，宜以佛銷之。佛而魔，愈見其佛也。

謂身在是之外則可，謂身在非之外即不可。蓋皆是見得恐有非於我，而後不敢爲耳。謂身在害之外則可，謂身在利之外即不可，蓋皆是無所利於我，而後不肯爲耳。蘇長公何如人？故其文章自然通天地，世人不知，祇以文章稱之，不知文章直彼餘事耳。今抄出作四冊，俱世人所未取。世人所取者，世人所知耳，亦長公俯就世人而作也。至其眞洪鍾大呂，大扣大鳴，小扣小應，俱聚精神髓骨所在，今盡數錄出。時一披閱，心事宛然。

堯明知朱之嚚訟也，故不傳以位，而心實痛之，故未嘗不封之以國。夫子明知鯉之癡頑也，故不傳以道，而心實痛之，故又未嘗不教以禮與詩。舜明知象之欲殺己也，然非眞心喜象則不可以解象之毒，縱象之毒不可解，然舍喜象別無解之之法矣。若夫不中不才子弟，只可養，不可棄；只可順，不可逆。逆則相反，順則相成。是爲千古要言。

右所雜錄亦既多矣，但見其將儒家釋眾老氏之言，淆然以陳，殆未能紬繹爲一宗旨，合建爲一系統也，罵詈鬱怒怨激之辭盈耳哉！又未嘗見其悖戾橫毒如蝮蛇猛獸者，何數百年來嫉之若是其甚也？再蘇長公文，余亦頗嘗讀之，亦未嘗多有如卓吾之所稱歎仰慕者，是其別有會心者歟？又謂「鯉之癡頑」，亦未知何據。

余祇覺「有味乎其言」乃漫冗錄之，可以發笑亦可以自警爾。設卓吾生今日，余良不知當爲何等樣人物也。「龐如其言」一團糟亦自有一團糟好處、一團糟之味道也，況其中固有不少精義乎。

雜述：

〈卓吾論略〉：蓋自敘文也，述其治學，居官、處家室、出遊之事、止於居金陵，後此無述焉。頗高自標置，有暴慢意態。

〈論政篇〉：君子之治，本諸身者也，至人之治，因乎人者也，本諸身者，取必於己，因乎人者，恒順於民。人與己不相若，有諸己矣，而望人之同有，無諸己矣，而望人之同無，爲一切有無之法以整齊之，惑也。於是有條教之繁，有刑法之施，而民日以多事矣，至人則不然，因其政不易其俗，順其性不拂其能。

〈何心隱論〉：謂未嘗親觀其儀容而聽其緒論，就其所學，擬之爲亢龍，爲上九之大人。然心隱亦烏能當此？

〈夫婦論〉：厥初生人，惟是陰陽二氣，男女二命，而何太極之有？以今觀之，所謂一者果何物，所謂理者果何在？所謂太極者果何所指也。若謂二生於一，一又安從生也，一與二爲二，理與氣爲二，陰陽與太極爲二，反覆窮詰，無不是二。是故但言夫婦二者而已，更不言一，亦不言理。

〈鬼神論〉：但論祭祀當否一節。

〈戰國論〉：但言天下之勢合久必至於分，勉強維持其合者，但五霸，管仲之功也。

〈兵食論〉：力言古者寓兵於民，即寓之於農，范仲淹乃謂儒者自有名教，何事於兵，則已不知兵之急矣，張子厚復欲買田一方，自謂井田，則已又不知井田為何事，而徒慕古以爲名，祇益醜焉。

雜說：

〈雜說〉：舉〈拜月〉〈西廂〉謂爲化工，〈琵琶記〉則爲畫工。意者宇宙之內，本自有如此可喜之人，如化工之於物，其工巧自不可思議爾。又歷舉〈五合記〉〈崑崙奴〉〈拜月〉〈紅拂〉諸雜劇，謂關目好，說得好，曲亦好。能以小見大，以奇見正。又舉《水滸傳》，許其爲忠義，有國者不可不讀，賢宰相不可不讀之書。

〈童心〉：「童心者心之初也。曷可失也。然而童心胡爲而遽失？方其始也，有聞見從耳目而入，其長也，有道理從聞見而入，童心既障，而以從外入者聞見道理爲之心也，夫既以聞見道理爲心，則所言者皆見道理之言，非童心自出之言也。言雖工，於我何與？……夫六經、語、孟，非其史官過多褒崇之詞，則其臣子極爲贊美之語，又不然，則其迂闊門徒懵懵懂懂弟子，記憶師說，有頭無尾，有後無前，隨其所見，筆之於書，後學不察，便謂出自聖人之口也。……孰知其大半非聖人之言乎？……然則，六經語孟，乃道學之口實，假人之淵藪也，斷斷乎其不可以語於童心之言明矣。」此文即由莊生鑿混沌之意，而別衍其辭爾。又卓吾並未甚爲非聖，特深惡乎「假道學」一流入耳，亦就陽明「致良知」之旨矯激爲言也。姚江各枝流，俱極闢朱晦盦，此條宜與其〈讀史〉〈文公著書條〉參看。

〈朱文公所著書〉：朱文公談道著書，百世宗之，然觀其評論古今人品，誠有違公是而遠人情者，王安石引用姦邪，傾覆宗社也，乃列之《名臣錄》而稱其道德文章；蘇文忠道德文章，古今所共仰也。乃力詆之。謂得行其志，其禍又甚於安石……此何心哉？……坡公好笑道學，文公恨之，直欲爲洛黨出氣耳！豈其眞無心哉……？秦檜之姦，人皆欲食其肉，文公乃稱甚有骨力；岳飛之死，今古人心何如也，文公乃譏其橫，譏其直向前廝殺。漢儒如董如賈，皆一一議其言之疵；諸葛孔明名之爲盜，又議其申韓；韓文公則文致其與大顚往來之書，疊疊千餘言，必使之不爲全人而後已，蓋自周孔而下無一人得免者……。又其論「黨籍碑」有云：「世但知小人能誤國，不知君子之尤能誤國也。小人誤國猶可解救，若君子而誤國，則末之何矣……孰能止之？如朱夫子亦猶是矣」。昔人謂王荊公舍周孔外非議古人都盡，卓吾此指摘晦翁，亦同此論。此乃是宋儒當時一種風氣，不可獨爲荊公、文公病，然其爲病，則無可諱也。

〈心經提綱〉：「心經者，佛說心之徑要也，心本無有，而世人妄以爲有，亦無無，而學者執以爲無，有無分而能所立，是自窒礙也、自恐怖也、自顚倒也，安得自在？獨不觀於自在菩薩乎？彼其智慧行深，既到自在彼岸矣，斯時也，自然照見色、受、想、行、識五蘊皆空，本無生死可得，故能出離生死苦海，而度脱一切苦厄焉，此一經之總要也」。「勿謂吾說空，便即著空也，如我說色，不異於空也；如我說空，不異於色也。然但言不異，猶是二物有對，雖復合而爲一，猶存一也。其實我所說色，即是說空，色之外無空矣。我所說空，即是説色，空之外無色矣。非但無色，而亦無空，此眞空也」。「無空可名，何況更有生滅、垢淨、增減名相，是故色本不生，空本不滅，説色非垢，説空非淨，在色不增，在空不滅。非億之也，空中原無是耳。是故五蘊皆空，無色、受、想、行、識也。六根皆空，無眼、耳、鼻、舌、身、意也；六塵皆空，無色、身、香味，觸法也。十八界皆空，無眼界乃至無意識界也，以至生老病死，明與無明，四諦智證等，皆無所得……如此所得既無，自然無罣礙恐怖與夫顛倒夢想矣。色即是空，更有何色，空即是色，更有何空，無空無色，尚何有有無，於我罣礙而不得自在耶」。又：卓吾答焦漪園書云：「心經提綱，則爲友寫心經畢，尚餘一幅，遂續墨而塡之，以還其人，皆草草了事，不意遂成木災也」。迹其所言，於「眞空」一義多有詮闡，且頗具精義。至於「妙有」一層，此經本未多所言及，蓋「妙有」乃兼寓蘊於「眞空」也。卓吾於他文有散見零星之語，弗能詳析，未錄。余亦屢嘗讀《心經》，覺或有所解會，他日讀之，又覺與此所解會者不同，或正相異。如讀《金剛》、《圓覺》、《楞嚴》、《法華》諸經亦然。於其中零章碎語，偶或有所觸會輒欣然暢適，他日重讀或又不必然。在當下欣然之頃，自覺頗得益，他非所知。故惘然曰：諸經義蘊實深，可以弋獲毋用刻求，平生未嘗遇高禪大德，所謂證悟禪悅者俱所弗解。又自分鈍根，福慧非敢妄求，有片時恬愉，心境即大滿足，何苦追尋其所謂無上甚深微妙法也哉？諸經注釋及公案語錄甚多能令人會心領悟，覺亦有不少實爲徒亂人意之多話，或竟可目爲打高空之妄説。余此之所云云，當是妄説而加三級者也。卓吾所論或亦有妄説者。

〈（蘇）子由解老序〉：「獲子由《老子解》讀之，解老子者眾矣，而子由稱最。子由之引《中庸》曰：『喜怒哀樂之未發謂之中』，夫未發之中，萬物之奧，宋儒自明道以後，遞相傳授，每令門弟子看其氣象爲何如者也。子由乃獨得微言於殘篇斷簡之中，宜其善發《老子》之蘊，使五千餘言爛然如皎日，學者斷斷乎不可以一日去手也。……今去子由五百餘年，不復見此奇特」。「道之於孔老，猶稻黍之於南北也，足乎此者雖無羨於彼，顧可棄之哉？何也？至飽者各足，而眞饑者無擇也」。子由此撰，蓋遠尋晉賢「將毋同」之旨而闡拓之，於溝合三教之功多，而獨探老氏之功微謝也。頗有近於「格義」。其意唐人李翺已微發之，卓吾乃益暢其旨爾。朱太常博士章謙奏上蘇文定公謚議曰：「注《老子》深窮道德之旨，而發明佛老之相類」，其言良是。《四庫提要》謂其書「闡述佛老同源，並與《中庸》相較論」。此與卓吾論學之旨頗相合，故特揭之。又卓吾其答焦漪園書：「老子解亦以九日成，蓋蘇註未愜，故就原本添改數行」，其書余未之見。

讀史

〈焚書・讀史〉：《焚書・讀史》一卷，收取頗雜，但於古人所論有異見，而罕特識，此殆編書時此類文字，別無可位置收容，權入於此類而已。

「經史相爲表裏」「經史一物也，史而不經，則爲穢史矣，何以垂鑑戒乎？經而不史，則爲說白話矣，何以彰事實？故春秋一經，春秋一時之史也。詩經、書經、二帝三王以來之史也。而易經則又示人以經之所自出，史之所從來，爲道屢遷，變易非常，不可以一定執也。

故謂六經皆史可也」。卓吾此論與章實齋六經皆史之說，有近同處亦有岐異處，而與後此治公羊學之諸家，則大不侔。然此論，亦良有可參者。蓋向來治理學諸人，究心史學者，良不多覯耳。

〈五死篇〉，「唯是程嬰公孫杵臼之死、紀信欒布之死、屈平之死，乃爲天下第一等好死。其次臨陣而死，其次不屈而死。臨陣而死勇也，未免有不量敵之進，同乎季路，不屈而死義也，未免有制於人之恨，同乎睢陽，雖曰次之，其實亦皆烈丈夫之死也，非凡流也。又其次則爲盡忠被讒而死，如秦之商君、楚之吳起、越之大夫種是矣。是爲不知止足，其名亦曰不智，雖又次於兩前者，然既忠於君矣，雖死有榮也。……故智者欲審處死，不可不選擇於五者之間也。縱有優劣，均爲善死。……丈夫之生，原非無故而生，則其死也又豈容無故而死乎？」又曰：「自然而死，等死於牖下，何以見其節，又何以見其死」。此所論原收在雜述編，以其有涉論史，故移此併述之。夫善其死先必在善其生，善其生，非徒爲節烈也，此所見實岔戾大偏，果如所論，則仲尼老聃釋迦俱不能爲善其死者矣。執此一偏之見，是可徵其不能善讀史也。其刎喉而斃於獄中，則充是心也之所爲爾，君子能謂之曰善死乎？

卓吾於古人獨推曹操爲能知人能用人，於宋人特盛稱蘇氏兄弟，於時人則惟許楊愼，頻引用其說。兩蘇姑弗論，若曹若楊，又豈足爲史之第一流人哉！其於同時諸人如耿定向昆弟，則始合而終睽。能久相與者則袁中郎小修兄弟。袁氏宗道自署爲白蘇齋，其景服大蘇可知，卓吾毋乃從而和之也乎？又一相與者爲焦竑。弱侯固深於學，固亦佞佛者也，此宜氣類相感矣。竊嘗以爲宋人道學末流導人於迂、於弱、於僞，固宜有所矯振，陽明心學末流則導入披猖誕漫而不知檢，亦未若如何心隱、李卓如一派魯莽滅裂如此也。其爲謝在杭（肇淛）、顧亭林、王宏撰諸君深闢痛絕固宜。

卓吾負世大詬者爲「非聖侮經」。卓吾固未嘗非孔子也，祇於不善學孔之近於「貌儒」者多所訕詈爾，是未足爲病。若夫經說，則「學術」固當容許討論者也。孟子即曾謂「盡信書不如無書」，漢代王充曾著論〈問孔〉〈刺孟〉，孔融亦持說非孝。融則孔子裔也，不當「以杖叩其脛」乎？晉賢亦輒有「禮豈爲我輩設哉」之語，唐代韓愈、劉知幾、柳宗元輩，亦各有論列。凡此俱是有見於其通方者。至分論六經，《儀禮》古經亡，鄭樵〈儀禮辨〉已備論之。《周禮》漢時劉歆奏置博士，鄭玄以爲周公居攝所作，其後賈公彥指爲末世瀆亂之書，何休亦以爲戰國陰謀之書，宋代蘇轍、程頤、張載、洪邁、朱熹輩俱各致其疑。《禮記》，雖多出孔氏門人所記，而多有爲漢人所撰雜入，如〈王制〉、〈樂記〉諸篇，〈月令〉亦有疑，〈中庸〉則子思所作，〈緇衣〉則公孫尼子所撰，先儒以爲「自曲禮、少儀、祭義、射義等篇已多戾古」。《大戴禮記》，亦有指爲後人所輯。再如《春秋》，宋儒王安石以爲「斷爛朝報」，《左氏傳》作者爲誰？又其文紀述至趙襄子之事，去孔子之歿已八十年，朱熹亦疑其有縱橫家意思。《公羊傳》何休即以爲「多異義可怪之論」，亦頗有與羣經之旨不能參合處，《穀梁傳》甚尠，其詮析經旨亦稍有不同於公左之說者。再如《易經》、《連山》、《歸藏》早佚，今傳者多指爲僞撰。《周易》究者綦多，卦辭、爻辭撰者誰屬，迄無定說，重卦之人亦同。《十翼》作者亦有謂非孔子者，說固紛然也。歐陽修〈易童子問〉，其論甚可思焉。學者叢說各具不繁舉矣。更如《書》，其《今文尚書》謂爲孔子刪定，漢初伏勝傳授，本非全書，其中亦有僞託。朱晦盦曾引吳棫辨〈梓材〉一篇之說，疑後半非原書。又晦盦並指〈康誥〉〈酒誥〉乃武王時書，又趙汝談等謂《堯、舜二典》宜合爲一，禹功只施於河洛，〈洪範〉非箕子之作。他家亦有指〈大禹謨〉〈五子之歌〉〈胤征〉〈泰誓〉俱多可疑。至若《古文尚書》，清儒閻若璩《古文尚書疏證》出，其爲僞撰之論乃定。再如《詩》，孔子刪詩之說，千古聚訟紛紛，《詩》齊、韓兩家，僅存《韓詩外傳》。《魯詩》傳毛公之學，《詩大序》作者諸家之說不一。《詩小序》朱晦盦即嚴糾其無義理。而凡此等等，乃無非具絕大關係之問題。他如《論語》、《堯曰》篇乃有「書同文車同軌」等類文字，當非孔子時政治社會情況，《孝經》曾視爲孔子爲曾子論孝而作，柳宗元昔已疑之，朱熹亦疑其「非聖人之言」。此俱重要講授之經籍，而爲說爲義之龐駁如此。昔賢討論者良多，亦未嘗禁制人之有討論，李卓吾所揭之論，似爲稍激，亦不得遽斥之爲「毀經」也。

竊以爲究治中國文化學術，當博綜「儒」「釋」「道」諸家言而探求之。李卓吾措意亦在是，惜其才力未逮耳。其賊身蒙詬，一部分係爲時宰謀求當時已萌騷動之社會安輯使然，非盡關學術異論也。近人胡適之謂宜「科學整理國故」，眾雖詆之，而其主張殆終不可非之廢之，特若干玄微秘奥者，「科學整理」之術，或有時而窮，是則在求其「方法」之能廣適盡通而已。向來漢宋學術之異、今古文之爭，層出靡窮，莫知所嚮，近世講求新儒學諸人，其意甚盛，其志甚大，特往往流於稗販西人之說，強以求通，殆若穿戴西洋服飾而大談宋明人之「假道學」者然，徒增一種新型迷彩與蔀障，實亦不能無憾。其檢正而廣通昌大之，是在時賢亦在後賢爾。李卓吾之言，蓋又若有一二可取者焉。

傅青主霜紅龕集

今偶得與，臨傅青主書寄蕭繼宗。繼宗夫人張宗毓輒謂余核桃大行書最佳。今爲變體，渠見之不知作何言語也。

傅青主《霜紅龕集》，借自馬雨蒼兄，雨蒼陽曲人，傅集之刊，與有力焉。此集渠云不須還，遂留。異乎諸徒弟不告而徑取余書以去者矣。曩曾點閱約三分之一，不知緣何輟看。今翻閱，續點竟怯於從事，甚矣吾衰也。

青主論書語：「楷書不知隸篆之變，任寫到妙境，終是俗格。鍾王之不可測處全得自阿堵，老夫實實地看破，工夫不能純至耳！故不能得心應手，若其偶合，亦有不減古人之分釐處，及其篆法得意，眞是吁駭，眞行草隸本無差別。」

又一則云：「寫字忌作寬褊之形，即本等寬褊，如『西』『南』『四』『皿』之類，亦徑神行之，令不覺爲寬褊乃妙。然此非專責之令窄長也。河東王孫抑甫學褚河南行書，專以窄長爲訣，亦弄死蛇手段也。」

右俱是就書論書，是眞實語，非故爲高調，然亦不必據爲定論，但此義則不可不曉。

傅青主文博而略雜，有特識而不免於怪僻，有眞實語而雜以啁詼，奧義多而用典常僻，有過激之論而不軌於常也。

傅集不如亭林集之好讀，然讀之可以開眼界益神智。青主詩眞實，有神、有情、格調亦好，然有時故作荒怪，幾至不可句讀，鄰於任華矣。此又視「蔣山傭」詩有遜色也。亭林詩淵穆峻秀，正聲堅骨，用典尤可法。

故宮博物院藏青主草書大中堂，覺其頗燥，然神龍飛舞，氣象自與小家有別。明人字余最喜宋克、文徵明、王寵，若祝枝山堅蒼奧厲，有時頗亦近於狂怪，非豪縱之謂矣。

錄蒿庵閒話

童丱時側聞長輩道張爾岐蒿庵之學，至今尚未能一讀其書也，頃購得《蒿庵閒話》歸，亟發讀之。此非專著，乃雜寫，因於會心處標記，俟復看。

蒿庵明末諸生，入清後隱居教授，三禮著作有重名。吾湘王壬秋闓運，精於儀禮。壬秋好炫，而獨於此深藏若虛，凡有問，輒曰我弗知也。此大不可解。先祖深於《禮記》，但未有著述，於余齠齔時爲講解數十篇，大多能背誦，惟不甚了其精義。及長爲文，摭拾書中語成篇，亦頗投時目。今時學子視《禮記》爲迂腐，甚矣！其不知學也。《禮記》中，余又以爲所收漢時人諸篇爲最易讀。

蒿庵云：「小人不可與作緣，受其惠而與之爲異，彼必有辭，循其所欲將失己。君子受制於小人，身名坐隳者，皆自一事苟且階之」。此言極切要，余必終身守之。

又論張子西銘云：「富貴福澤，將厚吾之生也，頗以爲不然，福彌大者責彌重，若謂厚吾生己也，天豈以君相之位爲私賞哉」。此論與今時爲眾人服務之義合。

又云：「王荊公投老後訪人，常以金漆版書名，紫綾囊盛之。與其平日儉素之行若相觸也。」近日選美會贈市長以金名刺，議會詆之。設使聞荊公此節，其或當不爾也乎？然金漆版與金片固有間也。

又云：「明修《永樂大典》，以武進布衣陳濟爲總裁，眞千古僅事，天子不嫌其布衣而畀之纂述之任，諸大臣詞臣不以其布衣軋己，而安處其後，使展其能，皆不可及已。」此語今時選士重學歷文憑者良可鑑已。

又云：「明天啓中御史倪文煥承魏閹風旨，毀京師首善書院，其言有曰：聚不三不四之人，說不痛不癢之話，作不深不淺之揖，啗不冷不熱之餅……」此等語於今世學堂社團風氣亦爲甚可警省者。

又云：「墓志有一人製序（志），一人製銘者，如尹師魯序張堯夫墓而歐陽修爲之銘；蘇頲序丘官昭小谷墓，而張說爲之銘。」然而此例固不多也。

又云：「孔氏曰爻辭多文王後事，故馬融陸績等皆以爻辭出於周公。」

又云「人能無求固自佳事，此中大有事在，非一無求可了。古來隱逸差等極多，漸之上九曰可用爲儀，蠱之上九曰高尚其事，此豈處士純盜虛聲者比哉！不然販夫菜傭絕意仕進，亦可以高士目之矣。」此語殆爲明末清初若干人發。

又云：「《漢書·儒林傳》王式曰：聞之於師，客歌驪駒，主人歌客無庸歸，今人或以送別之詞爲驪歌，失考矣。」

又云：「經傳用字有以相反爲義者，如治亂曰亂，去污曰污，開荒曰荒，馴物謂之擾，麗網謂之離，多見爲秖見，〈柏舟〉一篇之中目其匹爲特，自謂曰人。」經籍中此例正多，此亦不過約略舉之而已。

右錄蒿庵語亦既多矣，但亦僅擷其不專一經可以泛應諸事者錄之。錄此之際，猶髣髴聽先祖父先叔祖父講經時也。

讀文史通義小記

章實齋著《文史通義》《校讎通義》最精，余夙頗好之，亦深得其益。顧其中數義，亦不可不細加探討。

實齋揭櫫史才、史識、史德爲言，樹義至韙，足以詔後世。其諄諄爲此言者，實欲使人能「成一家之言爾」，實齋平生所志在此。其所祖溯，則先聖「筆則筆，削則削」，游夏之徒不敢贊一辭，「整齊百家之言，斷以己意」。夫「斷以己意」以及「史識，史德」，固皆根源於今所謂「意識形態」者也，是則必有諱避焉、必有夸飾焉，從其所志，乃成其「一家之言爾」。夫「一家之言」，固與「天下之公言」有間爾。循是，則所求信史烏乎可得？

實齋又曰：「周官三百六十，具天下之纖析矣，然法具於官，而官守其書，觀於六卿聯事之義，而知古人之於典籍，不憚繁複周悉，以爲注記之備也。……六典之文蓋五倍其副貳而存之於掌故焉。」夫設六卿所以治政理民也，事所宜爲則爲之，非徒爲記注也。苟徒爲記注之故也，則六卿皆史矣，皆史官文吏矣，非理政事之官矣。古今亦豈有僅爲記注之事而廣設百官者哉！六卿聯事，記誠有之矣，苟以其副貳之記注廣存於各卿，則罄萬山之竹，亦難備其簡策矣。爲政者不徒爲史，不徒爲記注之事也，章說蓋疎焉。況《周官》昔賢已謂戰國時人作矣，又烏可據？

實齋云「秦代以吏爲師，乃師古有法」。古百工即百官，世其業守其官著其姓，固矣。後世生事日蕃，非如古百工所事所業之簡也，誠使皆必以吏爲師，是民業所創制興發舉無從肇啓矣。社會進化，百工開物，豈若是哉？井田不可復於孟子之時，百工以吏爲師詎可沿於秦興以後乎？矧今時文明日盛，吏之所知者反不如商工之精，以吏爲師，是反進化之道也，夫豈可哉？

章氏又舉「古文十弊」。「古文」「今文」之說盛於漢時，所指乃六籍所書之字耳，非謂文辭爾。善夫昌黎之言曰：「文無今古，惟其宜爾。」章氏所舉之弊，毛舉細故爾！古文辭誠有弊，特非盡如章氏所議，章議乃是鄉曲村塾師不達理不諳文者無聊之偏執、無當之主張，不足語於大道者也。今有上庠乃復取爲教材焉，余誠知其乃不明文事也。此不盡辯之，尋其書，其得中者僅十之三四耳。

章氏曾云「六經皆史」，顧頡剛氏曾諍之，曰「六經皆史料也」余甚韙顧氏之言。

讀昭昧詹言

閱方東樹《昭昧詹言》，其有閱蘇詩者轉錄施注本，備參閱，古詩部分未竟。方書經近人割裂，分載於王漁洋《古詩選》、姚惜抱《今體詩選》每題之末，此亦是鈔書之一法。方於詩殆非甚精，摭拾五代宋人詩話餘論以張其說，如曰詩道也、微言也、義法也，皆古文家口吻。方固是古文名家也，故爾爲言如此。

讀越縵堂詞

看李蓴客越縵堂詞錄。越縵詞題下小序最長，作意了然。以其長而又隨手應付，遂不免有時微酸也。其詞非不工，亦非能謂工。書袋多，照顧題面，用典故成語發付，終覺是隔。如功令文，筆筆俱到，而終鮮感人肺腑之語。讀詞者意在覓若干刺戟，越縵詞乃無此功能。詞頗學稼軒，辛詞亦多用典或成語，特能以灝氣豪情使之，故不爲累。李詞無此高情，遂不免爲事所滯。竊笑李詞亦如我作近體詩，常有許多典故繞筆端不去。李讀書多我何啻百倍，是其不能掃空一切，自我言之，殆無足怪，總覺來得便宜，只從字句上用心思，遂無深蘊。知李之失，可自警已。

越縵詞，多是詩法，雖盡爲詞語，然固無解其爲詩。昔李清照譏蘇辛等爲句讀不葺之詩，此亦可移贈越縵。

《越縵堂日記》與葉昌熾《緣督廬日記》俱極爲時重，視《湘綺樓日記》爲高。湘綺記，余曾借閱一過，越縵記則未嘗畢覽也。越縵〈杏花香雪齋詩〉〈白華絳趺閣詩〉，是古今一家數，好賣古董作態，是當時一種風氣，不足深病，佳處固自饒。

先君子易簀時，枕畔有〈絳趺閣詩集〉秦氏《淮海集》晁補之《雞肋集》，先妣云。

讀鄭子尹詩

《巢經巢詩》，貴州鄭珍子尹作。昔歲讀子尹詩頗覺其碎而可惋，今復讀之，實乃眞味四溢，如諫果之能回甘也。

子尹詩初期學蘇韓之迹可以顯指，又採大謝、柳州寫田園之趣，殆無人能及。此期猶未甚脫化也。鄭海藏早期詩頗法子尹，五古尤得窔。其後乃轉訾子尹粗率蹇陋，如其幼熟劍南而轉薄劍南，此一體會，殆是我所獨有也。

昔人謂粗俗語粗俗事經顧亭林筆即能雅，蓋信然。亭林詩殆無不安雅者。就中五言排律，尤淵穆開重，不使僻典，不弄小巧，大方之至，所指「開」之一義，亦余之獨見。蔣山傭集惟七言歌行微遜耳！學力不可及，才稟亦不可及，隨處溢出，無不出色當行。《巢經巢詩》亦常用粗俗詞語寫粗俗事，愈粗俗愈見其眞趣。其與顧不同者，顧則轉俗爲雅，鄭則俗則任其俗，俗而能雅，子尹亦學力最深者也。

廖井丹嘗語余，今時所謂幽默之趣，大家詩中往往可見，杜詩幽默在意理神態，韓詩幽默在文辭點染，《巢經巢詩》幽默在意理文辭俱有，特視杜爲見機鋒，不能如浣花老之蘊畜耐咀嚼耳；雖然，亦不可幾也。

歐陽公〈聚星堂詠雪詩〉，白戰不許持寸鐵，白描實難。胡適之謂懶人則好用典，雖矯往過正，然不藉典而充分圓滿表達，稱詩者必須具此工夫。但此意絕不可爲今時儉腹高吟者道。

子尹詩多奇趣，諧語往往令人發笑，而又不佻巧，所以爲難，苦語亦令人欲哭。其舅氏黎恂，亦具此功力。子尹所敘骨肉情至處，輒悽感心脾，海藏〈哀東七〉詩等所從得法者也。假細物說深情，非胸次高、性情眞、筆力強，鮮不纖俗。

巢經巢絕句甚少。其工者亦不過能摹老杜之一體而已，五絕乃祇影仿與可東坡數作，意以爲絕句良非子尹所長。有邵祖平者作《七言絕句権論》，舉清人八家，子尹其一，殆見賞於牝牡驪黃之外哉。

《鄭子尹年譜》，收有鄭之遺詩。此遺詩有傳本，大約爲四卷。世界書局出版之《巢經巢詩》，遺此輯，未爲全璧。子尹逝後，其詩集固久散落也。鄭年譜採編冗細，裁鑑亦欠識力，標點尤多舛誤。

子尹爲其表姊黎湘佩作詩，款款有情，而不失其正。余嘗謂鄭板橋賀新郎贈王一姐詞，情眞語摯，不假雕琢，令人惘惘而又令人生敬，子尹詩則較含蘊。何鄭氏之多才也！

讀張文襄詩集

鵬程弟來，送到《張文襄詩集》一函，及日昨訪談王符武君之紀錄，甚得要領。張集即借自王處者，遂立交影印。

《廣雅堂詩》七律七絕有極佳者，七言絕句尤警切，就中有關當時政局者，可資治史考察。七古則微覺滑易。陳散原論其詩有紗帽氣，此公紗帽氣固可取、固可佩，尤其扢揚風雅之功彌足歆羡。

讀《廣雅堂詩》宜參看其年譜，乃可略得其微指。其人一代名宦，經歷盤錯甚多。有未可率意明言者，遂託他事他物以曲達之。督粵時及署江督時詩極少。或出有意刪削。在武昌鄂督任時，有憶南中花木之作，多可尋所託意，然亦饒不可考索隱喻之辭。其於四川學使任中頗措意人才培拔，故亦有草木詩等類之作。義山詩所謂「楚雨含情俱有託」，宜循此旨求之。自江督還鄂及歸燕京時諸詩，則多直指，更爲可誦。

香濤爲當時所謂「清流」中之健者。出撫山西，其謝表中有「經營八表」之語，深爲朝士譏議。族兄之萬（子青）時爲宰輔，戲指其腕上一表（手錶）曰：我只一表，舍弟乃欲有八表，以爲解嘲，一時傳爲笑譚。甘雲鵬序香濤年譜，有「公經營八表，挽回浩劫，一片苦心」，不識甘氏緣何竟乃引用「八表」之言，其爲不知耶？抑爲寓諷耶？夫僅一晉撫乃侈爲八表之夸陳，固無當也！

香濤督粵，亟思有所建樹。所資地方捐稅暨粵人海外經營贏阜之勸募，籌款興辦，其事易集，造端甚多，而輒未獲竟其全功，故物質建設不如興學造士轉移風氣之貢獻。香濤嘗有言：「中學爲體，西學爲用」，此語後人頗多嗤之。其實當香濤所處之時局，就內外環境言，良不爲無識也。

香濤督兩湖，其最大建樹無如設立漢冶萍公司，協修力通粵漢、京漢鐵道，與創辦漢陽兵工廠等等。又頗收攬當時文士，並興學培養青年才俊，蓋極一時之盛。前後薦舉人才罹難八國聯軍及戊戌政變者，實繁有徒。其廣雅書院與兩湖書院所造士，於爾後政事與文化影響更不尠。

光緒十九年癸巳（一八九三），大理寺卿徐致祥劾香濤疏云：「興居無節，號令不時」，「謀國似忠，任事似勇，秉性似剛，運籌似遠，實則志大而言誇，力小而任重，色厲而內荏，有初而鮮終」，「方今諸臣章奏之工、議論之妙，無有過於張之洞者，作事之乖、設心之巧，亦無有過於張之洞者。此人外不宜於封疆，內不宜於政地，惟衡文校藝談經徵典是其所長」云云。朝命江督劉坤一粵督李瀚章查明覆奏。除奏明無浪費經費等節外，其有名之奏語有云：「譽之者則曰夙夜在公，劬勞罔懈，毀之者則曰興居無節，號令不時」，四方傳誦，以爲千古超絕之「師爺手筆」。其實徐氏劾語，軒抑褒貶並涵，折衷其言，其論香濤固亦不爲全無當處。

先是，香濤在言路時，時稱翰林四諫之一，所參劾甚多。逮居外任，凡所興革自亦廣召是非。在粵經費報銷，閻敬銘（丹初）在樞府時頗支翼之，閻去，翁同龢兼筦度支，僚司承指輒齮齕之，香濤不能堪。賴得醇親王迴護，請特旨允准之。彊圻敭歷既久，盛負時望，屢有入樞機會，翁輒梗之。由鄂督兩署江督，旋又回鄂，心實不無耿耿。時翁雖去，而宿因乃種於翁，《文襄詩集》〈送同年翁仲淵殿撰從尊甫藥房先生出塞〉詩註云：「藥房先生在詔獄時，余兩次入獄省視之，錄此詩以見余與翁氏分誼不薄，後來叔平（同龢）相國，一意傾陷，僅免於死，不亞奇章之於贊皇，此等孽緣，不可解也」。抱冰堂門人請刪此註，香濤堅持不許，可想見其怨憤之深。按藥房乃翁同書別號，同書爲同龢胞兄，仲淵爲同書子，名曾源，爲同治癸亥狀元。同書安徽巡撫因招降苗沛霖而苗旋叛，爲曾國藩奏劾下獄，謫發新疆。詩即謂此事。又其〈元稹〉詩云：「賈誼多言絳灌傷，舊勳新進敢衡量，最憐輕薄元才子，操縱英雄綠野堂」。綠野堂爲裴度別墅，暗射同龢。元才子指文廷式（芸閣），甲午戰爭前後，芸閣甚見寵於翁，恒出入其門。其著「輕薄」字者，蓋別有故，此不述。又按文廷式光緒十六年榜眼。曾教珍妃讀，所指舊勳，蓋爲孫毓汶李鴻章。文劾孫後，於長江行旅中遺失文件一批，中有劾李疏稿，鴻章先發制人，嗾御史楊崇伊彈罷之。

晚歲入樞，國事殆已無可爲，宗室親藩，把持政局，香濤鬱鬱無能有所建白。其〈讀宋史詩〉云：「南人不相宋家傳，自詡津橋警杜鵑，辛苦李（綱）虞（允文）文（天祥）陸（秀夫）輩，追隨寒日到虞淵」。又〈讀白樂天樂府句〉云：「誠感人心心乃歸，君民末世自乖離，豈知人感天方感，淚洒香山諷諭詩」。此詩乃香濤絕命時句也。其惓惓忠愛含恨而死，於此可徵。香濤與王湘綺交舊，《廣雅集》有贈答之作。晚歲湘綺獲欽賜翰林，說者謂由香濤授意奏請。特《湘綺日記》於香濤無多譽辭，略憶《日記》曾云：「傳聞孝達（香濤別字）為其婢傷脅，引起他疾而死，此殆信是傳言爾」。

香濤可謂勞臣能臣，亦可謂為巧宦。崇慈禧欲廢光緒帝而立大阿哥溥儁，密詢於彊臣，江督劉坤一抗疏云：「君臣之分已定，萬國之公論難違」，其議遂寢。香濤為鄂督，處此事乃甚依違。八國聯軍之役，慈禧奔西安，香濤因多所進獻。吳永時頗見寵於慈禧，銜命至武昌催督糧餉，之洞因吳密陳保光緒去阿哥之策，事見《張文襄公年譜》，此或係年譜編者追美之辭。又此役東南自保之謀劃，實江督劉坤一多方極力斡支，乃免於劫難；香濤協力贊構此策，其功亦不在劉下。香濤久有意於揆席，乃不敢大見忤於樞廷，其督兩江時，老友張繩菴適寓金陵，香濤託人諷其移居他邑。繩菴大恚。又瞿鴻禨實祖張者，獲譴被開缺還湘，經武昌，香濤亦不敢迎於督署，特改宴餞之於江船，凡此又可見其寅畏憂讒之用心，可憫亦可歎已。

香濤讀書通博，所著《書目答問》，實為有用之書。或謂書乃香濤屬繆荃孫代撰，此固無損其為通人也。洎乎入都，有〈學術〉一詩，詩注力貶公羊之學，其見解亦稍稍變矣。

詩宗劉白諸賢，遂謂「江西魔派不堪吟」，然其詩功力殊不淺，在〈樞府宴政務處諸公遊積水潭絕句〉次首云：「對岸喬林付爨烟，荷花愈少愈堪憐，明知不是滄桑事，但惜西涯變稻田」。其感愴含蓄婉轉風調，夫豈同光後期諸賢所能到耶？

談湘雅摭殘

岳麓書社出版《湘雅摭殘》，收清代道咸以降湘省諸家詩，收羅頗宏富，評隲亦簡當得要。弁言稱張翰儀編，而出版者後記則云，此書原名《沅湘耆舊集續篇》，爲劉腴深教授手纂。劉爲湘中名宿，張自劉友蔡漁春處獲得此稿，改題今名以行。張醴陵人，湘省能吏，歷宰諸劇邑。長沙大火後，鄂人田蔚蒸爲長沙縣長，以擅殺情報人員見法，繼之者則翰儀。其到任首出之佈告，乃竟是禁殺耕牛，禁捕青蛙，意在以此潛銷戾氣而致祥和。此等乃是清代老州縣施政之先聲，翰儀乃篤倣之，深爲縣人所笑歎。其後隨劉建緒去閩，似曾任省政府秘書長或民政廳長，弗能詳已。

又另一隨劉去閩者則爲羅爾瞻，亦曾任長沙縣長者。先是羅主湖南國民日報筆政，似亦曾爲社長。羅字心冰筆名壺公，所撰《隨便談談》，莊諧雜出，魚龍雜泥沙俱下，文體別具浪漫詼詭之趣，然實未能軌於正也。聞羅亦在閩遇難。

繼羅爲社長者爲衡山賓步程，老於黨務，亦老於新聞界，文筆雄健，賓甫接任即刊布一長文，極力懲矯前此之失，並標舉爾後新聞報導方向，文極可讀。

《湘雅摭殘》收擇評介甚精，非宿學不能辦，友人以一冊貽余，甚珍愛之，特排印用簡體字，書之紙墨裝釘不能精，甚減色矣。

湘綺樓日記別錄

看王闓運壬秋《湘綺樓日記》，數鉅冊，殊費日力，但亦頗有味。其自我嘲諷處最風趣，然粗心者不能領略也。余觀影劇，最厭國人每片必有飲食場面，而湘綺日記殆每日必記飲食事，此可厭；記與諸嫗褻嫚事並不稍諱，無假惺惺態，此可愛；說經雖不免有臆說，然輒多新意勝解，此可喜；說時事，尤其說洋務，乃如不解事小兒最可笑；貪貨賄權勢而又不節瘵，爲諸嫗及門人親戚所賣，耄老栖栖，終隳名檢，此可憐；至其論社會敝俗，則頗有改進革新意見，此可取。而余自顧事事俱不能及之，此則大可恨也。

「門内之治，恩掩義，見恩不見義也，如保赤子，行事無所謂是非，非者補救之，則無所愛憎，而恩意藹然，恩即義也」。此條看似甚有一段道理之門面話，其實乃緣所蓄之周嫗、房嫗、蔡嫗等，爭風互罵互打，乃至「罷工」回家，湘綺無一法可以救正之，乃作此等語以自解嘲耳！

「梁風子來，久談，李曉暾問其截辮，梁不欲答」。「未起，外報有紅頂朝珠客來，乃梁風子也。云昨自焦山歸，因聞我前年頂珠待客，客皆無頂珠者，故特來補一客。急起，賓之，留麵，不食而去」。按所記梁風子即梁鼎芬，李曉暾即李志由。鼎芬既剪辮矣，又復朝珠，後來又在崇陵種樹數年，惚恍反覆，無怪乎其不能答曉暾之問。諸老述梁事，無及其曾剪辮者，亦忠厚之意爾。湘綺特筆記之，乃報其朝服晨謁刺諷之恨也。湘綺此記在癸丑（民國二年一九一三）一月，欲應項城之招北上，梁補服來拜，殆爲婉勸其不忘先朝。時滿清遺臣多流寓滬上，湘綺此行遂中止，回湘。蓋爲諸老所沮。回湘不久，再北上，不過滬矣。所云「頂珠待客」事，蓋湘綺八十生日，賀者皆短衣剪髮，湘綺蟒袍貂褂待之，或有諫者，則曰：「客皆外國服，我獨不可耶」？此亦見日記。

民國三年甲寅三月，湘綺在長沙將北行，日記云：「送者紛紛，以百花生爲招待員，余但送至艙門，已罷於行」。按日記有多人但稱諢號，如在蜀時之「唐帽頂」，在潭時之「才女」「朽人」，及此所謂之「百花生」，俱未得其姓名。「百花生」隨之入燕。又有記云：「有朱姓來，乃一聾人，欲干『百花公主』，領入書房看告白，嗒然若喪」。此「百花公主」，當與百花生有連。

湘綺在成都尊經書院，收一嫠婦羅嫗執役，旋以羅配其僕蘇彬，及回湘，乘船東下，日記云：「夜寢甚適，羅嫗侍也，在舟中」。又一則云：「遣蘇彬上岸，余臥與羅嫗談，蘇彬已還船，余未知也」。另記云「幹將軍來，適余與房嫗『話』畢，惜其不早一刻到，直入臥內，當大有可觀也」。通前後日記尋之，「幹將軍」當是其族姪，此所謂「話」「談」乃與今人楊森「喫水果」一語同義。湘綺爲爾許事，不止卜夜乃至卜晝矣。

「看明七子詩，殊不成語，大似驢鳴犬吠，膽大如此，比清人尤可笑」。前後七子胡可峻詆？若李夢陽、何景明、李攀龍、王元美、謝榛諸家，豈不謂佳？視湘綺殆若過之也。湘綺最稱鄧白香，白香衡山詩有「芝菌蔚霞氣，土石爲天色」。湘綺自謂無以過之，及登岱、得句云：「伊來聖皇游，非余德敢升」。大喜曰：「此足抗矣」！此直死語耳，又有何好？鄧句則尚有生氣焉。湘綺固詩家，特自視過高爲病。昔人有云：「癡人前說不得夢」，余乃癡人，湘綺此等夢話，我實不解、我亦不受也。

「王夫之史論似甚可厭，不知近人何以賞之」？「看船山講義，村塾師，可憐，吾知免矣。王顧（按：亭林），湖南定不及江南也」。湘綺論詩論史，向崇推船山，此則有貶辭，所不解也。

「功（按：湘綺長子代功）書言立憲，余初未聞何者爲憲，從何立也」。「爲楊盜子（按：楊度）題美不老室，引莊子以證荀子，發明無欲速之義，搭天橋罵倭學，頗有發揮」。「看報，記楊度事，頗有風潮，不愧爲學生」。代功、晳子，均主立憲者，而湘綺陽爲不解，強顏狡獪爾。代功早死，無所樹立，晳子則項城洪憲時所謂六君子者。記所云風潮，乃指緣此名捕也。晳子初主君主立憲，繼又投身事項城，事敗，輾轉至滬依豪猾杜月笙門下爲食客，旋又爲共產黨秘密黨員，歸周恩來直接領導。其一生行事，誠大類其師，所謂「平生帝王學」，出自師門者蓋如是。

「求字者紛紛，僮喜嫗憎，吾爲傀儡，俯仰其間，亦一樂也」。「買帳與夏伯辰，爲房嫗易去，夏遂退還，所謂抹相也」。「房嫗受賕事發，令退銀自明，竟哭鬧不止，信有潑婦也，……周嫗假暫還鄉，輜重纍纍」「送房嫗上船，至馬頭，（疑脫見人二字）打兩架，其一不許車輾籮索，似乎有理，其一打醮不許貓過，則聞所未聞，八十老翁新增見識也」。此多記房嫗寵眷，若周嫗則世多已熟聞其事，不悉記。樂爲僮嫗傀儡，亦見此老之游戲人間也已。

「講《論語》，多不通，小不忍則亂大謀，似商臣孟德口氣，非垂訓之道。又『仁甚水火』，自亦難謂避仁甚水火，不至如此之甚。謂用仁甚用水火，民初不用仁，又不應蹈死，蹈仁而死，是殺身成仁，則避仁作何避法」？此節大似半通村塾師講蠻理聲口。又實一俊辯也。

日記中常有召外孫輩「撩零」，「摸雀」，「打地礉」等，或當是紙牌骨牌鬥錢之戲，弗能詳已。

「有劉姓者收袁枚墨蹟，書我元宵詞並跋，眞佳話也。宋版康熙字典與此同前後」。此節甚趣。

湘綺日記多經其子代功刪削，良有遺憾。如湘綺蒙賜翰林晉侍講，事前當軸諸公必爲地。奏雖出岑春蓂，聞實係由張之洞所請，度湘綺必已先有所聞知，日記中曾無一字述及。又項城招之北上，夏壽田楊度等實爲引線，日記中亦未述及。此則或非代功所刪而湘綺自閟者也。

略記湘綺語

看湘綺日記，覺其頗帶李卓吾《焚書》一種意味。遂漫記之。湘綺是不得志而得志者，失於「彼」而得於「此」也，非然者，其不爲李卓吾也乎？

「近人集不可看，學之則壞筆，笑之則傷雅，所以云非三代兩漢之書不敢觀也」。

「壁立千仞猶恐未免俗，兼包九流而後可說經」。「明通九流，知天下道術無不在，則無不用，無不學，曾滌生庶乎近之。然心眼太小，有時不自克，故未可與適道也。余則從容優游，無所不窺，視天下是非利害不得至乎前，可與適道也。然結習多，意氣重，心口快，言行相違，身心不相顧，故未可與立。可與立者當世未之見」。

其自省之一段，是說老實話，是此公可愛處，但自視毋乃過高耳。亦是先自己罵夠，使他人無庸再罵之一法，古人往往用之。

設就前兩段文字，加兩成佛家話頭，豈非完全李卓吾口吻？惜夫湘綺之不甚讀佛書，又幸夫湘綺之能少讀佛書耳。是知讀佛書自良有益又不爲無害也。

余則既不讀佛書老氏書，非不讀、不能讀，讀不懂也。深有取曾湘鄉之言，「陰陽怕矇懂」，「不信書，信運氣」，余矇懂人也，書則因不讀書而遂無可信，「運氣」則一生未曾碰到耳！

王湘綺談封神演義

曾聞俞大維先生爲戲言曰：「中國人實富有科學玄想，凡今日各種科學技術，如飛天、潛水、土遁、千里眼、順風耳……等等，俱可於『封神榜』小說中見之。此或亦有汲於佛家所謂神境通、天眼通、天耳通、他心通、宿命通等五通，惜其徒有玄思，而未能求其實現耳……」云云。此於與曾昭六翁偶談時聞及。究竟俞氏有無此語，余未能究問，即或實有此語，亦屬「閒扯淡」之類也。余幼日曾閱過此書，以爲搬神弄鬼大無聊之作，今忽聞大科學家提及此撰，乃動重閱之念。重閱一遍，覺頗具興味，但亦止頗具興味而已。

頃看湘綺樓日記，忽見有論及《封神演義》一條，覺甚具別趣，因具錄之：

「封神演義者，本擬《水滸》《西遊記》而作，亦兼襲《三國志》，其文有『狼筅』，在明嘉靖以後，而俗間大信用之，至以改撰神號。至今言四大天王，哼哈財神溫疸皆本之，已爲市井不刊之典矣。余童時喜其言太極圖有焚身之禍，蓋意在譏明太宗殺方正學諸君，及其言豬狗佐白蝯總戎，以譏李景隆諸將，以爲各有所指。然其文衍成數十萬言，必有所命意，乃能敷衍。而聞仲者，又以擬張江陵不學而跋扈也，其言姜環，又明斥梃擊事。明人喜爲傳奇演義之言，而此獨恢詭不平，多所指斥，大致以財色爲戒，故獨重趙公明兄妹。財爲兄而色爲妹，未有無財而能耽色者也。置之十絕之中者，兆生多端，中年尤在財色也。十絕破而殺仙，萬仙誅而沐猴冠矣。此由庶人以至天子，不可以太極圖自陷於落魄也。故必以太極圖易草菅人命，不可以太子入太極圖。乃憤時嫉俗者之所爲。大要言賢智皆助逆，讒邪皆爲神，唯禽獸乃可通天，甚惡道學之詞，疑李卓吾之所爲也。昔疑其有金丹醫方之說，嘗欲詳之。今乃知其仍爲迂儒，故標其作意如此。至其神名，蓋別所本，非由此始，則無可考矣」。

此眞聞所未聞之說也。乃疑作者爲李卓吾耶？覺研究紅樓夢諸學者，橫說亂說，尙未到此地步也。

讀湘軍志

王湘綺撰《湘軍志》，以克復金陵之戰，《志》有江南錙貨盡入曾軍語，開罪於曾。以致謁曾國荃時，國荃請王命旗牌欲斬以懾之，厥後復倩王定安別爲《志》。定安所撰，世弗之重，而湘綺《湘軍志》乃益有名。從谷君崧高所借得，甚喜。

看《湘軍志》頗躭好其文，不故作古奧，而無一唐宋人語，與其詩篤守漢魏者乃大不類。至其駢體文，更又一鉅手，信夫賢者之無所不能，我思古人，慚惶何既。

湘綺曰：「曾國藩以懼教士，以慎行軍，用將則勝，自將則敗；楊岳斌鮑超以無懼爲勇，以戒慎爲怯，自將則勝，用將則敗。論語曰：『臨事則懼』，帥之言也。記曰：『我戰則克』，將之言也。爲將者功名成、富貴得、則知懼矣，知懼必敗，水師爲甚，彼不勝懼也。」

又曰：「其將帥昔愚而今驕，昔懼而今侈，昔憨拙而今諭柔，雖復用儒生將農人，則所謂農者不農，儒者不儒，曾國藩之所爲咨嗟於暮氣者邪」？

又曰：「軍容惟水師爲壯，而應對便辟，多逸少勞，亦始於水師」云。

右錄實有當而不盡當者，要爲嘅乎言之。此《志》殆奇作也。今人不能爲此等文字，且此等文字亦不適於今日之用。湘綺自云軼承祚睨蔚宗，蓋非甚夸。吳梅村《綏寇紀略》，其體例敘次，視湘綺書瞠乎後矣。吳書於究研明末流寇劉撫諸事甚有可取，然非能謂爲良史。湘綺記太平軍戰爭，身經目擊，以肅順黨無所見用之人，發憤著書，無所回隱，特有時亦不免曲筆，敘長沙之戰，乃不記蕭朝貴斃於火，亦其大疏也。

讀滄趣樓詩

看陳寶琛《滄趣樓詩》。滄趣識解不高，性情不篤，所作俱不能深摯，好使巧而不盡自然，雖錦心繡口，吐屬名雋，終不免有像繡生花之感。誠知此言一出，必爲世口所訾，然而我自說我良心話也，他弗計也。

滄趣詩極工緻整齊，有譏其多館閣氣者，殆信然。其退居與後來析津侍從溥儀兩段時間中所作，情致辭語，均戛隔，矯飾者不尠。

游馬來緬甸諸詩，但敷陳典實，無甚意趣，視楊雲史《江山萬里樓》諸作，或尚弗如。楊集，俞寥音假去，聞轉在李嘉有所，李師事雲史者也。

滄趣戊申游吳門詩，「卅年寥落幾同年」，注文指余七伯曾祖等凡四人，其吳門之游，蓋緣陳伯平矐菴之招也。矐菴時撫吳，余潤姑祖母爲矐菴子婦，矐菴官御史時，力參端午橋，午橋總制兩江，矐菴慮爲所捃摭，遂仰藥死。蔡乃煌時官上海道，矐菴以報銷及稅捐事劾之，不報，蔡亦奏劾矐菴，有「橫一榻之烏煙，叉八圈之麻雀」語。蔡爲憸人，甚反覆，後不得良死。矐菴名啓泰，工書法。余南來曾多處訪尋其遺墨，竟不可得。

滄趣極工詩鐘，流傳名句甚多，余嘗疑彼用全力於折枝句，求工巧，遂亦不免有損通篇整體之大方，此或乃余所偏見爾。集中詩有「雨過亦疑泉太急，雲行寧與月相謀」，又落花詩「委蛻大難求淨土，傷心最是近高樓」，俱絕佳。落花詩尤見此老身分。

滄趣題散原詩，有句云「日治萬愁鑄爲字」，可謂知散原者，散原八十，滄趣寄詩，有句云「五十年來彭蠡月，可能重照兩龍鍾」。散原得詩曰：吾師念我，遂即去北京省視。老輩交親之篤如此。滄趣爲散原座師，長散原五歲。

《滄趣樓集》，余曾有覆印本，眉批注頗多。

讀海日樓詩

沈寐叟曾植《海日樓詩》，錢仲聯注。錢注極佳，非有注，沈詩殊難讀。蓋用典多且常近僻，用內典亦多。余於佛經接觸少，故益多不能通曉之處。此所閱乃是《學海雜志》分期刊出彙輯者。雜志中斷，集不全；字又甚細，閱之極喫力。此冊置案頭近兩月，未暇詳閱，後此或亦無此耐心更讀也。沈詩功力甚厚，其中佳篇佳句良不少，而輒遇未能明瞭之處，但循梁啓超讀義山〈無題詩〉所謂直覺之美者讀之。總之微覺學問深而性情少，於余終不能合口味愜心意也。此要非沈氏之失，乃緣余學識謭陋不足以讀其詩耳。

寐叟極精元史，又嘗奉使美洲，於世界當是具有宏觀之一流，但在詩中除用典外甚見其志意。余於近世兩大學問家中，章炳麟太炎先生，嘗發願致力讀其所著書，古字纍纍非考字書不能盡識，費不少時力考索諸字，通篇究讀，乃竟亦不過尋常意思，以今時通行之字通行之語寫之，良易明白，何用搬古董苦人若是？因是久廢不敢更讀。太炎學問淵博爲一世所欽崇，其所自視爲一般常識者，乃竟是大眾寡學者流視爲無上甚深微之典要，乃由於學識功力深淺階級不同所致，可以無足深過怪論。而近日正有一二於「之」「無」未能清辨，讀三家村一二本書即儼然自詡能文者，亦輒用古字，屢摭古語，每每錯用亂道，而以此謬誤不辭之作炫耀市兒，以獵時譽，益大可哀大可鄙已。讀寐叟詩因併及之。

寐叟書法極工，富碑意，不做作，望之即有一種深穆醇厚之感，余所最爲欽服。此意他人不能盡同，即知好如繼宗，亦謂余爲偏好，余亦自好其所好而已，不深辯也。寐叟爲天閹，梁節庵、袁伯夔亦同。清光緒末年梁守武昌沈守南昌，大可謂「彼此」「彼此」。節庵於函札行草書亦極工，灑落多趣，袁氏則但聞其善文，於陳散原爲最親知也。

龔鵬程君借到《寐叟題跋》兩冊，頃送來，極歡喜。寐叟字子培，一號持卿，別署有遜齋，姚埭癯禪、餘翁、巽齋老人、姚埭老民、海日樓、委宛使者、乙盦、曜貞珉館、餘齋、可常法齋、兌廬、東軒居士、守平居士、乙叟、灊庸、蘊軒癯翁、李鄉農、睡盦、踵息軒乙僧、雙木蘭館、東軒支離叟、遯叟、三攝盦、紫藟室、寂照堂、曼陀羅室、其翼等等，不能悉記。圖章又多有異名，向來別署之多，殆未有逾於此老者。

送到之書收題跋二百八十八種，景印頗工。惜爲單色，不顯圖章光彩爾。寐叟治學極博邃，殆在同時諸人上。金元史佛學及詩皆可傳。題跋書法工絕，集碑帖眾長。自東漢至宋賢，蓋皆嘗涉獵，鎔化而出之，有時故作頑鈍蹇劣，尤見倔強不馴獨來獨往之意。鑑賞亦精，信乎無所不能，峻哉夐哉，弗可企及已。

讀范伯子詩集

《范伯子詩集》，文海書局影印范自刻本，又別有所收，遂含詩文聯語凡三種，而總名之曰詩集，乖其實矣。詩集十九卷，姚永概所爲墓志云自寫定爲十八卷，馬其昶序則云君詩已輯者十九卷曰《范伯子集》，陳散原序先生文集則云：往范君肯堂既歿，排印其詩集十九卷。姚志誤記耶？抑第十九卷即最後一卷乃輯纂其稿，非先生親手寫定者耶？姚志又云合文十卷藏於家，此刻文集爲十二卷。馬序云今其徒友復彙輯先生所爲古文十二卷，散原序亦曰十二卷，是則此刻中又有非先生親手寫定，而出自徒友所輯者矣。文海書店別有一刻，未之見也，不識與此刻同否。

伯子詩雄健高聳，足以傲睨一世。初由韓杜昌谷玉川入，亦參四傑元白，中年致力蘇黃以逮放翁遺山，間采都官，其得力處蓋在此。伯子學古文於張廉卿，桐城一脈而師曾湘鄉者也。桐城於文不取六朝藻麗語，不取二氏語，曾湘鄉後，此禁稍弛。伯子於此，則循湘鄉焉。伯子早歲殆甚薄選體詩，雖漢魏詩蓋亦止粗讀，非深致力者。故其爲詩頗乏腴潤寬綽婉曲風華之趣，晚途稍取師於漢魏，顧湛於夙習，終不能大近也。

同光詩家多工於七律，殆惟湘鄉弗然。七律至此蓋已盡變態之能事矣。伯子詩要以七律爲最長，尤以入合肥幕後所作爲極震盪。其詩不工於寫景，而寫難狀之景構語輒極妙；其詩亦不工於言情，而古文中輒有至情深哀之作。龔定盦云「略工感慨即名家」，伯子則最工於感慨者也。對仗每綜臨川放翁遺山法出之，結體頗有近東坡者。然時有粗獷語，劍拔弩張，甚或淺露橫戾，弗能爲賢者諱也。然精光自不可掩，足以雄視千古矣。

余嘗謂七古歌行之類，高岑東川草堂青蓮爲極作，韓公最傑出，尋聲調之美，必在此數家。東坡始一變，然固亦酣暢爲之，山谷病數百年來之習爲此聲而陳陳相因也，乃刻意爲沈澀之調。其音質固遜於前舉諸家，而特出新聲，良足以洗人心耳而獨爲一派。蓋變乎其所不得不變，山谷非不自知其音質之遜於數家也，不得已而求其次，矜鍊以出之，斯可以自開戶牖矣。使山谷處今時此際，必又當別創一體而盡滌其舊。奈何群流之規規然以橅蹇澀沈啞爲能？西江末流，亦可謂不善學山谷者矣，不能師山谷之意以求變，亦可謂山谷之罪人也矣！伯子此失雖寡，然其所以用山谷者，亦未能大異遠出於當時諸公也。伯子之世，七古以陳鄭兩家最擅勝場，范與蘇龕罕有酬接，又湘綺以漢魏六朝爲幟，亦道不同不相爲謀，故亦無一語及之，而最傾倒李蓴客，至謂七古不容不服。尋《白華絳跌》《杏花香雪》諸集，乃孱而肆、肆而孱，時爲變徵有非中聲者。又頗稱黃公度。則伯子意固嚮於新，而命辭乃篤於宋也。

五古於恒蹊中時見警拔，語不猶人，特微有子路侍夫子氣象，尚不爲病。近人有學范者，乃入於傖獰，信時會之有然耶，抑才性之固異耶？絕句甚少作，亦非其長。

伯子論詩有云：「龍虎相遭風過水，鸞凰自語雪盈山」，上句境界伯子集中往往遇之，至下語所示境界則所作未必然矣。又論「詩無死法」，與其論文之旨相爲表裏，云「最有空詞盡樂哀，網羅故實定非才，請看燈雨簷花句，便値高歌餓死來」，自註謂杜老詩「燈前細雨檐花落」，如從俗本爲「檐前細語燈花落」則不成語矣。余則以爲雖未至不成語，然其意境固霄壤懸隔，此等處最宜尋參。除夕詩狂自遣之一律云：「我與子瞻爲曠蕩，子瞻比我多一放。我學山谷作遒健，山谷比我多一鍊，惟有參之放鍊間，獨樹一幟非羞顏，徑須直接元遺山，不得下與吳王班」，可覘其取徑矣。七古中有用四傑法而不到者，乃往往鄰梅村，此在集中爲下品，至漁洋則無一語相近。漁洋倡神韻，伯子則儉於丰神者也。蘇之放黃之鍊，蘇之曠蕩黃之遒健，集中輒可見之。特亦有在放中求鍊，鍊中求放，求其最上者，而或微迂乎剛柔相劑之宜？合古來作者爲一手，固未易言歟？伯子謂後生不得妄議古人，余知罪矣！

伯子少師劉融齋，而爲日甚淺；學文於張廉卿，又參以吳摯父。顧賦才傑出橫放，非能篤守師法，亦緣此開一生面，非若桐城之厭厭無生氣者。集中辨柳子厚八駿圖說，摯父欣喜過當，而廉卿不謂然，復書論矯強自然之分與眞僞雅俗之別；伯子於文尾兩著其論，意殆不盡以廉卿爲允也。廉卿語固是，而絀此文別舉題張氏墓園一首以爲善，軒輊乃未必然，循家法師傳之論爲高下而已，實甚隘耳！伯子文舖張揚厲，雖無取於賦，有時殊近賦體，非排奡之謂也。以韓歐老蘇爲本，又上取韓非賈鼂，其主放之旨，桐城諸老舊無此說，湘鄉稍能大之，主放亦不如伯子之甚。伯子之主放，在掃其拘檢蔽廢而已，後之張范說者乃欲並一切隄防制馭悉蕩決隳滅之，文遂誕詭不可理詰，吁！此豈范氏所及料哉！又清末民初之文，群以奇字奧語相尙，賣弄文字訓詁之學，一種榛蕪文體，此實別有所源，范氏不任其咎也！

伯子集尾有曹文麟所注伯子聯語九十一首，云其圈點俱伯子自爲之者。肯堂製聯，湘鄉後一二數者也。曹注所收，其高者固在古無上、中品習製聯語而有才識者可以幾及，下焉者實無以過於凡夫。以肯堂於此事飮譽之隆，未收入之高作殆必甚夥，且圈識亦未必盡愜人意，所云「肯堂自爲之」者殊可疑。唯曹氏於所注事實極明白，此其不可廢者。

伯子於詩文標舉二馬楊杜韓李，又倡生造之論，即爲主放之注解。示兒文章之要有云「要令事少文無累，此妙空空意不傳」。又與言謇博論文詩：「語子瑰文猛如虎，伏而不出如處女，浩如積水千倍餘，千之一放流成渠，天仙化人妙肌理，墮馬啼妝百不須，莫學世間小丈夫，容光滑膩心神枯」云云，又與人論文詩云「雙眸炯炯如秋水，持比文章理最工，糞土塵沙不教入，金泥玉屑也難容」。又云「欲放徑須放」。此數所稱，蓋於論詩論文皆洽。

伯子晚年經營鄉學，頗主參泰西之法，稍變於舊軌，以此獵科名則不便也，甚爲州人士所議。詩題有云「經營學堂……得匿名書盈寸，紛嘵所在成聚，皆集矢於余身，良用悲惋」。伯子九試秋闈不第，遂棄科舉，吳摯父屢勸之，亦竟不就。其至交張季直大魁天下，季直固亦不樂科舉而循親意博一第以爲榮者。此兩人要俱可佩，其可佩皆不在功名間也。州學卒賴季直爲言而定。

甲午戰敗，合肥大不理於衆口，議者輒以一壻一幕爲口實。壻則張佩綸、幕則肯堂也。

辭舘南歸，張香濤署江督招肯堂，而毀言日聞，香濤不敢用。無何香濤復還鎭武昌，肯堂求一近舘之計竟不獲，此時肯堂良悒悒，詩於張深有微辭。措語之妙可學，而意量固自偏激。後去粤依許振褘仙屛，范至而許調，其侘傺失志可知。集中有詩謝清夫道人洪述祖者，述祖饋伯子甜饅頭百枚，甘嫩而可久藏，有句謂「德如玉瓚中黃流」，殆是今所謂糖包子也。述祖後涉及刺殺宋教仁案，不得良死。

伯子墨迹余未之見，范有句云「嗟余幼好眉山翁，學書便學楚頌帖」。學蘇體殆同光人風尚，裴伯謙藏子瞻書〈阿房宮賦〉，蓋是贋本。客有諍之者，伯子乃堅執其爲眞，謂乃遺外形骸，並不必由吾道，迹此語，可見此書之不類蘇公也。以其不類而反是之，安足以服人？不近於逞辯護前耶？

余於散原詩服膺無閒言，曩亦頗喜散原文，屢讀之乃覺其冗蔓，句法健而通體則散。散原晚作多袁伯夔代筆。其文殆不足以樹一幟，以視伯子之夭矯峭聳，大弗如也。能讀伯子乃能會用古化古之法，特當避其囂怒僨張耳！若夫詩，則散原爲尤大也。

讀心史叢刊

曩讀孟心史（森）先生《清代史》，深佩其〈八旗考〉之精卓。又其辨董小宛事亦考證詳密，論漕運等革弊及民俗改良，於陶澍政績饒有證論，敬服之，輒於書眉略申愚見，其書不知何人取去。前歲購得《心史叢刊》，亦是孟所為書，無暇細讀，遂亦無眉注，其書遂得以倖留寒齋。

書分三集，專紀清代各大案，俱史之略而不載，或紀而甚略者，自謂「別於史料而名以叢刊」，殆甚撝謙。其第三集中〈董小宛考〉似曾見於《清代史》，《叢刊》係續出，未識有所增補或改訂否。又頗錄稗史靈怪之談，且亦摭言明代事，則其不足為史據者。

「奏銷案」。為順治康熙時江南蘇松常鎮官紳士子以欠納錢糧，累禍一萬三千五百餘人、衙役二百四十人。史述固已甚隱，《東華錄》所載《實錄》之文，以如此大案而不著一字，故知此為清廷所自諱，不欲示後，與搜查禁書刪改實錄同一用意耳。王氏《東華錄》頗有與蔣氏《東華錄》不同之處，即蔣錄所述尚少改一次也。此案既不見於官書，私家紀載自亦不敢干犯時忌。今所尚可考見者，則多傳狀碑誌中旁見雜出之文，如董含《三岡識略》、姚廷遴《紀事編》，無名氏《研堂見聞雜記》……等而已。葉方靄探花欠一文而黜革，所謂探花不值一文錢者。金聖歎亦牽入此案哭廟見戮。婦女不堪被辱而死者，俱慘不忍述。發動此案者爲蘇撫朱國治，以憂去，旋復撫滇，値吳三桂變，執朱破胸膛梟首示衆，人以爲孽報云。

「字貫案」。《康熙字典》爲欽定官本，然其中闕舛良亦不鮮。江西舉人王錫侯，撰《字貫》一書，雖未明著《字典》之失，而內容實已糾之，刻成大約爲乾隆四十年乙未（一七七五），距《字典》康熙五十五年丙申（一七一七）御製序成之歲殆六十年矣。錫侯另有一書曰《經史鏡》。就其所分目察之，首爲慶殃報復，次爲酒色財氣四戒，義例粗鄙，殆爲中人以下說法，鄉曲小儒氣象，決非能有菲薄朝廷之見解。此書刻成越歲，而《字貫》之獄起，時在乾隆四十二年丁酉（一七七七）。爲同縣王瀧南訐發，當時彊吏以爲「不能檢出悖逆重情」，祗擬革去舉人以爲懲艾。據《東華錄》：「乾隆四十二年十月癸丑，諭軍機大臣等：……閱其進到之書（按即呈案之《字貫》），竟有一篇，將聖祖世宗廟諱及朕御名字樣開列，深堪髮指。此實大逆不法，爲從來未有之事，罪不容誅，應即照大逆律問擬，以申國法而快人心。」於是查抄其家，王錫侯處死，其有關諸人江西巡撫海成革職、兩江總督失察降級，布政使周克開按察使馮廷丞革職交刑部治罪，此江西官吏之被累者也。侍郎李友棠以曾爲此書題詩而革職，錢陳羣、史貽直（案，俱爲王錫侯鄉舉主司），曾爲作序，以身歿不究，此先輩之被累者也。其牽涉不可謂不大。

據官書所指摘，不過臨文不諱，排列御名，遂有「大逆不法」，「深堪髮指」之諭，而《康熙字典》應改之處，則固諱言之矣。錫侯之罪止此而罹大辟，非「殺非其罪」也歟？心史因痛論之曰：「自《字貫》之獄興，清一代無敢復言字書者，桂段諸家，以治經不能不識字，則盡力於許書，以避時忌，清中葉聰明特達之士，恒舍史而談經，皆是此意，於是二百年中，承學之士，無不是古而非今。……」。其說或非全當，要爲泰半近於事實。

阮元等心知《康熙字典》之有舛，而不敢公然訟言，因別從「依韻歸字」途徑，撰成《經籍纂詁》。其詮引指釋，較《康熙字典》爲精碻。迂途以說之，用心亦良苦已。據錢大昕之序在嘉慶四年（一七九九），成書當即在此際也。其後，清道光間，重修《康熙字典》，亦謂之《道光字典》，未識其亦曾採阮氏等所詮說者否，其書亦不傳。《經籍纂詁》則以考尋之法較繁，承學者亦較罕用，今乃惟《康熙字典》獨行云。

「丁香花」事。此爲一文壇流傳軼事。世頗言龔定盦與西林太清有綺情，其後定盦暴卒於丹陽，與此事有關。定盦有丁香花詩「一騎傳牋朱邸晚，臨風遞與縞衣人」。即緣太清作。謂朱邸者，以太清爲貝勒奕繪夫人故。「丁香花」云者，定盦自注云憶宣武門內太平湖之丁香花也。好事者輒摭其他詩詞，廣爲羅織，經緯以艷其事。此邸即後來醇賢親王所居俗稱七爺府者也。太清美於色更工於詩詞，有令譽，繪貝勒詩詞亦甚工，眞所謂璧合珠聯也矣。太清有《天遊閣集》及《東海漁歌》。龔鵬程弟曾借到，留寒齋讀匝月。信是第一流女作家，設以李杜爲第一等，太清當隸在四五等之間耳。冒鶴亭校《天游閣集》，曾云得聞太清遺事於其外祖周季況。心史因撰文考訂其年月行跡以及詩文解釋，爲太清辯外間誣辭。心史說甚辨。余嘗怪心史曾撰有董鄂妃非董小宛之文，何以在《叢刊》中又錄是作，蓋心史頗怪鶴亭校集所云云者，爲非得其實。並據傳心史云：余曾爲冒氏洗誣，而鶴亭乃架誣於太清，不中於文德。余則以爲世上可以供作文章之材料蓋亦多矣，何必恣筆墨於此？好談閨闥，且更污人名節，殆或非宜，是亦不可已乎。

「小說題跋」。跋《聊齋》所志顚道人事，事不足論，特所考「綠頭巾」一節，可資談助。明代功令，教坊伎者之夫，爲「綠頭巾」。〈教坊規條碑〉云：「入教坊者準爲官妓，另報丁口賦稅，凡報明脫籍過三代者，準其捐考。官妓之夫，綠巾綠帶，著豬皮靴，出行路側，至路心被撻勿論。老病不准乘輿馬，跨一木，令二人肩之」。此碑據云曾有拓本，今無從見矣。又劉辰《國初事蹟》云：「太祖立富樂院於乾道橋，男子令帶綠巾，腰繫紅搭膊，足穿帶毛豬皮靴，不容街中走，止於道旁左右行，或令作匠穿甲。妓婦帶皀冠，身穿皀褙子，出入不許穿華麗衣服，專令禮房王迪管令，此人熟知音律，能作樂府。禁文武官及舍人不許入院，肯容商賈出入」。凡上揭「綠頭巾」之制，不見《輿服志》紀載。

心史又云：「綠巾爲娼夫之服，又不始於明代，明程明善《嘯餘譜》載詞曲源流，引子昂趙先生言曰：娼妓之詞名〈綠巾詞〉。趙子昂由宋入元，其爲此言，恐不但爲元初娼夫之制服，蓋以綠巾名娼夫所製之詞，以別於士大夫所製之曲，既能成爲名詞，即必流傳已久，可決其自宋以來，即以綠巾爲娼夫之標幟矣」。

據以上所云，當可以爲烏龜吐氣，不揹黑鍋矣。

讀鄭海藏詩

曩自台中書坊購得縮影兩欄本《海藏樓詩》，曾就所知者，以史事爲主，稍作眉注。鵬程弟頗好之，取去。旋鵬程之燕都，買得八開精裝本貽余，以書品甚好，未敢遽爾施朱墨。此刻仍係舊刊本，入燕都暨長春詩尙未收入也。嗣鵬棣復購大陸中國歷史博物館所編《鄭孝胥日記》來。書原五冊，其第四冊爲紀民國九年（一九二〇）至民國二〇年（一九三一）間事。詢據其友見告，以涉及現存有關諸聞人事，編而未印云云。此或詭辭，當是不肯外購爾。而余所切須查碻者，乃在此數年間，非得此冊，殆甚難措手矣。揣鵬棣意，殆欲余箋注鄭詩。前此渠曾請選注陳散原詩，未之允也。竊謂注鄭詩較注陳詩爲易，鄭用事較少且極少僻典；而作箋則較陳詩爲難，陳服官不久，但爲一介書生，而鄭歷外交軍事經濟鐵道建設等事，範圍甚廣，詩所觸及甚龐雜，翻雲覆雨，託意難明。此固可尋其友朋酬答旁徵博攬而蹤跡得之，慮亦未必能窺全貌、究底蘊焉。自闕本日記中，亦可得若干欣會之處。

海藏才氣高，智略廣，性情有厚有薄，行檢有愼有疏，立身尙可謂差具本末，雖遠遜於陳散原，亦下於陳伯潛，固又未可遽即與黃濬、梁鴻志、王揖唐、殷汝耕輩等比量齊觀，要之爲一詩人而縱橫之士耳！凡其進退趨避取與，殆概可以「市道」目之。於合肥父子則恩誼日淺，可弗詳論。張南皮實爲識拔海藏資其展布之機紐，端午橋亦彌寵遇提攜之。張端之逝，海藏日記私密紀錄中，曾無傷悼之語，且於張有微辭。蓋以其時徵召任用案八員之中，南皮刪去海藏暨王先謙湯壽潛之名飲恨故也。盛宣懷、岑春煊亦大有造於海藏。岑督兩廣時招海藏爲助，領鄂督所練之建武軍戍守龍州二年，軍餉暨遣撤之費，餘溢甚鉅，鄭以是遂致多財。世謂其滬上鬻字大有收入，其實依日記所載，通數年間不及萬金。不足算也。鄭以軍費餘留之款，投資各事業，因而貲貨日益騰上耳。岑春煊與鄭因後來政治趨嚮各殊，故彼此違言，自無足責。而於盛宣懷晚途，則亦至爲恝然。揆之古處所敦之誼，似俱未甚得矣。尋《日記》中十餘年紀載，諸人在政壇起伏不同，凡諸勢權之隆替、蹤跡之密疏、稱呼之恭倨，細按之，則所謂「市道」之譏乃信有然。

民國六年（一九一七），張勳舉兵圖復辟，鄭實預局外之謀。而但倚一兵盡力窮，栖栖奔走於扶桑間之升允，無拳無勇，其不能得意於群獠間，事至灼然。海藏五月十二日記云：「復辟則皇室甚危，此曹眞堪寸斬萬段也」。迨六月五日爲升允致書張勳則曰：「正宜建立龍旗，宣言復辟，……必將天旋地轉，旦夕遂定」。相去才浹旬耳，何其主張相悖如是？賣皇室耶？賣朋友耶？是知其本無遠識定見，徒爲旦夕自謀之計耳。洎事敗後，七月十九日記曰：「毫無計劃，妄舉大事，使人憤恨，此事由青島與上海諸君合謀之，而獨避我，知其必敗矣」。爲此說也，不靦顏耶？

海藏曾以「小說體」爲所眷姬佾金月梅著《函髻記》，余別有文述其事。其在龍州日曾與孟蒓蓀云：「欲作小說二種，其一取宋元明人語錄滙編其可笑者，名曰《道學搗鬼記》；其二，載近年各省諸色人等日趨新風氣之狀態，名曰《苟日新》，眞可供捧腹也」云云。其書未成，意前者當近《笑林廣記》，後者當近《官場現形記》《二十年目睹之怪現象》一類也。海藏既不「道學」又非眞正「維新」一類人物，未識其將如何著眼耳。

海藏於詩遠源當在阮嵇及小謝，偶迹之而不露形跡。唐賢當是好柳州、夢得，於宋人頗主荊公參東坡而薄梅都官，夏敬觀氏曾以其詩似梅爲譽，海藏翻以詩刺夏焉。於金元則頗鄰遺山，於清人都無所好，初時亦頗師鄭子尹法，其後乃屢訾其窘。其實功力子尹殊甚堅實，寫旅行苦況、農村社會生活，離亂經歷，是追老杜秦州詩而別開生面者，良未可輕也。海藏或未必盡能，此言乃掩其初跡耳。同時諸家，於湘綺輒曰「不佳」「不工」，是固宜然。於散原似亦隱諷其奧恣，殊未必盡是。記前輩有述散原之言曰：「海藏渾身是打」。「打」之一詞，湖湘人指技擊之工也，語甚趣。

余曩甚喜海藏詩，不啻讀三四過。細究之，其學介甫，實不如伯潛之工。其幼日當是熟於劍南，堂廡既成，遂深自諱匿，同光諸家殆恒如是。飲冰室謂「亘古男兒一放翁」，余竊笑以爲直抉諸人之隱。以鄭七律證之，如：「萬峰出沒爭初日，殘雪高低帶數州」，「布陣試馳飲江馬，傾城來看臥波龍」，乃直襲陸句。另如「雲山重疊爭供眼，風雨縱橫亂入樓」，「天際雲濤秋益壯，樓頭風雨晝初涼」，「天半飛樓收雪色，坐中明鏡對雲煙」，蓋俱因緣劍南中歲詩。既得大名，則避之惟恐不及、棄之惟恐不盡。而偶然興到高吟，此等宿好，乃忽然不覺奔湊筆底，如天狐醉中露尾焉。

海藏晚歲輒自云好「四靈」詩，殆是久飫醲肥轉思螺蚌竹筍之意，而詩境殊不近，氣性固不可強。其晚途詩失其駿彩，轉覺偪澀傷氣。陳石遺編《師友詩錄》，無第一，以海藏居第二，其故在鄭詩乃乏長篇；散原則居第三。此乃是閩人同鄉之見故爾云也。又贛人汪辟疆《光宣詩壇點將錄》以梁山泊諸人相擬，列舊頭領晁蓋擬湘綺，頭領天魁星宋江擬散原，天罡星盧俊義擬海藏，亦坐江西派詩人之見，兩家固未容軒輊者。

世號海藏爲「鄭重九」，其頻歲九日詩俱佳，得此譽固宜。然特純自詩之工粹而論也。余獨最篤愛其哀骨肉哀友朋諸詩，以爲足與散原崝廬諸詩方烈，字字從至情至性中流出，俱是天壤不敝文字，他家不敢望也。至於古體長篇，山谷亦罕有，石遺執此以論，不既傎乎？

民國十二年（一九二二），海藏入北京謁溥儀，遂爲內務府大臣。銳意整頓，群閹豎力排扼之，仍歸懋勤殿行走。次年鹿鍾麟逼宮，溥儀自醇王府走奔日本使館，海藏有詩紀事云：「乘回風兮駕雲旗，縱橫無人神鬼馳，手持帝子出虎穴，青史茫茫無此奇」。又云「休嗟猛士不可得，猶有人間一禿翁」。詩出，群以爲譫語自誇，共姍笑之。因於詩後附刊《日記》，以爲證佐，向來詩集無此體例也；其後溥儀撰自傳，亦引此《日記》語。溥自傳爲「康德」僞朝敗亡被俘後所撰，非全出自由意志，所引固不必信爲盡眞。

海藏與陳石遺同邑總角舊交，數十年間往還甚密，其後反目互詬。海藏出生蘇州，蘇州曰胥門，「胥」故訓為蟹醬，石遺語門人：鄭將不得良死如「胥」也。石遺死，海藏在長春得耗：有詩詈其「骨穢」。以刎頸交而為貿首仇，不知何緣，閩士熟故事者當能道之。侍溥儀天津自靜園移張園，與同事諸人如陳伯潛羅振玉等俱不甚相得，引歸者屢矣。旋日人挾溥儀自旅順入長春建偽號，海藏主國務，事事為日本所制，又與張景惠熙洽輩爭權。自其長子鄭垂夭折後，益無溝通外邦之力，日加孤窘，謝政旋卒。綜其間海藏有得意、沮喪、困鬱、願欲、爭執等等遭遇，情緒錯綜激蕩，又懷高詣，自宜多有佳什，乃竟殊罕，究為頹老才盡，抑有他故耶？無從論之，余亦不欲論之已。

鵬程《雲起樓詩話》有說海藏段，語多可取可信。海藏集外詩良多，好事者如或蒐取，定能有得。又聞海藏有孫某，在台北一女中教數學。欲訪之，因循未果。距今亦近三十年，無從探尋矣。

讀人境廬詩

《人境廬詩》嘉應黃公度作。童丱時讀其〈以蓮菊桃雜供一瓶作歌〉，極心喜之，今重讀覺仍多意趣。花花世界向來無此奇局也。

人境廬詩，開徑獨行，然亦以此受病。詩有霸氣、有傖氣，有時故意作態，濫羼新辭語，好變古而傷理致。

古體變化楊鐵崖追摹秋胡等作，亦參胡稚威黃仲則之體，前舉雜供諸花歌外，如〈錫蘭島臥佛〉〈倫敦大霧〉及〈南洋風土〉等什，信爲奇作。近體晚途頗摹老杜〈諸將詩〉作法，絕句乃頗近定盦，〈己亥雜詩〉及〈懷人〉等作，其顯例也。七律亦間用梅村。己亥雜詩，於佐陳寶箴撫湘諸事，辦報諸事，無一語及之，蓋驚弓之鳥避時忌也。

其人固蓄有革命之念，卷末兩詩可徵，特托爲梁新會之言。而其與梁氏各書，則明白質實道之。寄題陳氏峭廬詩，雖略無明指或暗示革命意，然深尋其旨，殆亦不止於行新政爲滿足。不滿足，當奈何？進一步推求，是所嚮者躍然欲出焉。

其弟遵楷述遵憲之言曰：「人各有面目，正不必與古人相同，求於古人外自樹一幟，以古文家抑揚變化之法作古詩，取騷選樂府歌行之神理入近體詩，其取材以羣經三史諸子百家及許鄭諸注爲辭賦家之不常用者，其述事以官書會典方言俗諺及古人未有之物未寬之境，舉吾耳目所親歷者，皆筆而書之，要不失爲以我之手寫我之口」云云，此陳義甚高，今稱詩者未必能讀如此多之書，但師其意可爾。

嘗謂同光詩人不能寫景、不能寫情，蓋以諸多新式建設及使用工具，其生活方式俱與古有殊，古貌古心，云何能達？故其述君臣父子之情誠有獨至。若寫男女之情，工者殆蔑如，公度〈今別離〉四章，殆爲新闢一途徑。至於所作〈山歌〉，凡不諳廣東語者，多不能讀、不能解，亦方言文學之嚆矢歟。

公度於詩所標舉之祈嚮，見於其自序，亦有志之士哉！康南海謂其體裁嚴正古雅，則未必爲知言。後來白屋吳生詩，偶或亦能近其一節，爲可開生面者。吳撰〈護國巖〉〈婉容詞〉俱可徵見其迹也。

讀馮蒿盦遺著

前賢論學輒各有不同，然而並行不悖不相害也。亦有早歲之主張與晚途相異，如梁任公所謂今日之我與昨日之我宣戰，亦不能謂爲背理。讀馮《蒿盦雜記》，亦偶因絕不相同相類之情事而引興此感。

章太炎謂甲骨文不足信不足重，而古文字學今乃大昌，世亦諱言太炎此論，蓋今時講學者多出其門也。馮煦（蒿盦）謂許氏說文亦不足據以解經。馮之言曰：「揚氏（雄）杜氏（林）並有倉頡訓纂，爲時所稱。即以小篆論，揚氏杜氏亦各有說，而許氏說則漢儒不甚重之，亦未有據以釋六經者，六代古籍散佚，揚氏杜氏之書不傳於世，而《說文》巋然獨存。後之者古者，舍《說文》無他書，故日益相尚。其實古文與小篆之見於今者，多絕不相肖，其誼即有未可通者。《說文》中間附古文，寥寥無幾。其自敘云孔子書六經皆以古文，又云其稱《易》孟氏、《書》孔氏、《詩》毛氏、《禮》、《周官》、《春秋》、《左氏》、《論語》、《孝經》，皆古文也。其於所不知，蓋闕如也。是許氏於六經之古文，亦未嘗自信其盡通，而後人必以之釋經，不獨誣六經，其誣許氏亦甚矣」。馮之論據似未爲充足，蓋馮頗講宋學，故其言如此。先友實先魯君，曾欲撰《說文正補》一書，時人多嗤之，以謂說文寧可正耶？殆又未聞蒿庵此說也。實先今墓木拱矣！

馮蒿盦頗治宋學，然固是一辭章家，宋學殆亦裝飾門面者也。而極詆漢學家。有云：「今之學者，多自名爲漢學，其實宋學也。何則，今所稱漢學者，其略有四：曰說文，曰考據，曰金石，曰校勘，《說文》一書，漢儒不甚稱之，亦無引以釋經者。唐以前尚無專注，至宋二徐氏始爲之注，後乃大顯，是《說文》之學，宋學也。唐以前之說經者，但通其大義，未嘗毛舉細故。至宋儒，一名一物，考覈辨正，至纖至悉，是考據之學，宋學也。金石之書前未有聞，宋歐陽氏爲之創，而趙氏洪氏繼之，後益曼衍，是金石之學亦宋學也。若校勘之例，始於紫陽之《韓文考異》，是校勘之學亦宋學也。所學皆宋學，而攻宋不遺餘力，不亦忘其所自出，而反相噬乎？而猶自託於絕不相效之漢儒，亦又強顏矣」。解若甚辯，而適成弔詭，考證不碻，利口若對羣氓之爭飲啖，非學者之言也。馮又云「靜中有一理來會，則此心湛然而常惺，靜中有一事來會，則此心淆然而不寧。」是豈有當於孟氏不動心之說也哉，直欲令人咸爲陳死人耳！

傅孟眞斯年批黃宗羲《明夷待訪錄》，直斥其無恥，蓋謂其晚亦微有可論者也，然亦近苛矣。《馮蒿盦隨筆》云「船山釋明不可息，直推懷道、待訪之非，似爲黃梨洲州而發，雖責備賢者不無少過，而其言碻不可易，梨洲有知亦無以自解也。」其述王船山之言曰：「然則箕子懷道以待武王之訪乎？非也。箕子無待武王之心，而訪不訪存乎人者不可期也。君子雖際大難，可辱可死，而學道自其本務，一日未死，則不可息於一日，爲己、非爲人也。懷道以待訪，則訪不可必，而道息矣」，梨洲有《明夷待訪錄》，故船山云然。是梨洲同時諸賢固有不諒其言者，正不獨傅孟眞今時之嚴斥也。

馮蒿盦亦於伊尹有異同之論，並援孟子爲說，蓋有慨於鼎革之際，清室遺臣入仕民國者也。另文又引湯卿謀之言曰：「人所最不堪者，遺老弔故國山河，商婦話當年車馬」，亦慨乎其言。成惕軒曾語我，蒿盦詩詞俱是一大家數。余今讀之，殆非信然。蒿盦於鼎革際撫皖有政聲，老死滬瀆。

摘鈔馮蒿菴閒話

借得馮蒿菴所著書，輒就其《蒿菴隨筆》摘鈔數則。

「佛云平等，甚非易易，非渾渾無別也。為平等之說者曰，佛即是眾生，眾生即是佛，佛即是魔，魔即是佛，此自佛之成就者言之。若當其始，則見佛即皈依，見眾生即覺悟，見魔即降伏，初不平等。苟一旦而平等之，則見眾生而皈依之降伏之，猶之可也，若見魔而皈依，見佛而降伏，尚得為佛耶」？似為雋辯，其實無理。余粗見已如是，當得通明佛理者駁正之。然此亦足為今人眞平等假平等之說，別進一解。

「吾於宋賢不取石介，於明賢不取海瑞，矯激僻悻，害政莫大焉」。此語「正合孤意」，前劉厚予君見過，已略攄愚意道之，論海瑞與宋訥，當別撰一文詳之也。

「金剛經云，菩薩不具相布施，蓋云內不見有能施之我，外不見有受施之人，中不見有所施之物，是謂三輪體空，一心清淨，是為眞功德」。老氏云「大德不德」，儒者言「天何言哉，四時行焉」，或當與此義近通，此殆亦「格義」之一歟？

「詩云：東有啓明，西有長庚，有解之者曰，啓明指微子啓，長庚指武庚，其東西以地言，蓋宋在朝歌之東也」。其穿鑿傅會無理如此，而蒿盦謂其說甚奇，亦足怪也。緣自託於遺老復國之思，而張其瞽說耳。

讀八指頭陀詩

齠齔時，略讀《八指頭陀詩》，不能悉解，然頗喜之。先妣語余，先子臥病時，亦頗曾閱此也。今所閱頭陀詩冊，係葉刻十卷本，重讀如對故人，而兒時不再矣。

頭陀詩初二卷殆係習作，無多可取，但可徵襲選體襲唐賢之失。以下諸卷間有名句，有時對仗氣象情景不能銖兩悉稱。學佛人不能忘情於名利，心已自不瑩淨矣，詩雖無蔬筍氣，自為一勝，特無以異夫在俗者耳。其讚佛說禪諸作，大都摭拾堆砌，不見理趣，塵麄生憎。

頭陀受湘綺教甚深，五言古多，而疲薾，七古殆不能作，集中殊罕見。五言律要為最善，有極高秀處。七言律往往有長語。元遺山不避昔人成句，頭陀則輒就古句易一二字以入已作；又輒襲杜李蘇陸諸人詩意，細尋之，殆似百衲衣耳。空腔浮響，有非靜者之辭者。

頭陀以釋子周旋諸詩伯間，遂得重名，於古今作者殆是六七等詩家耳。先君子詩極高朗，不當更有取於是，或是病中瀏覽解悶而已。

楊皙子續刻其詩，始己亥（一八〇九清光緒廿五年），迄民國元年壬子（一九一二），頭陀於是年示寂於北京法源寺。父老言，係爲爭佛教寺產，爲禮俗司長杜某所摑，歸寺恚憤而死。楊序不言其死因。續集今始得讀，較前時諸作，有駿發者，然而駿發非僧家言也。

談譚延闓傳

繼宗鄧袁暌九君所撰《譚延闓傳》來，係黨史會交其審閱者，渠以數事徵余意見，我則是「橫著一枝緊」耳。

此撰文字尚清楚，間或掉書袋，因了解原意不眞確而致誤，此乃近時好撰報紙文字者之通病，可酌易也。

書印有譚氏生活照片及書蹟。書蹟中贈何敬之一聯，字殊惡札，此不宜收列，而竟以冠首，甚矣，諸人之不懂書法也。

此書僅係一小冊，不過數萬字，其中如趙恒惕逼譚離湘走滬事，不見敘明，或爲趙夷午諱歟？又如武漢時期代國府主席主張容共，南京時代國府主席主張剿共，亦無顯敘。又其與宋家之交往，拜宋子文母爲乾母，則可以不敘也。

嘗怪畏公門下士能文者甚多，而墓志乃寥寥數語；其年譜乃在台灣定稿，亦殊語焉不詳，甚或不知所謂，頗聞主此稿之某某等數君，竟至參商，其畏公生平有難言者歟，抑或有大干時諱者歟，眞乃「不可度思」也。

此小冊爲通俗之傳，自不能舉上揭諸事以史筆相繩，然總得於關要處能有所交待，否則「可以無作」也。作譚傳固難於下筆，既下筆矣，於何等處加意着墨，誠須審度焉。

傳聞畏公之卒在民國十九年九月廿二日。先日午後，畏公去總理陵園附近溜馬，馬乃明州公所贈者，乘而墮馬，歸尙無大不適，嗣有黃醫官至，爲發藥注射，入晚遂大漸。有人以此爲言。時明州正督戰河南，十月二日明州以祭文寄南京，十月九日返京弔唁，是則此事決無可致疑者焉。

國府中明州與胡展堂甚不睦，畏公則與兩方俱交好，從容調劑，乃不致大決裂。譚歿，遂釁構益不能解，衍成兩廣與南京之訌爭，而胡連遭軟禁，終乃於香江中毒死。是知譚之調和鼎鼐乃大不易且大過人者也。

譚詩，正中書局印有手寫稿本，唐味太濃。譚胡和韻詩逾百首，亦古今所罕見。譚書，余意不若于三原，三原有突破古人意，譚則終身不出魯公樊限，但能用筆矯錢南園之所短，顯見雄潤腴潤耳。所書國父墓碑端嚴雄健，則眞能卓卓萬古者已。

袁所撰傳又云：程潛（頌雲）原爲畏公舊部，程旋逐譚狼狽出走。其後民國十二年左右，譚程俱在廣州大本營，仍積怨不相能，總理中山先生爲設讌分具兩客單，一以譚爲首席不列程，一以程爲首席不列譚，分兩室招待，酒半，總理將二人同時請出，左手執譚右手執程，彼此携手釋恨言歡云云。此事余頗謂近說部之造作，總理當不作如此等狡獪。其使兩人釋怨，則或當有之。又曾聞畏公有一印章，大意謂南人而好食麥馳馬云云者，其語甚趣，此撰亦失記。

讀蒼虬閣詩集

自康廬處借到《蒼虬閣詩集》。蒼虬詩凡有三刻，初爲江寧蔣蘇厂蔣氏眞賞樓刻，附有舊月簃詞；次爲蒼虬之子邦榮刻；復次爲北平文楷齋寫定刻，此刻包括長春所作。借得者即是此本。據王開節符武跋，其中沙汰已多，當是有關僞滿洲國時事諸作也。儻能留以考訂僞滿史事，固亦頗有用，惜其不存矣。集中有丁亥（一九四七）之作，則跋所云丁卯（一九二二）詩訖庚辰（一九四〇）爲不合。

蒼虬初期詩甚學韓，又頗有取定盦，壬子以後，乃深汲義山冬郎，古體有時傷琢字而意不能高。蒼虬嘗自謂詩宗雙井、畫師子久，而所作詩實乃多近玉溪，善夫其能學雙井也。此意非解人不能道，世之法涪皤者但見槎枒而已。

蒼虬晚年七律最精警，對仗尤工，特微覺巧耳。暮途於牽牛花多有詩，當有所託，恨不得於泉下起謝文凱而問之。文凱曾學詩於蒼虬者，然而此又或非文凱所能知。玉溪詩中之柳、放翁詩中之梅、遺山集中之杏，皆不能作一事一物講，宜以意逆志求之。

鄭蘇龕長春所作詩殊蹇劣，大不似從前。蒼虬則益騫騰凝鍊，銜觴擊筑，時時隱見不同不盡之情，大耐咀嚼。其序蘇龕此時詩作，雖非尋常語，特亦止就其顯豁者婉轉爲說而已。蘇龕實已退鋒才謝也。

龔鵬程弟來，屬其細爲校勘，並書一刺交渠持謁王符武兄求教。王與蒼虬爲世舊。旋得報，謂與談蒼虬集有關事甚多，而余所亟欲究明者，符武亦有所不能詳也。符武因贈余蒼虬集，並另借張文襄集，此俱是今時甚罕祕者。據王贈陳集，末數葉刻印筆蹟不同，是則余所執有三十六年詩羼入者，可得一證。仍屬龔作一談話紀錄，攜再謁王，當續有所獲也。

此集余曾有眉註，但多就詩法抒論。鵬程棣取去，刊於《國文天地》月刊。

讀恐高寒齋詩

恐高寒齋詩草，袁中舟勵準手寫本，公子行濂攜入臺灣景印線裝，彌見高雅。中舟於遜清以名翰林復舉經濟特科，入直南書房，壬子後隨扈溥儀供事天津。其詩有功力，吐語名雋，特以一種貴官遺老氣盡掩其光芒，遂不能優入聖處。中舟以詩書畫聳名燕都，尤以書法爲最工，此集即但觀究其書，亦足以飽眼福沁心脾矣。詩中夾註甚多，考史者於此益當有所采獲。人謂俞觚盦苦學杜詩，而翻趨於淡。中舟雖不規規於杜，亦自得一澹趣。非究其深奧處難體會也。

讀爰居閣詩

梁鴻志字仲毅又字眾異，福建長樂人，梁章鉅（茝林）孫，幼隨父居日本，父早死。眾異十九歲中光緒癸卯科舉人，科舉廢，肄業京師大學堂，與朱芷清（聯元）黃秋岳（濬），最相得。從陳石遺學詩，以小京官供職學部。民國成立，任職於國務院，兼在薛子奇所辦亞細亞日報任政論文字及新聞編輯，與丁佛言黃遠生劉少少共事。偶於天津火車中邂逅王揖唐，遂以詩文訂交。民國五年黎元洪繼任總統，段祺瑞當國，以鄉人曾毓雋陳懋鼎汲引，於皖系全盛時期任段芝貴總司令部秘書長。直皖戰爭，吳佩孚大敗皖系，段芝貴所部尚存未發軍餉二百萬元在天津。梁分得五十萬元。又於其戚某處，半買半騙得閻立本繪四夷朝貢圖，轉售日人岩崎，得價三十萬。民國八年七月。徐世昌下令懲辦徐樹錚曾毓雋並及鴻志，俱褫官奪勛，一體歸緝到案。遂潛居大連，得識一富室棄婦，納爲夫人。民國十三年馮玉祥倒戈驅曹錕，段再執政。先是，眾異亦曾有日本之行，所謀不詳。段原擬以王揖唐爲執政府秘書長，王婉辭，並薦梁自代。一說爲徐樹錚薦，又一說云徐以爲宜任許世英，認爲梁與南方格格不入，且聲望不孚，未審孰是。段既再出，安福系各人俱有報効，而梁獨無。其實梁固擁有多金，以故李思浩曾毓雋俱有微辭，段長子宏業尤惡之。梁頗自斂抑，但秘搜古玩古籍，收藏良富。其中以宋代米元章蘇東坡書畫卅三幅墨寶大冊最珍貴，因又號三十三宋齋。祺瑞因上次直皖戰爭舊部散亡略盡，盧永祥敗，浙滬之地亦失。其執政乃藉奉系張作霖、西北軍馮玉祥支持，執政府中因亦分兩系，東北系爲吳光新、曾毓雋　段宏綱、梁鴻志，西北系則段宏業、賈德耀，同室齟齬。緣三一八事件金佛郎借欵案不能安於其位，段爲馮部鹿鍾麟所逼下野，梁亦失志，隨段避居天津。九一八後，國府遷段南下居滬，梁亦同王揖唐、曹汝霖、吳光、龍新等麕集追隨，廿七年樞府西遷，梁遂同溫宗堯組維新政府，自任行政院長，但仍虛主席之位以示遙奉正朔。洎汪精衛僞府成立，梁改監察院長。《爰居閣集》編詩迄廿六年，廿八年刊行，正袍笏登場時也。日寇敗降，見法，在羈囚中有《入獄集》《待死集》。曾有見之者，或未刻也，無從覓得。

《爰居閣集》托龔鵬程君自李嘉有先生處借到影印，此之所記，乃參《古春風樓》有關梁事簡記之也。梁詩中所用典有余所不悉者，問之友好亦不之知，梁詩功深，是一作者，惜乎「佳人作賊」耳！

梁集余曾批點。鵬程弟刊於《國文天地》。

諸子學述及嶺南四家詩

過書展會場，買得羅庶丹先生《諸子學述》、黃晦聞《注曹子建詩鮑參軍詩》及日本人橫田維孝《戰國策正解》各一冊歸。入夜，發羅著《學述》讀之，所持論與蔣伯潛頗有出入。羅著爲未竟之作，且係講義體裁，敘述或有畸重畸輕處，而其精到卓越處則所在多有，令人欽服。李肖聃師爲作序，殆俱常語，不足發其光輝。庶丹先生爲先祖先叔祖摯友，先君所嚴事者。羅至余家，先君侍談惟謹，於肖師則循平常禮云。羅氏曾遊粵，與大元帥府事，尋歸。

庶丹先生不以詩名，而所交多詩家，黃晦聞以七言律擅名當世，集中絕少有古體，與湘綺大相反。其在上庠則講魏晉詩，所注亦精謹。曾爲粵省教育廳長，與庶丹先生殆同時在粵，省運動會開幕，著長袍領隊跑行運動場一周，粵士作長歌誚之，措語極諧趣，見《古春風樓筆記》。

曩張昭芹魯恂編刊《嶺南四家詩》，所收雖不盡全，但印刷裝釘精善，余徧曾圈點，於書眉並作詮評，不知爲何人取去。余最喜黃晦聞《蒹葭樓詩》，七言律眞得宋髓又具時代思想。次則曾剛父《蟄庵詩》，其絕句一種淒馨冷豔又饒具風骨，眞如其人。復次則梁鼎芬《節菴詩》，名貴遒鍊，微有造作態，其題畫詩甚多別出畦徑，曾語一葦可以熟參。復次則爲《羅癭盦詩》，功夫似稍遜而才力富健，其人出入項城門戶，流連菊部，困貧以死，亦大可哀已。以上諸人，類曾與庶丹先生有交。諸人詩文可按。

談人間詞話

酒集中，某君盛詆王國維《人間詞話》不値一讀、不屑一讀，但未析言其所以然。余頗詫其出語之橫。某君故在上庠講授詩詞者也。以人多，未及叩詢。此書曾頗流行，具有甚強之影響力，比歸，乃發書更細檢之。

王書論詞首重「境界」，云：「詞以境界爲主，有境界則自成高格，自有名句，五代北宋之詞所以獨絕在此」。「有造境、有寫境，此理想與寫實二派之所由分」。「有有我之境，有無我之境。……有我之境以我觀物，故物皆著我之色彩，無我之境，以物觀物，故不知何者爲我，何者爲物」。「（嚴）滄浪所謂『興趣』，（王）阮亭所謂『神韻』，猶不過道其面目，不若鄙人拈出『境界』二字爲探其本也」。「淚眼問花花不語，亂紅飛過秋千去」，「可堪春館閉春寒，杜鵑聲裏斜陽暮」，有我之境也；「采菊東籬下，悠然見南山」，「寒波澹澹起，白鳥悠悠下」，無我之境也。「能寫眞景物、眞感情者，謂之有境界，否則謂之無境界」。王之要語具於是，請析論之。

夫「興趣」云者，有作者創作之興趣，有讀者欣賞閱讀之興趣，非一事也。嚴之所重，但重在創作者之起興、發興，與讀者所感受之趣味共鳴是已。夫所謂「神韻」云者，乃在作品創作既成之後，所傳達啓動讀者一種有餘不盡之感受，與別一種心領意會之靈思也，非謂創作時刻求搖曳生姿別標旨詣導向之謂也。至於「境界」云者，乃謂創作者之「功力」與其作品中所呈現之眞善美之程度是也。略等同於釋家所謂初地十地之差分也。此三者非同一位階同一層次，未可併作一概論之，至謂興趣神韻乃徒爲面目，而境界乃直指本源，益更非篤論已。所舉采菊見南山語歸於無我之境，「采」是我采，「見」是我見，豈得謂爲「無我」之境耶？即以其所云「觀物」之概義說之，亦未爲周洽。中國文學境界頗尙天人合一之義，柳子厚所謂「心凝形釋，與萬化冥合」，當視王說爲徑切明白也。又如所標「能寫眞景物」一說，今日攝影術爲能善盡此功能已，顧此豈遂得爲藝術上最高之「境界」矣乎？此亦其又當詳討者。

王書又一重要標揭爲「不隔」。其大意若可詮解爲「如實」「寫眞」「不假借」「不迷濛」……諸義。夫「比物言志」，「言近而指遠」「楚雨含情皆有託」，「比」之爲解，即具故意爲「隔」之一義，非可遽謂「不隔即謂之有境界」也。「隔」與「不隔」乃藝術表現上不同之手法或技術，未容有所軒輊，祇堆砌陳典陳語、無聊無味之言辭爲可憎厭耳。國維最佩服辛稼軒，其「綠樹聽鶗鴂」一詞，寫景寫情眞乃不隔者也，其蘊意乃隱切時事也，亦因此獲咎也。王氏於此當如何況之？

至於以「昨夜西風凋碧樹，獨上高樓，望盡天涯路」等形容做學問之境界，亦非特識，不過宋人所謂：「終日尋春不見春，芒鞋踏盡隴頭雲，歸來笑枯梅花嗅，春在枝頭已十分」之類耳。宋代理學家及禪師等，如此形狀爲學進道者甚多，觀堂以時不好宋學，故晦其蹤跡，藉詞爲喻。喻非不切，然實有其淵源也。

王書於諸詞家有所品騭，曾云：「予於詞五代喜李後主、馮正中，而不喜花間。宋喜同叔、永叔、子瞻、少游而不喜美成；南宋只愛稼軒一人，而最惡夢窗、玉田」。其所愛惡是其個人之自由，余無所論。特覺南宋詞家，名家不尠，其細密纖穠處，更往往有過於北宋人者，此亦我之自由。我亦甚不同意王書之執一而論，遺彼而去此。

余竊謂此書與袁枚《隨園詩話》同爲開啓初學性靈興味有用之書，稍能深入，即可棄去，無受其病。蓋一病爲滑脫俊巧，一病爲拘執隘陋耳！

此所云云，未審有契於某教授指切王書之意指否。如不周諦，甚幸其有以開我也。

讀馮玉祥大兵日記

曩曾見馮玉祥之大兵白話詩、隸書、彩墨畫，雖略無宗法，而時露一種粗獷黠慧之趣，亦有一二可取處。頃於傳記文學雜志中，得見其中原大戰以前日記，用普通文言，文字尚簡潔，非今時一般粗通濫寫之文士可到，似當更勝某鉅公之日記。以一不識之無之大兵老粗，能到此地步，可徵其實有過人者。

其同時諸人所作紀錄之類文字。如《陳布雷回憶錄》，乃就其日記刪節而成，具政事考索價值，而刪割改易過多，史料之徵實性乃大減。頃又見唐縱遺失在大陸之日記，《傳記雜誌》亦為刊出，雖文字遠遜於陳，而眞實性則較陳為多。簡又文曾撰《從軍記》等，則專為馮推美之作焉。他如秦德純劉汝明宋哲元等回憶錄，亦薄有互相參證考較之用。

馮玉祥以善於練兵治軍稱，此在當時之社會環境，尙體力而不尙科學，似尙有用。施之今日，則鑿枘難通矣。馮軍初起時出於招募，其中下級校尉官之類，以所招募之人數，為其編隊營伍之長，蓋所謂子弟兵是也。下屬擁戴其長上立功升遷，圖水漲船高而已。此並非能固結，於是乃倡之以基督信仰，儼為一宗教之軍隊，於是較初時為能提高層次。及至參加國民革命，則以實現三民主義爲標幟，則爲有政治思想與目的之軍隊矣。其部卒來自貧苦之農村，以救世救人救國實現平等博愛自由，廓除社會上經濟享受不平等現象，形成大眾之使命感，此則更能固結團體羣眾之心矣。北伐時期前後，國人爭研三民主義，多有詮說，各取其便於本身利益者爲詮解之辭，馮部乃亦如是。厥後權力鉅公有國父遺教六講出，以爲獨一無二之解說定本，盡掃羣言。於是馮所倡說者，乃爲瞽論詖辭。部伍失其信仰依賴之根源，大本遂搖，其行趦趄。於是乘其踟躕惑瞀之間隙，收購其部將，於是「西北軍」頹矣。

馮之練兵，乃承清末小站練兵舊法而益加嚴密，如喫苦耐勞敢死絕對服從等等，練三伏三九大風大雨之類。俱竭盡人之體能而爲之，極其效驗，亦不過長城之役大刀隊所表現者而已。於今日軍隊作戰效用，實不必採此反人性反人道之磨練也。馮工於作僞，形式上與士卒同甘共苦，棉布草鞋，喫大鍋飯，又輒用恤士安家，扶助求學上進爲事。此固帶兵舊法，特其能守信持恒秉公以行之，故仍能收若干效果。「西北軍」素強勁，抗戰初期長城以及北平諸役所表現，皆足以震燿國人。如死綏之佟麟閣趙登禹郝夢齡劉家祺等，泰半爲「西北軍」或晉軍。其後襄樊戰死之張自忠亦「西北軍」。宋哲元部廿九軍之勇敢善戰効死，俱足稱已。即如孫良誠部之在山東，爲敵所圍困，設有一旅援師打開一角，即能救出，當無爾後種種悖命之事。而中樞持消滅雜牌軍或非嫡系部隊政策，此等軍隊乃愈戰愈損，補充無法，漸歸澌滅已。其時黃埔出身總領師干諸將帥，乃未見一人秉節赴死，乃至其後爲校長保衛江山，亦未嘗有人慷慨殉身者。是其視「西北軍」諸人爲有深愧深恥矣。抗戰中黃埔軍人死綏者固無慮數十百萬，要係第六期以後學生，其素質與所受教育訓練，較以往各期爲佳，故其所標幟之黃埔精神也者，乃當於第六期以後養成之軍官求之。

馮玉祥善變，世譏之爲倒戈將軍。其中原戰爭失敗，亦緣於部將之倒戈與張漢卿出兵擣其腹背之壓力，信乎天道之好還也。玉祥初期，崎嶇鄂湘蜀道間，其後乃縱橫青甘隴豫地區，不及廿年，擁眾數十萬，而所據地區貧瘠，且河南四戰之地莫能固守，甘隴一帶以軍需朘削民力過甚，不足自養。且其部屬大都知識淺陋，知政事者極少，上下俱無理民之幹。雖重宣傳，但亦止浮光掠影，未能深入而固結，民心民力兩無所資，故其敗也忽焉。

其時並爲西北之雄者，則爲閻錫山百川。閻留東習軍事，知識高於馮。極工算計，佔小便宜，成小局面，而無遠略，殆「子陽井底蛙」之流，極其至則一李勢而已。山西爲歷代勁兵所出，而民國以來晉軍出省者殆不過二三次，其治晉儼如一小國，同蒲鐵路用窄軌乃不能與鄰省通，境內造兵等廠力爲經畫，雖具成績但無精器，視瀋陽廠天壤懸隔矣。特閻講求民眾組織。社區結構，與特務工作連成一氣，控管極爲嚴密而深入，爲有效之組織體。抗戰時晉省屢遭日寇進攻，而晉土迄未全失，此其驗也。而論者又謂晉省未淪陷地區，悉處邊陲而非衝要所在，且其後方亦有共軍力量支援，故日寇乃不曾強力攻取。此亦爲另一種觀察。抗日戰爭前及作戰經過中，日方曾啗以華北五省權力，閻雖不能無意，但自度力有未逮，故爾不能成局。自其精神心理析究，凡其汲汲以圖自固自守者，乃適成自困自限之樊限焉。國共戰爭，太原易手之頃，閻走南京，留晉諸文武官員五百人仰藥自裁，世稱「五百完人」，要其實，固不能與田橫五百士方烈也。是又可覘其控制力之堅強矣。余嘗讀閻氏遺書，大抵係襲取德國希特勒蘇聯史達林之觀點與方法，兼採採晉省民間習俗文化所能吸取者，結合套用而益強化之，理論殆罕有建明，特其勤事務實之方略有可節取者。

馮閻兩人，狠鷙之性相同，而應事之手段各異。閻局於基本根據地之經營，馮務於西北局面之擴展。雖同歸於澌滅，兩人之優劣軒輊何在，則正未易言。以抗日戰爭之所表現者衡之，則馮部固優於晉軍也。閻歸老台灣，泯泯以歿，馮則遇刺於赴蘇聯海船之中。使其果能由蘇而返回大陸，則又將有無數正面或反面之作爲，亦良有未可逆覩者。

曾記湘省父老言：馮氏駐軍常德時，軍紀甚嚴明，人頗德之。有日人經營之公司，頗虐待所雇華人，對顧客亦殊不禮貌，常德人憤而毆其司事者，且羣欲搗店。日人乃訴之於馮，聲言索賠且必須予以保護，馮謙詞允之。遂派兵駐崗於店門兩側，其運貨通道亦有衛護哨兵，約三數日，遂無人敢詣日店購貨。日商無奈，重詣馮營請撤回衛兵並放棄賠償。馮告之曰：君如再無禮我同胞，而激成公憤者，本軍將長期爲君等保護安全也。日商至此，乃不得不以道地華語申懇，請馮「高抬貴手」云。此事亦可略供談助也。

讀近人所著書

朱光潛《詩論新編》近始得讀。其《文藝心理學》，則早歲已曾閱過。朱書頗執克羅齊之說，以爲一切藝術，皆直覺的抒情表現。語言亦其中之一種。在各種藝術之中，情思與語言、實質與形式，俱在同一頃刻之內醞釀完成。因而嚴糾通常人以爲實質爲語言所表現之情思，形式乃情思所表現的語言；實質在先，形式在後；情思是因，語言是果。先有情思，然後用語言表達顯現之。此種通常人所持之觀念乃爲古今中外一大誤解。朱書更堅以爲情思與語言不可分離，實質與形式不可分離，以數者中間並無先後表裏因果關係。此之所云者，余殊不能謂然，而求其所可以訂其說者乃不能得。意朱書問世後當有討論此公案等者，當廣詢之。

看近人某宋詩選注，所選詩無甚道理，既無各家代表作，又不見宋詩精神，殆近村塾千家詩之類。特注文中夾以箋論，間頗有新意。據云係錢鍾書作，此間匿名出版者。

讀元白詩箋證稿

陳寅恪氏於唐代南詔兵事在《唐代政治史述論》中有所敘述，復在《元白長慶詩箋證稿・蠻子朝》條箋云：「復通南詔，乃貞元初唐室君主將相大臣圍攻吐蕃秘策之一部，此秘策不幸因韓滉早死、劉玄佐中變，而未能全部施行。然韋皐在劍南，以南詔復通之故，得使吐蕃有所牽制，不敢全力以犯西北。且於貞元十七年大破其眾於雅州，則其爲效亦可覩矣」。寅恪此論，足破千年來論唐事者之闇惑。韓滉入朝，路由汴州，厚結劉玄佐，薦其可任邊事。及滉疾病，玄佐意怠，遂辭邊任，盛陳犬戎未衰，不可輕進。張延賞奏用李抱眞，抱眞亦辭不肯行。德宗以劉玄佐部將劉昌成代行邊任，委昌北出五原，軍中有前却沮事，斬三百人乃行。是知邊帥略無經略川疆之意，元白兩詩深憤之，寅恪千載以下亦頗深憤之也。

看元白詩箋證稿，感維州事，梁任公之極崇李德裕，有以哉！寅恪極推崇《資治通鑑》之精嚴，俱根據考證爲言，今時治國史者不能道也。

寅恪此稿，極軒白而輊元，所論固多韙，然元實良不可輕也。其箋〈長恨歌〉「六軍不發」句，謂當時只四軍無六軍。居易固是用典，似無庸考辨。「七月七日長生殿」句，謂明皇幸溫泉，每不在六七月間，而宮室中本有溫室，則長生殿亦並不僅在驪山。故是考實，而文字情味則損矣。箋〈琵琶行〉「江州司馬青衫濕」句，謂居易貶江州，引錢竹汀《十駕齋養新錄》考證，謂唐人服色視散官，白時貶爲文官最低品級之將仕郎，固當依其階品着青衫云云，夫青衫綠衫隨人隨時衣着固無定，亦豈有著官服夜間送客作冶遊者？可笑已。

元九〈望雲騅〉詩，王湘綺極推稱之，以非白所能到。王極軒元而抑白，與陳爲兩背者也。元氏此作實極佳，而後世不甚稱者，何耶？豈非多使事因而累重之故歟？寅恪考〈連昌宮詞〉作詩時間，論證極細密，謂其爲深受白樂天〈陳鴻長恨歌及傳〉之影響。依其所考定創作之時間，殆亦有然。

白氏新樂府諸詩，寅恪考證甚詳博，得此，則讀諸詩可有進一層了解。余幼時於諸詩多有能上口，然並未能細細翫索。然寅恪信是有考據癖，頗有不必考者，愈考愈不明白矣，所以淵明有不求甚解之語。箋證稿甚精密，亦博辨，作考史極有用，於論詩則未必全能中窔。蓋考史與論詩自是兩事，以考證方法論藝術創作，有時不免找錯碼頭也。

唐時「捉生」「守捉」等語，係當時習用者，且輒以「守捉使」命官。宋子京《新唐書・吐蕃傳》，於放還吐蕃生口一事，改謂「還其俘」，文則文矣，奈與事情繆戾何？好掉文者可警已。寅恪云：今之讀白詩而不讀唐史者，其瞭解之程度，不能無疑。此言信是。

白詩〈澗底松〉實取左思詩題及詩旨，寅恪以爲爲牛僧孺久斥不調而發，殊覺牽傅。其《唐代政治史述論》中論牛李黨爭，以爲李黨乃出自魏晉南北朝以來之舊門，而牛黨則多爲高宗武后以來用進士科致身通顯之新興寒族。此論頗得其情，近人有不謂然者，顧未見其舉例及析論理由也。〈澗底松〉詩竊以爲當是爲淹滯之衆多賢才而發，未爲乎專指牛僧孺也。癡人前固說不得夢，於考證癖者前，大概亦說不得幻想玄思也。此非指寅恪言，寅恪固自能詩。

〈陰山道詩考〉，「紇羅敦肥水泉好」句，依突厥方言，以紇羅爲青或玄，敦爲草地。得其解矣，此非寅恪不能辨。又考紇羅分即紇羅草之意，當亦是。

〈李夫人〉詩，以爲射憲宗懿安郭皇后事，此兩者實乃天地懸隔，可謂擬於不倫，此寅恪之大失也。昔陳沆作《詩比興箋》人訾其鑿，寅恪或亦于不免呲於此耶？〈司天臺〉詩專詆杜佑，「官牛」詩疑詆于頔，則有據之言。

寅恪以爲微之新題樂府不及樂天之處有二：一爲一題涵括數義，題義複雜，不甚清切，數義並陳，不能使人了解其專注之旨。二爲造句遣詞多嫌晦澀，不似樂天之簡單流暢，此論極允。陳又云：「微之古題樂府十九首，無一首不祗述一意，與樂天新樂府五十首相同，而與微之舊作新題樂府一題具數意者大不相同，此無疑乃微之受樂天影響而改進其創作方式。又此十九首中〈人道短〉一篇，通篇皆以議論行之，詞意奇詭，頗疑微之與並世文雄退之子厚夢得諸公之論有所關涉」。蓋天人長短之說，爲元和時文士中一重要公案，劉夢得之論，爲唐人說理第一等文字，而韓柳之說，則文人憤激之辭。微之詩旨有追劉或近韓柳之處，當細析。

羅振玉謂白樂天之父母以親舅甥爲婚配，寅恪然其說；以爲頗可解釋樂天早年家庭環境，及後來母以狂疾墜井而死諸問題。元微之家世出於鮮卑。白樂天出於西域，樂天非北齊五兵尚書白建之後裔。岑仲勉撰〈白集醉吟先生墓志存疑〉，謂此誌乃僞撰。岑文余未嘗見，當覓讀。

錢大昕《十駕齋養新錄》，謂白詩「退之服硫磺，一病訖不痊」，此退之爲衛中立。陳寅恪駁論謂：此詩中之退之，舍昌黎莫屬。韓公頗蓄妾侍，躭聲伎之樂，甚有所累，韓排斥佛道，而白外雖信佛，內實奉道，則兩公稍不同。白亦晚年病風，始屏女色、放楊枝也。

寅恪論「格詩」之義，雖論述猥多，究未能有一明確精當之論解，蓋香山集所謂「格詩」者，本不易有定義也。其論元和體詩，則論較圓碻。

樂天一生詩友，前半期爲元微之，後半期爲劉夢得。其〈醉吟先生傳〉云「與劉夢得爲詩友」，殊不言元相公，則撰此時微之已逝也。

王漁洋《香祖筆記》，譏評香山，《劉白唱和集解》中所云：「夢得『雪裏高山頭白早，海中仙果子生遲』，『沈舟側畔千帆過，病樹前頭萬木春』，直謂神妙，在在處處當有神物護之。如此論詩，多不可解，此等句最爲下劣，乃極歎賞，悖謬甚矣。宜元白於盛諸家超詣之妙，全未夢見」。寅恪則以爲樂天自言其與微之詩文之病，在辭繁言激，「故欲刪其繁而晦其義，乃於夢得沈着簡鍊之句，求得此改進之道，其所以傾倒至此者，職此之故」。又謂「非功力遠不相及之人所能置喙」。寅恪之解或尚有理，其横詬漁洋，則實太霸道矣！

無鹽固不若西子之姣，而無鹽乃不能批評西子捧心之顰或為不美耶？余又以為沈舟病樹聯，乃兩人俱遭貶逐，而他人同屬有所觸忤者，或又轉能甚得榮寵，並無所謂覆轍可鑑，而或乃因一樹獨枯，而他株翻乃多霑膏潤，彼此境遇略同，有惺惺相惜之意。高山仙果聯，則樂天學道亦無以抗其頹老，又暮景駸駸尚無子息，劉詩乃引起其內心之深感，共識共鳴，會心在邇，故言之不覺其逾量而夸耳。漁洋之刺，要不為無識。

寅恪幼承家學，亦極工詩，生平侘傺牢落，故所作特近冬郎，寒柳堂詩，自是近今一家數。困頓嶺南，作《論再生緣》說部考證，殆近項蓮生所謂「不為無益之事，何以遣有涯之生」意緒，又或者欲以微見大，託其幽夐之思。就後者而言，殆不甚顯有效用。在中山大學初有油印本，寅恪堅持必須用繁體字謄寫，亦見此老之倔強。書成不得出版。余曾因謁俞大維先生，蒙其惠假此油印本，鈐有俞氏藏書印記。俞為寅恪中表，此書印佈甚罕，其後乃得由章孤桐攜付香港梓行。俞氏藏本遠在港版之前，假我實乃異數。棄子來過，強取而去，久假不歸，余乃無以還俞，坐是亦不能繼見。歲除日棄子長書抵書余委婉其辭，然終無解於余對大維先生之愧負也。諸人俱已往矣，談之復何必耶？祇惟惘惘而已。

復得寅恪《箋證稿》數語，茲錄之：「唐人作詩通則，俗語限用於近體，如七絕之類，而古體則必用典雅之詞」，寅恪又極稱白居易〈新豐折臂翁〉，為香山極工之作，後來微之〈連昌宮詞〉恐亦依約摹倣此篇。又《劉禹錫外集》卷三，俱是與令狐楚唱和之作，瞿兌之以為乃從《彭陽唱和集》鈔輯而來，其中惟「貞元舅氏」一首係為闌入。此說極有見。

讀寒柳堂詩

陳寅恪《元白詩箋證稿》，今重看。此書誠頗有用處，然看時務必耐煩，否則撐支不住也。陳殆甚有考證癖，有時費許多氣力，考其所不必考不須考之枝節末事，或且考亦考不出道理考不出結果，是又何必？大抵渠以具豐厚之唐史知識，溢而爲此。雖非賣弄，而乃大圖自己過癮是也。實近似職業病。尋其考證元白諸有關朋友交游之跡，似不若瞿兌之之細緻，而史識則陳遠過於瞿。

再談《寒柳堂詩集》。七言律絕頗工，大概是五分冬郎，濃至綿麗處兩分玉溪，一分半乃父散原，餘一分半則雜取諸家也。晚途頗好東坡詩，亦微有坡意，而「散氣」則略減矣。此事甚可怪。散原兩詩人子，師曾寅恪詩，俱絕近冬郎，受其指授者如俞寥音亦如此。殆剝落散原面目，其質地乃屬冬郎耶？《寒柳堂詩》五言近體未見有作，古體則近薾弱矣，亦不多見。其七古中最用力之《王觀堂先生挽詞》，用梅村體，詩未必甚工，而落想、持論、述事，乃甚見卓識。國維自沈原因言人人殊，此作可爲一接近眞實之論述，且其欲存鼎革時若干史實之用心，亦隱約可見。

寅恪晚年避地居廣州及香港，悽苦煩鬱，不滿世局心情躍然詩句間，六十七歲壽內詩中有「晚歲爲詩欠砍頭」句，則更正言不諱者也。余英時君曾撰《陳寅恪欠砍頭詩文發微》，刊於報端，詮析陳氏諸作能中窔要，余曾剪存之。其後台灣印行寅恪全集，想當附有此類文字。全集余未曾見。

寅恪娶前臺灣總統唐景崧孫女唐篔曉瑩。居香江時曾擬入臺，乃被阻留粵，晚景淒涼，良可歎惋。台灣殆不僅失一詩人與史學家也。寅恪早歲留學歐美，且通梵語，梁任公薦之清華大學，而寅恪留學不修學位，頗格於延聘資格，梁氏力薦且申言曰：陳氏之學精博無涯，我寫萬言不抵渠一字。老輩之重才如此，而台灣諸公乃竟拒之於門外，可勝嘆哉！重讀寅恪香江贈別吳雨僧句云：「暮年一晤非容易，應作生離死別看」，爲之悽然惘然。俞大維夫人新午，與寅恪爲兄妹，乃竟始終不得一晤，其情懷又當如何耶？

元稹〈望雲騅馬歌〉王湘綺極稱之，謂唐代惟歌行足稱，以李東川爲第一，元稹輩次之。微之此作，在並時諸賢中特近齊梁，而能幹之以氣骨，宜爲此老所喜。余則不能盡韙湘綺之論，雖其固是好詩，亦非能遽出唐代諸賢之上也。寅恪向來軒白輊元，余實樂從陳恉。茲略附舉一事：哥倫布發現美洲五百年，白人大事慶祝，而土著印第安人則游行反對，否定其功績。此一簡單史事，而彼此各一是非，信莊生之言爲可深長思。王陳兩異之說，亦可作如是觀。

元稹〈連昌宮詞〉，末兩句「老翁此意深慶幸，努力廟謨休用兵」，寅恪有長箋，引

《舊唐書・蕭俛傳》云：「穆宗乘章武恢復之餘，即位之始，兩河廓定，四鄙無虞，而俛與段文昌屢獻太平之策，以爲兵以靜亂，時已治矣，不宜黷武，勸穆宗休兵偃武。又以兵不可頓去，請密詔天下兵鎭有兵處，每百人之中限八人逃死，謂之消兵。帝既荒縱，不能深料，遂詔天下如其策行之。而藩鎭之卒，合而爲盜，伏於山林，明年朱克融王庭湊復亂河朔，一呼而遣卒皆至。朝廷方徵兵諸藩，籍既不充，尋行招募，烏合之徒動爲賊敗。由是再失河朔，蓋消兵之失也。」概自民國以來，兵多財匱，勢必有須裁兵。而行之弗善，略無配合轉業安置措施。北洋時期廢督裁兵，釀成各地稱兵。北伐成功，編遣會議，則導致西南、西北、晉察各擁兵據地，與中央角力，東北更無論矣。中央與閻馮之戰，耗費國家無數財力人力，僅得一表面之敉平，而以財貨購通敵將，寖以導致軍人之無恥。抗日勝利後，復員裁軍，被裁軍將冤抑不平，尤其對東北方面處置乖方，局勢一夕陡變，不朞年而全土易幟，退居海島，此皆銷兵不善之例。覺秦皇宋祖乃至隋煬尙是可兒，隋之覆亡乃是另一問題也。諸人何不讀史之甚也。余知寅恪之箋此詩有餘恫焉。

讀暮遠樓詩

伍俶字叔儻，歷主中大、台大、師大講席，極負文譽。其子吉安，爲軍人。余在南京時曾屢與相聚作摴蒲戲，來台後聞供職警務處，數十年不相見矣。

民國以來，程頌雲別承湘綺之論，專學漢魏。《養復園詩》皆五言古，獷僿不可讀。粵中黃晦聞專工七律，多取徑后山簡齋，時有佳什，間作五古則幾疲馬矣。叔儻詩專學六朝，而調逸采輕，不作板重藻麗語，亦自雅致。

就其集中語可略作總評，「興佳因綴詩，居然甚清典」。「疇能繩檢內，流轉見輕逸」，「摹體必近古，述情必切今」，又曰：「微雲雜輕煙，有采貴知匿，自然成深秀，不煩假雕飾，初視若無奇，再視令人惑」，又云「質腴而貌瘦」，此之所述固是陶詩境界，有非叔儻所能幾，然趨迹此境，固已自元箸超超矣。

集中諸作，結尾多作「出場」，偶爾爲之，富有靈宕超邈之趣。多爲此等態，則殊乖大方，且徵其才力窘儉。暑中讀此，饒有清適感，異夫叫囂笑罵爲詩者之令人火燥也。昔人輒以蒔花美女比況文家作品，伍詩當如時下修女之略蘊風情者。若謝夫人之林下風致，則或尙隔一塵。伍又自云「向來所爲詩，率寫門前景」，可貴在此，其不能爲大家數亦正坐此。固中等社會知識分子之自矜自好而饒有頹廢感者之作也。近體詩殆不能作，集中有三數首幾乎不成腔調也。

暮遠樓集後附〈談五言詩〉一文，係其在崇基書院講稿，其中頗有深入獨到之見，然亦有若干論點，良不能令人首肯。伍氏以五言爲騷體之本幹，就漢以下之爲騷體者可如是說，執此說以論騷經，不幾於祖孫倒序耶？叔儻詩最崇謝宣城，喜六朝駢文，又喜清代諸駢文家之作。其論五言輒執漢魏六朝爲正，而訾唐以後詩人之作病在無中心點，一首之中最好分作數首，但七言則尙無此失。其然豈其然乎？唐人詩又病在傾瀉，香山更流於滑易，且嘵嘵更謂近體乏味。此實佞古之偏辭，唐古及歌行等自是另一種面貌，不能執謂章甫縫掖必優於西裝革履也。建章宮闕千門萬戶，斯爲鉅觀；一椽容膝，縱極雕繢之工，亦未遽此勝於彼。澗沚與江河，各有異量之美，「或看翡翠蘭苕上，或掣鯨魚碧海中」，叔儻蓋惟取一邱一壑自專者也。至於含蓄蘊斂與闡豁透達，亦惟視題材之取宜，安見傾瀉之必爲病耶？近體詩詎可概以乏味抹撥之，有味之作如林也。此文所引近體諸詩皆麤薄鈍滯不足道論者也，何此公之偏嗜昌歜也哉？論蘇李詩，論〈孔雀東南飛〉詩，多別有解會。至謂敘貞烈等類故事及敘事之作，特舉排律一體以爲可取，以杜甫〈夔府詠懷百韻〉、朱彝尊〈風懷二百韻〉，劉儀徵〈紀行詩六百韻〉，皆才學並茂，足以千古云云。此所舉者已自有其高下之分，朱劉之作並不足以當此評騭，又可謂賞音里耳者已。論王（粲）劉（楨）詩中一節，列舉諸家五言冗字之失，極可參看。論曹氏父子獨重陳王，則仍爲昔賢舊說，無甚新義。此文原爲講稿，結撰不免散漫，東西捃摭，使覽者有時昏昏如墜五里霧中，論詩談學之文自以明晰爲尚，非可枝蔓其辭者也。

叔儻最深於情，其篤愛繼夫人而因篤愛遂遣別嫁，躬自送親。余曾記於伍叔儻軼事文中，故不贅云。

讀錢賓四先生遺書

錢賓四先生以移家悒鬱，病中堅呼「回去」。蓋其舊居「素書樓」爲州司所奪，不得不遷離。國家以迄地方官誠不重養老不重文化承傳，彌深憤歎。今報載賓四先生最後講課告諸生語，論宋代王荊公、司馬溫公、蘇文忠諸事，與余十年前所撰批駁林語堂文，大旨有泰半相近，不謂世固亦有同心者也。錢講學最平實。

錢著《先秦諸子繫年》，多有能自圓其說者，錢圖以此改《史記·六國表》，而所見與引證分析均尚未能副其所願。所云宋王偃即徐偃，實爲一大膽假設，臆說無據；又〈孫武辨〉謂孫臏即孫武，吳孫子傳說即由齊孫子而來，引證浩繁。頃山東出土齊孫子兵法即孫臏所著書，與吳孫子十三篇迥乎不同，則錢氏所指史公誤分爲二人者，其說遂不可成立矣。然曩時世共驚其考證之精也，信乎實物證據之力高於一切也。又所著《史記地名考》，亦其鉅著之一，多有新異可怪之說，用意亦在圖改《六國表》者，所謂成一家之言者也。

錢著《國史大綱》，係尋常之論，並不特持一義。由其平正，世頗目爲迂舊，殆不然也。其《莊子纂箋》，仿朱子註論語之法，極求簡明，自序謂爲拯末俗之所爲，志亦可哀可敬。至於論中國文化精神諸作以及《湖上閒思錄》亦多精語。近時曾幾見有此等人哉！

秋窗碎錄

有客數輩來鬭談文事，余以爲現代文藝批評乃有歷史、形構、社會文化、心理學、神話基型等方式，所執各殊，愈細而愈失其所以批評之旨趣。座中有好談此事者，論辯風發，乃至面紅指戟，嘵嘵不已。余但側坐一隅，拱默而已，何苦爲此紛紛耶？

有名教授某君者，爲人作書序，有云「禮義學」。余不知此爲何學、昉自何時、其內容如何？俱未能一問，然淺論之，此君大抵是信口開河也。

周君一田前在師大開講「春秋三傳」，殆爲合講。余曩曾購得清賢所纂《春秋三傳》之書，甚龐冗叢雜難讀。蓋各有家法，又兼今古文之事，貫通融匯殆極難能。漫識數語，遂亦置之，書又爲人取去。一田爲老友鄭傑民君子壻，曾受學衍聖公孔德成，意其當有若干心得，欲就聽之。詢周講課時間，堅拒不答，遂未能詣。頃聞以末疾困居木柵，蹭蹬不得意，惜哉此人也。

報端載中央社消息，《法經》在大陸發現，此經爲戰國時魏人李悝所撰，爲我國最早法學著作，久已失傳，近代學者僅能於《晉書・刑法志》中，獲知其概略。自是學林勝事。

去夏，大陸最高人民法院閻成武君，整理史籍時，發現《法經》古印本，其主要內容有：盜法、賊法、捕法、雜法、具法等，詳載有各種罪名規定及其罰則，更且兼及會計法、經濟法梗概等等。余竊以爲書則有之，或不免爲後人僞託者。

《鶴林玉露》宋羅大經著。羅廬陵人，此書於荊公極誹詆，次爲眉山，於韓范諸公亦有貶論。特極推崇晦菴，次爲南軒父子，於周必大、楊誠齋，亦頗稱之。周廬陵人、楊吉水人，皆其同鄉也。書識解不甚高，特資料頗可取耳。

《詩人玉屑》，此書前數年曾看一過，此重看也。於前此所點記，覺多偏陋可笑，余讀書或亦尚有進步耶？

檢整曾克耑君〈同光詩體論〉要點，此君甚能雜談，於著述之體或未盡審。其評清代諸家詩謂：「龔定盦妖豔，陳弢盦蘊藉，鄭太夷俊拔，陳散原奧瑩，曾剛甫婉麗」，亦頗有若干道著，但非盡允。評騭正難言也。

整理通史各朝世系表。此種圖表固有專書在，然必自己親手調製一番，乃能眞實有得。《十六國表》，梁任公曾有作，曩時余深善之。今普通坊本亦有此表，乃勝梁作。治史者固不能謂毫無進步也。又略看《通鑑·晉紀》，查十六國及八王之亂頭緒，《紀事本末》蓋有不及詳者。

惕軒送余向渠所借書來，迷路，車不能到，止於宜賓飯店前，電余往接，已九時半矣。渠今飯於市樓始散席也。就道旁略談今日報載華某爲人撰詩序，不能入目，相與大噱。所指即前揭高語「禮義學」之某君。

故宮博物院送溥心畬、張大千詩文集到，甚感。因兩氏重名，遂逐章閱之。張大千詩，實不成氣候，無可說。溥心畬詩，俱古衣冠，無時代感，功力深，情致闕，蓋各種壓力使之如此，或者亦隱有鄭所南畫蘭之意歟？可嘅也已。溥詞間有佳語，病在太隔，大千詞則野狐禪耳！

羅理濤君袖謝文凱遺詩複印本來。文凱詩精麗遒上，不失爲作手，此稿能印出，自是碧城嫂之功。至於某君一序，則幾於佛頭著糞矣。此稿碧嫂曾託棄子校編，棄子來箋屬余於卷端題一五言古詩，並貢諛云，「此是老兄拿手好戲」。棄子散懶，遂未能畢功成事。碧嫂取還手稿，並煞費工夫，改託他人，勉強草草留此小冊，重可爲嘅。

李嘉有兄郵賀片及江絜生君遺稿《瀛邊片羽》詞集到。閱遂竟日，裒集不全，編者不署名，亦非賣品。

讀嚴咸詩，覺其甚奇恣。咸名家子，有俊才，與魏默深殆齊名。魏鬱鬱不得展，而仍以著述傳。咸乃由左宗棠招邀參新疆戎幕，以陽狂放歸而死，惜哉！

看吳宏一君《清詩初探》，漸覺有可取處，資料收羅尚較另一錄者爲富，論述則無甚意思。

自大橋下冷攤購得曾劼剛手寫日記零本閱之。劼剛讀書極用功，每日俱有背誦紀錄，讀之增懍。余雖亦逐日讀書，但有時並不用心，非能如曾氏之下苦功也。承平公子，讀書、圍碁、作字、摘阮，每日陳陳入記，久讀之亦覺厭。其記習洋文事不多，馬清臣其教習也。此冊非關重要，當覓續卷閱之，或能有重要資料發現。

從李爽秋君處假得鄭良樹撰《戰國策集證》。鄭著於大陸近時出土之有關冊籍，俱未觸及；即台地早歲出版之書，亦有未曾申述者。果如閱過，則著文當較能深至細密也。書尾所列參考書目，似屬但張虛目而已。國策中若干問題，未有詮說或解答。戰國地理不熟。然向來讀國策者於此亦多未深究析也。清儒著作中如李慈銘《讀書筆記》，全祖望《經史問答》，雖俱著語不多，但實深具識解，此撰似亦不曾留意。然聞鄭君爲馬來西亞僑生，能致力於此，自甚可喜。

《紅樓夢》說部，近時於大陸極走「紅運」，北京、石家莊，上海等地，各建有大觀園，招攬游客。就中以北京所建者最爲考究。惟據電視所報導，園中所懸對聯錯別字良多，或且上下聯反置，甚減色矣。大陸早年研究《紅樓夢》學者如俞平伯輩，咸困折以死，今乃不得有所就正，惜哉！

自世界書局購得《新元史考證》等三種合裝一冊。《新元史》非余所治，一時未能讀悉，其餘《明史例案》《東林黨籍考》二種，甚有用，覺清賢讀書俱能不苟，李文田亦可云有後矣。其中或亦有小小差誤，容細檢之，或余所記未的碻也。

點完昨讀未竟之查氏《蘇詩補註》，欲作「東坡眼中的西湖」一講綱要，粗有頭緒，亦大費時力矣。近來讀書運不佳，百事撼其心，且必須出外周旋，或與來訪者接談，深以爲苦。固知麋鹿之性，已與今日社會大不合矣，讀書亦然。曾記一笑話，有和尚語人云：「貧僧實在太忙」，受語者因曰：「和尚何不出家」，我殆近此一和尚矣。

看《古史辨》。此書今改題爲《中國古史研究》，避時忌、免抄查也。欲粗解漢人五行之說，顧頡剛雖有所撰著，迄亦不能明瞭，曾廣尋《史記》〈律〉〈天官〉諸書，《前漢書》〈律歷〉〈郊祀〉〈五行〉諸志，《後漢書》〈律歷〉〈祭祀〉〈天文〉〈五行〉諸志，俱但有茫昧，蒙然不能索解，甚矣，余讀書之淺。

阮圓海《詠懷堂集》，余昔曾經眼，良有佳致，故散原晚歲頗好之。嚴介溪《鈐山堂集》，余未之見，台灣曾有人謀刻，嗣復中止，偶於他書所引載，略窺其詩文，固殊不減作者，爲大手筆也。又馬士英既工文詞，復善畫，然後世惡其人，其畫大多改題妓女馮玉瑛作；一玷名節，萬世負詬矣。秦檜子孫之落籍湖湘者，其中一小支不肯仍祖姓，乃改姓資云。

論竹添光鴻游記及詩

連清吉弟前數歲游學九州大學時，影印日本人所著書數種來。其一爲近時某教授足跡未履中華，而篤志中國古典文學者，所爲詩頗清雋遒拔，適余治他書未暇詳閱，不知爲何人取去，今且不能舉作者之名矣。又其一爲百餘年前宿學竹添光鴻所著《棧雲峽雨日記、詩草》，各爲一帙，近頃無他事，遂重讀之。

《日記》分上下兩卷。卷首有日本藤實美及伊藤博文題字峽及詩，次爲吾華李鴻章、俞樾序，其自序則但泛論吾華圜法、商務、士習、學風、民俗、粃政、他不及焉。書眉雜有日人華人批語。卷尾有跋有題詩，華人爲高心夔、楊峴、強汝詢、李鴻裔、吳大廷、齊學裘、薛福成、曾紀澤、方德驥，俱一時知名士，惟方里籍尚未能考得耳。

《詩草》一卷，卷首有源美、副島種臣、中村正直序，卷中有與俞樾贈答詩，卷尾有楊峴、吳大廷、李鴻裔、高心夔、外更有劉瑞芬、徐慶銓、題詩或跋，其署雲間雪門氏者依其編次，度非日人，里籍亦失考。

其旅游自光緒二年（一八七六）五月，迄八月，歷燕、豫、隴、蜀、鄂、湘、贛、蘇諸省，凡百十有一日，程九千餘里。匄華人諸序則在光緒三年至四年間。出書在日本明治十二年（一八七九），出版人爲中溝熊象。蓋歷時三年矣。

其《日記》文辭雅健粹美，深於竝酈元道、陸務觀，徐霞客、顧亭林、顧景范之書，旁及昌黎、柳州、山水諸作，凡紀崇山危棧，洪濤枯澗，雄刹荒祠，水村土窟，與夫雲烟之變態，行役之困頓，風土人情之殊異，靡不曲盡情態，語語欲活，無一複出筆法，奇崛幽蒨，藻麗而堅蒼，涵蘊深富，文質相孚。紀山川文物，並時吾華文章之士殆莫能或先也。其廣邀曲園眉生陶堂之異賞，誠有以哉。

其詩有妙思有遠識，格律清整，靈警駿發，佳語不遑摘也。古體稍弱，亦不多作，東人工古體者蓋寡。詩偶有落韻失調處，李鴻裔曾爲訂其小疵，而高心夔則謂「其不諧處正是天籟，求之四聲反淺」。心夔爲肅順重客，詩亦高敻，翰林考差，因不熟記詩韻兩次列四等落選，時人譏之曰：「平生雙四等，該死十三元」，蓋兩試詩俱限十三元韻也。心夔諍李之語，殆或護前解嘲也乎？爲之莞爾。

清吉曾譯編《日本幕末以來之漢學家及其著述》一書，收町田三郎著〈竹添光鴻及其棧雲峽雨日記〉。茲據町田所錄年譜，參稽竹添此次旅遊所著詩文，略作考述。

竹添光鴻生於天保十三（一八四二）年。元治元年（一八六四）年二十二歲，爲（熊本）藩校時習館居寮生，後熊本藩招聘，受命奔走於京都、江戶、上海間。是其來華固已非止一二次也。明治元年（一八六八）二十六歲，任熊本藩參謀，遭詩禍去職。是可徵其非徒爲一佔畢儒生。

明治八年得時習館同學勝海舟引薦，隨日本使清國公使森有禮至中國。據所著《乘槎稿》以乙亥（光緒元年一八七五）十二月登陸芝罘（今煙臺），西行至黃山館，另在樂安縣（今惠民）道上有詩，旋渡黃河，除夜在芝陽有詩，芝陽地未詳，依詩注有森公使與潁川書記官偕。潁川待考。

據町田文所紀「先任天津領事館勤務，後轉任北京公使館書記官」。又據《年譜》：明治九年（一八七六），三十五歲，五至八月間，遊歷中國，寫成《棧雲峽雨日記》，受知遇於伊藤博文。據《日記》云「駐北京公館者數月」，是其在津領事館執勤固爲時甚短。

據《日記》「請於公使（按爲森有禮）與津田君亮以九年（光緒二年一八七六）五月二日（按爲陽曆，下同，即陰曆四月九日）治裝啟行。」「君亮與余同鄉，嘗游米利堅三年，頗通西籍，余初未識，今乃締交海外，又携手作萬里遊，遇亦奇矣」。「三日，車馬未備，頓西河沿。四日雇北京人侯志信爲導，……宿長新店」。《詩草》「同津田君亮發燕京留別駐京諸友」首云：「東來萬里又西征，豈是尋常離別情」。此有數事須尋究：謂「請於公使者」，是乃非公使所遣而別有所受命也。津田君亮之身分爲何？何緣而與同行？既在二日自北京啓行，依事理當必已先事雇役戒途矣，何以乃至四日在西河沿而雇役也？迹其詩「東來萬里又西征」者，殆略可解爲以往曾奔走江戶上海間，故云「又」，「西征」則此行爾。「豈是尋常離別情」，語意殊非泛泛，其「不尋常」或「非尋常」者何指？

據《日記》其離北京時，「衣滿衣，冠滿冠，為蒙古僧行腳者狀，以避人指目」。何以必須如此？津田亦如是裝束耶？五月廿八日抵潼關，《日記》云：「譏察極嚴，出護照為證，吏來見，執禮恭，又遣人送至西安府……至此，知余為優孟，眾來集觀，飯店宿房俱極雜沓，一路始多事矣」。是則至潼關始暴露日本人身分也，所云：「始多事矣」，「多事」謂何？

抵潼關次日即五日廿九日，津田往探華山之勝，竹添未偕，留渭南待之。六月六日抵武功，《詩草》有贈武功孫明府詩，《日記》則此條至簡未有所紀。六月七日抵岐山，津田往察五丈原諸葛屯兵地，竹添亦未俱。九日抵益門入棧道，《日記》云：「余與君亮亦皆弱質多病，侵霧瘴，蹈險艱，其得不死，幸矣。」此條極可怪，竹添與津田自謂「出游」爾，乘輿攬觀，遇坎則止，何須以「弱質多病」為行役，盡歷諸艱而自幸「不死」，是果何為哉！寧非「王事靡盬」之意也乎？《日記》《詩艸》中屢有「思家」「憶內」之辭，殊非出游者所具之念與應出之語，可旁證矣。又《詩艸》有「劉茂錫自陝西送至廣元臨別賦詩以為謝」，《日記》於茂錫為何許人？自陝西何地起送竹添等？無一字紀載。廣元在朝天嶺與昭化之間，廿二日竹添等宿此，則別劉應在此際。越日即廿三日宿昭化。《日記》「夜有盜奪衣物去」。「詩革」有「昭化縣客次遇盜」詩，略云「如有人兮戶半開，夢醒急呼僮僕來，獨失汗衫與破帽，盜兮盜兮費我疑，盜兒之意何為耳，入室未嘗胠行李……」。夫既云曰「奪」，則當有強攘爭拒之事，又云「獨失汗衫與破帽，盜兮盜兮費我疑」。不識津田另有所失物否？

此盜良可怪，乃僅盜其破帽汗衫耶？不惟竹添之「費我疑」，余今猶「疑」之，或竹添等之飾詞爾。盜既不奪其貲囊，乃獨奪取其不抵「舊青氈」之汗衫破帽？竹添等既不聲眾又不鳴官，是誠「咄咄怪事」矣哉！

竹添等七月二日抵成都，四日江安知縣陳錫鬯來訪，相見甚得，十一日取陸路同詣重慶，是其留蓉殆十日。歷資陽、內江、永川，考察鹽井，乃不迂道一觀都江堰，頗失探勝意矣。廿日抵重慶，廿二日別錫鬯附鹽船東下。有「贈陳錫鬯明府」詩。凡《日記》《詩艸》所記華人，曰宋、曰劉、曰陳，止僅此而已。其與津田，通《記》與《詩》考之，舍前揭二三事外，都無一言之及，後來臨別則云：「志信於是辭去，君亮亦將東歸，嗚呼，我三人相攜奔走炎風烈日之下，傳餐換衣，情同骨肉，今乃擊缶唱河梁曲，天涯地角，形單影孤，余何以堪之，然天已假我三人以良緣，今之雲散，安知不爲他日萍合之因哉……」。惓惓情至，不勝依戀矣！如何途中乃竟若宿仇積憾，曾不交片語，毋乃各有所專司專注，互不相涉，且不容略有關白者歟？非如此，則何其恝然也。

自渝州而下，述長江三峽，山東怒流，危磯嚙石，湍迴浪激，危檣爭命於呼吸之間，筆墨飛動。洞庭以下，《日記》以爲經過者眾，但約略紀程而已。抵上海爲八月廿一日。《日記》云：「志信於是辭去，君亮亦將東歸」。「是行爲日百十有一日，爲程九千餘里」。按《記》則竹添仍留華也。尋《日記·自序》，但敘吾華圜法、貿易、士趨、時政，其後「跋」語，則歷敘江源河源，是其序也跋也，與此作若或有關，又非屬有關，「而實覘國者所不容失紀者也。或割取官文書申報之語，分置首尾者耶？

余逾冠曾有浙江之行，中歲曾役志明代北邊兵事研考，於腹地山川地形勢險塞，就書冊圖繪略有參尋，又曾經秦嶺入川，鄰棧道之公路，悉所親身經歷，讀是書殆有觸處俱得舊交之感。凡水道分合，山脈延綿起伏，關津隘路，驛程及交通狀況，橋樑亭障，動植物品類數量，民生豐瘠，習俗信仰與流行疾病，皆在誌記之列，此固兵要地理之基本資料也。是書乃為粗述，故可容流布爾，要之此兩游客信不失為有心之士矣哉！所以町田所列年譜謂竹添以此受知遇於伊藤博文也。

據《年譜》明治十一年（一八七八）卅七歲，出仕大藏省書記官，次年刊行此兩著。十三年（一八八〇）三九歲，任天津領事，北京公使館書記官。十五年（一八八二）四十一歲，出使朝鮮辦理公使。十七年（一八八四）四十三歲，朝鮮東學黨亂作。町田云：「頗與主管當局疏離，歸國後辭任」。其後乃從事講學著述，以所撰《左氏會箋》最有名。歿於大正六年（一九一七）七十六歲。其《左氏會箋》，台地某大學嘗採以為專書講授教材，殆或過矣。余友魯君實先曩曾就日本瀧川龜太郎所著《史記會注考證》為書駁之，於竹添此著亦謂頗有舛誤，曾過余略言之，語多不復省記，今之從實先受學者，能述其旨歟？

余凡於書之擬精讀或詳閱者，輒就書眉加注記或評語，備覆讀參稽焉。清吉弟亦踵余為之。並過錄其詩於日記，彌便省覽，其勤劬從可知已。此兩書仍當還渠，使其用力不唐捐爾。獨惜其另一書無可蹤跡耳。

復李嘉有書

《詩學季刊》寄到，其中載余去年（辛未）春正致李嘉有兄信，不謂此酬應文字，乃亦有刻板之災，今後爲文益當謹慎。蓋余好罵人，「種苦瓜子」甚多，如有文字閃失，必遭圍剿矣，敬之愼之，勉乎哉！原函黏存。

復李嘉有書

嘉老道席：新正四日，欣奉大著《龍硐詩話》。春節酬酢俗冗，盡奪讀書時力，尊著昨始初讀一過，容三復也。昔石遺叟著《石遺室詩話》，並成《近代詩鈔》。彼此若輪翼之相恃。公著實兼石叟兩書而一之，盡掃標榜之習，搜羅宏富，評騭深允，實邁陳撰，爲究心晚清以降詩事者必讀之書。有功文獻，良非淺鮮。清末以來，女學大昌，女士詩文之富盛精進。實勝前近代。石叟乃悉屏不錄，毋乃所見之偏。公書採及楊令茀、呂碧城、呂美蓀諸家詩，誠爲巨眼深識。令茀、美蓀古體，實弟積年來所極尋而未能企及者，讀之悚汗。其他各家中，亦微窺有意在錄其詩而存其人者。發潛德之幽光，尤徵宅心長厚。弟於詩文持論過苛，公著乃眞可藥我，受益多矣。瞿兌之先生未刊遺著，公有意爲之評介，尤願先讀爲快也。專此復謝，敬請春安。弟張之淦頓首辛未元夜

讀吳春晴詩集

吳春晴君今函寄其所著《尋夢草》校訂本來，此書吳前曾寄到一本，未知其今本與前本有異同否？

杜少陵散文甚踳駁，閱吳詩集自敘，更淺稚而造語無法，與其詩懸隔。吾鄉袁企止，詩極清雄，而散文則苦冗碎不盡達意。吳集於企止每尊之為先生或企公，吳乃前立法院中三青團要角，而袁則三青團首領之一也。吳詩頗勇效袁體，其細巧處或且過之，沈實則遜袁矣。於古體不解腔拍。袁雖勉能為五言古，亦不足自立，七古則殊未見。

又吾鄉范奇浚叔寒《樹風樓詩》，亦為袁裔，病在枵率。其合作者，間能摹倣劍南早年近體詩。近時稱詩者，多注意七言今體，古體詩罕能動筆，繼宗蓋與余同慨焉。

春晴詩七律居十之八九，古體不及百一，五律約三十之一，七律有佳句，晚年之作尤遒上。特力求斲句之工，多有巧對雋語，又喜為高調多浮響。亦如其鄉人黃秋岳之滿頭珠翠，特所用皆便宜貨路攤上得來者。余謂貪用典固不好，用典而傷意趁韻，則更不好矣，又況所用俱塵羹土飯者耶？其失在此，而佳處自不可掩。

讀顧著義山評傳

於冷攤購得顧一樵《李商隱評論》，此書亦不甚好，但於文藝心理分析方法略有介紹，竊以為中國文藝由於天人合一基本精神之推衍，作者與讀者間在精神上殆無明顯之界畫，初不似西方文藝兩者之劃若鴻溝也。西方新理論介紹固大有用處，然亦不能於衡評中國文藝廣泛適用，此點必先明白。顧書早歲曾一閱覽，當時所詫為新穎者，今乃已為陳言矣，時代進步，可不懼哉！

雜記近人杜詩研究諸作

買《杜臆》，此書原已借得，今更買之，欲有所圈點故耳。又買《遺山研究》一冊，李某某撰，或係助教講師升等論文，膚說陋解，不知重點。

讀杜七言，竟前日之業，點竟。看杜詩絕句竟。其草堂戲為六絕句，乃為斥答同時譏評者之作，非純粹詩學理論也。自張戒以後論者紛如，鑿解詭說不一而足。遂致求明反晦不可究詰。近人郭紹虞《集解》，蒐集前人之說頗富，而其解則亦為未盡諦也。少陵創作家不為理論家，但取其不薄齊梁，推許庾鮑陰何，服膺蘇李，崇佩曹劉，欽挹陶謝，亦不致譏於四子，轉益多師，斯足矣！少陵已明指為戲作，又何必緣此發風動氣，斷斷持一說以求勝耶？

杜五律有感遇五首，《浦解》或編廣德元年之春，則風急梧凋之語無著，或編元年之冬，則吐蕃以十月陷長安，詩中不見，宜在元年之秋，特第一首七八，「乘槎斷消息，無處覓張騫」句，難以說通矣。舊注指李之芳使吐蕃被留，《浦解》乃引庾肩吾江洲詩「漢使俱為客，星槎共逐流」，謂指河北藩鎮者，不可坐煞西域事。則強攀曲引以為說也。《浦解》於今體頗有雋解，此則其好勝好異以成其失之例。

近人李辰冬著《杜詩繫年》，耙梳整比亦頗費心力，特好逞臆見，恣為新異之說。其中橫說謬解不一而足。此書許生素菲數月前送到，置之案側，今略翻，頗欲終卷，為其多有可笑者，又不欲終卷，為其實為無益徒費心力也。李讀詩多不得通會，而斷章割裂穿鑿傅會之，一如鄉下訟徒妄執蠻說斷斷自以為得者然。辰冬舊有《詩經》為尹吉甫一人自傳之論，蓋不能不謂為大妄。近同此事者，亦有蘇雪林所著《玉溪詩謎》，以李詩為暗戀暗通宮女之詞，全不一考史事，余眞不知如何作解。但其釋楚辭天問廣徵西方之說則又頗可參。

又有劉維崇者著《杜甫評傳》，其人殊不解詩，勦襲數家之語，輯以成篇，編次尤無法，餖飣淩亂，似教中學之零碎講義。近人著述中論杜稍可取者，獨洪業（煨蓮）而已；聞一多所論，亦甚有可節取處。另若李書萍書，則存疑質疑處甚多，有疑其絕無可疑者，至所附欣賞，則為全抄《浦氏心解》以欺世耳。

《杜詩仇註》多且雜，余曾全力圈點標識一過，獲益亦不尠；《錢箋杜詩》雖不甚多，特所箋釋甚善。而袁子才乃甚詆之，何耶？

頃自圖書館借得《杜詩研究》一冊，劉中和撰，嘉新文學獎獲獎者，閱數葉，遂置之。著者普通文法文理尚無基礎，遑論讀詩，又豈能讀杜？凡所云云者眞乃不知所云也。所可怪者，此作乃可得獎，世之眼目如此，我眞自疑盲瞽矣。

近時龔稼雲嘉英撰《杜詩研究》一書，以史證詩，此固舊法，而饒具新意，視前揭諸人所作為勝，可以上企古賢矣。曾郵一冊致湘中友生，亦頗讚其佳。

論劉夢得汪辟彊三峽竹枝辭

寫三峽竹枝辭條屏數幅，因檢讀劉夢得汪辟彊兩氏詩，所得迥殊。先言汪書。

齠齔時侍先輩坐，見手把汪撰《光宣詩壇點將錄》輒點首笑不已，初不之解，乘間竊覩，乃仿《水滸》題名也。好奇縱覽，覺頗有味，所擬列諸名，平昔聞知者，殆十之二三而已。洎入台，得所著《近代詩派與地域》，蓋繼梁任公《近代學風之地理的分布》一書而撰，病其徒尚文辭，不能堅碻樹義，曾於《書評彙稿》闢之。頃借到大陸新印《汪辟彊文集》，略復尋之，兩書俱已有所改定，不暇校論也。

方湖在中央大學教授有名，顧所學皆非甚厚，檢集中《讀書舉要》，殊多掛漏蔓舉，非能示為學塗軌。詩則雅近方回亦有汲於冬郎。近體清雅超俗，一洗當時囂浮之氣，七古微覺蹇索耳。《近代詩人小傳》及《光宣以來詩壇旁記》搜采甚富，敘論亦簡切，可備一時故實。別有《論高密詩派》一文尤精。方湖究是一詩家而非學者。以《水滸》次之，其可當地幽星病大蟲薛永歟？為之一笑。君固以薛方之冒小魯，而自擬為鐵棒欒廷玉，殆過謙爾。

余前著《書評》謂：曩時渝州吟集，章孤桐極意稱讚高二適詩，而高詩其時實不爲佳。時賢頗怪余論。今閱方湖集，所言乃與余同，良有空谷足音之感。集中行文有數處用「曷」字者，義當用「盍」字，曾記胡適之（？）有文論「曷」「盍」「何」三字之義甚精詳，汪文反其例，或當別有所據耶？

劉夢得竹枝辭不用典故，方湖所撰，則常掉書袋，此大異處。多使典，則難能圓成顯現方言文學之美，視人境廬之〈廣東山歌〉爲有遜色，然而固亦難能可貴者也。余曾行經三峽，風景猶依稀在目，距今五十餘載矣，思之惘然。

頃大陸興築三峽水壩，壩區數縣居民俱須遷離，將來三峽提高，自無復更須拉縴及長途搖槳者，則此等歌將不復有矣。又不寧唯是，今時科學進步，若干舊社會事物已歸淘汰，甚多在文藝中極意描述寄情者，亦將不復更有。如：炊煙，擣衣聲，紡紗聲，叱牛聲，馬鈴聲……等等。馬在今時已非戰爭工具，則馳馬射箭等戰爭場面必不復見，且按鈕戰爭純在恃科學戰具威力，其憑恃肢體血肉衝鋒陷陣之勇士，亦必將絕跡。阿姆斯壯登陸月球後，所謂廣寒宮、嫦娥、桂樹、白兔諸如此類遐想，咸即破滅。如海底探險更加進步，則龍宮、貝闕、水府等，亦概將排除於吾人想像之中。今日在科學成果享受上，所獲誠多，而在文藝靈思幻想上則又有「日蹙國百里」之慨也。因讀此詩有感，遂牽連書之。

次談劉詩。

《黃山谷書劉夢得竹枝辭》絹本，故宮博物院所編法書冊有景印本，殘闕甚多，草書極縱恣，因取《賓客集》校補，並師蘇子美補素師自敘闕幅意，作草數行，甚費揣摩經營之力。劉製此辭緣由，「引」已詳之矣，不贅。近人陳香撰《竹枝詞與柳枝詞》一冊，析義考源，俱不甚清楚，蓋據劉「引」爲言而已。茲亦不欲更述，祇略談瞿蛻園《箋證》。

兌之乃吾邑瞿文愼公鴻禨後人，學殖甚富，此撰饒具功力。考駁《新唐書·禹錫本傳》所云，此詞爲在朗州（即今常德）所作之誤，建平乃是夔州，一語可以奠眾譁矣。於此亦可見古賢著說承訛之不少也。惟《箋證》仍有須更爲商酌處，此固不可苛求，蓋時代不同觀念自亦不同爾。間亦有賣弄淵博牽合傳會情形，注者之意或非必如此，然實乃注家之大忌。榷而論之，瞿氏要爲劉集之功人。

夢得玄都觀詩再獲譴，余意此詩實但爲一引子，爲羣嫉之者之藉口而已。夢得於朗州夔州等地所作諸賦，怨誹甚深，雖未直刺乘輿，以及其時秉政而可望能爲渠援手者，迹其所隱譏切諷蓋亦多矣。其詩亦往往如此，以詩再遭屛斥，固意中事也。

夢得〈天論〉三篇，與柳子厚論難，世所共推，此不泛及。其詩昔人稱蘇東坡詩始學劉夢得，造詞遣言時得夢得波峭，清賢王夫之亦以爲七言絕句至劉夢得而後宏放出於天然，誠小詩之聖證，其推挹賓客者甚至。

余曩在《書評》中歷舉：錢仲聯註昌黎，冒辟彊朱東潤注后山，鄭因百注簡齋俱爲佳書，瞿之注劉，益爲翹出。校注箋證皆簡明得要，間於箋中雜入注語，雖若微亂其例，實乃省卻許多文字，亦爲甚得也。集後附錄《夢得集傳》、《夢得交游錄》，《永貞至會昌時政記》，各種雜事後賢評論另具餘錄載之。其同時於劉集有關諸人之作附入每篇之後，甚能使人醒目愜心。

邇來台地諸人嘗謂大陸於古典文學爲斷層，此殊不然。諸老輩功力良不淺，箋註此類書故能有如此特出之成就。惟亦間有失注處，余自揣尙能略曉若干故典，而覺其爲失注，設讀書尙不余若者，將益感懵然矣。

兌之精於唐史，穿穴新舊兩書，廣取各家記載兼及說部，遂能取精用宏。余所不能苟同者，厥在其若干箋釋著眼之處。兌之視當時牛李黨爭，儼若貿首之仇者然，其實乃不過爲一時權勢爭逐，非有所謂意識形態存乎其間。故往往有出牛入李，出李入牛，亦多有浮離不屬兩黨，或時復近牛時復近李者，不能以一掛某籍，則必終身無改者也。執此膠固之見以釋劉交往酬荅文字，輒鑿枘難通，更或強爲解說，曲爲解說，甚無當矣。賓客並非屬李或屬牛之黨者也，以後來之事追議從前，此殊未可。陳寅恪論牛李之爭極有見。

兌之亦舉《玄怪錄》影射憲宗弒順宗之說，余昔在關章士釗《柳文指要》文中，曾痛論之，不謂此老亦好奇乖正而有此失。此說雖捕風捉影亦牽扯不上也。

夢得此詞，純爲鄉土文學，不涉政治，蓋千古絕唱，古人已詳言之矣。

回文詩

繼宗電話爲誦周策縱兄回文詩：「星淡月華豔，島幽椰樹芳，晴岸白沙亂，繞舟斜渡荒。周云可反讀，回環按第二字起讀，依次如之，皆能成句」。試誦之，微有傷勉強處，雖然，固足見巧思也。

繼宗續誦回文詩七律，可換作虞美人詞反覆讀，眞文人慧業矣。相傳爲毛大可作，一說爲另一不甚知名者撰：「孤樓綺夢寒燈隔，細雨梧窗迫冷風，珠露撲釵蟲落索，玉環圍鬢鳳玲瓏，膚凝薄粉殘粧悄，影對疏欄小院空，蕪綠引香濃冉冉，近昏黃日映簾紅。」

六弟秉模爲余誦一回文轆轤體詩，云：「秋江楚雁宿沙洲，淺水流。」其讀法爲：「秋江楚雁宿沙洲，雁宿沙洲淺水流，流水淺洲沙宿雁，沙洲宿雁楚江秋。」亦工妙有思致。

溥西山《寒玉堂集》，載回文詩聯俱多，有極精者，其書具在，不錄。

屬繼宗撰回文聯，雖不甚佳，亦可用也。「鶴放秋宵遙極目，琴橫夜月待焚香。」「墨潑圖成雲出岫，花生筆妙句驚人。」兩聯俱帶寒玉堂意味。

聯語

渡海以還，工爲連語者得三數人焉。成惕軒康廬，以駢文名世，能工駢儷則連語自易措辦，出語典麗矞皇，又復夷猶沖粹，收在《康廬集》中者，殆約其平生所作之半耳。余挽康廬詩中有云「連語企曾范，兼蘊浙賢致」，頗自謂能道其質實，才藻豔發，遂爲一時鉅手。

張劍芬齡，甫冠即現宰官身，以文辭受知於陳畏壘，晚途寄祿銀行，吟詠自適。遜清之季，曾湘鄉國藩。湘潭王闓運壬秋、吳熙劭芝，於製聯大開戶牖，張劍芬實丕承之。更廣汲肯堂地山之長，時有驅駕風霆，徜徉山水之製。好佛；曾發願爲刹寺製萬聯，或已及其半矣。有微芬簃及曼陀羅室聯存行世，時臺灣兩雄並角，輒見奇采。湘陰伏君嘉謨字壯猷，早歲從事文化宣傳工作，好製聯，曾爲台北市湖南會館撰一長聯，約數百字，許筠廬譽之曰聯聖，實則兼具美刺之意。嘉謨愨厚，竟鐫印遍鈐所作炫人。蕭君繼宗曰：「儻析滕王閣序，奇偶句各爲一邊，豈不可爲更長之聯也乎？」以是頗騰訕笑。嘉謨筆力健舉，而學殖非富，不足副其所欲達，中年爲橫貫公路名勝所撰諸聯，多見駿發，晚作不能稱是。與成張兩氏未能遽相方也。

安徽張君佛千，少日主編雜誌報章，廣通聲氣，嗣周旋胡宗南孫立人諸帥幕府，雖見禮重，而所謀畫，不甚採聽。遲暮頗自放佚，性豪曠，與市兒走卒無老少胥得盡歡。工爲聯，其所撰南園題楹諸帖，各具駿采，是其經心之作。然爲投世好，乃多爲嵌名聯與人，此實連語小道，往時多用於優伶游藝之間，蓋受者本無可以揄揚之事迹，權藉名字離合相嵌爲文章遊戲而已。今日世途轉好此等，佛千亦用此受饋多儀，以給其貲費，聲譽日益騰播，名利交收。蓋不止於文事創新塗軌，別森壁壘，足以自雄；更益見其縱橫智數之彌足欽歎已。

外此，前賢名聯之尤者亦略記數則：臨桂唐景崧題上海暨南大學蓮韜館聯云：「安得廣廈萬千，種草全爲留客地；倚徧迴欄十二，惜花猶是愛才心」。台灣割日，景崧謀獨立，曾自任爲總統者。

袁寒雲以名公子久留滬上，晚途頗蹇嗇，然無改其風流自適也，其詩文世亟稱之。頃晚報錄載所撰數聯，漫錄於次。挽中山先生云：「埏隧近明帝故陵，自有江山供俎豆；史遷作霸王本紀，不教成敗論英雄」。寒雲項城公子，如此措辭，甚得體。題嘉興烟雨樓云：「古木一樓寒，煙水人間，笙歌天上；扁舟雙岸遠，鴛鴦何處，雲霧當年」。亦名雋可喜。二十年春歿於津門，陳誦洛挽之云：「家國一淒然，誰使魏公子醇酒婦人以死；文章餘事耳，亦有李謫仙寶刀駿馬之風」。挽袁極精切，能寫其人。

岳陽劉君莘庵衡，出身軍旅，亦嫻文事，入臺後就閒職久厪台中，編纂《莘庵聯選》，蒐羅宏富，擇取亦精，是關心連語者有用之書，惜收近人之作微濫而已。精大篆，展覽獲獎多次，亦善撰聯，爲能追橅其鄉賢之所作而別具手眼者。

又湘潭黃君雪邨集宋詞爲聯，約百餘首，亦殊有佳致。

再記名聯

清光緒時某巡撫幕僚爲居停撰送李鴻章壽聯，共苦不能出色，忽有一客云：某寒儒自謂有一聯絕佳，然非五百金不肯提出。諸幕府諾酬，遂得之。聯云：「天生以爲社稷（李晟）；人望之若神仙（李泌）」眞妙切情事者已。

梁啓超壽其師康有爲聯云：「述先聖之玄意，整百家之不齊，入此歲來，已七十矣；奉觴豆於國叟，致歡欣於春酒，親受業者，蓋三千焉。」

右兩聯俱集句而天衣無縫者，清德宗與慈禧后之喪，全國遏密，成都某店懸一燈籠曰：「終是聖明天子事；飛入尋常百姓家。」亦妙，繼宗云。

昔吳佩孚鎭洛陽，作五十壽，康有爲贈聯云：「牧野鷹揚，百歲功名纔半世；洛陽虎踞，八方風雨會中州。」極爲時所稱。其實聯之下二語，乃劉夢得「萬乘旌旗分一半，八方風雨會中央」句，但點易兩字而已。

《藝文雜誌》頃選刊昔歲梁任公之喪各方所送挽聯甚多，任公卒於一九二九年，去今五十載矣。聯語殊尠佳者，當時北方人文稱盛，必當不乏名作，或選者之知識闇陋耶？

胡適聯云：「文字收功，神州革命；生平自許，中國新民」。王士珍聯云：「讀萬卷書，行萬里路，公眞天下健者；生有自來，死有所歸，我爲斯世惜之」。士珍爲北洋軍健將，政治立場不盡同，故只作膚廓語耳。

梁實秋、潘光旦，張嘉鑄，吳景超等合輓聯：「承魏牟而教，擷孔穿而辯，斷以己意；有江陵之才，得荊公之學，作新斯人」。四人中有與任公略具師生關係者。

章太炎挽：「進退上下，式躍在淵，以師長責言，匡復深心姑屈己；恢詭譎怪，道通爲一，逮梟雄僭制，共和再造賴斯人」。太炎聯語在徵實，頗能道任公生平者也。

楊度輓：「事業本尋常，成固欣然，敗亦可喜；文章久零落，人皆欲殺，我獨憐才。」楊聯似高著筆以誄梁，似而不盡似，若以是聯爲楊夫子自道或謂近焉。

就中國以章梁胡諸聯爲勝，又王文濡有一聯，殆不成語，不錄。文濡字均卿，吳興人，任進步書局編輯有年，坊間曾流布其《評點古文辭類纂》，其手眼蓋在村塾迂師下。

清人金眉生西湖蘇東坡祠聯云：「一生與宰相無緣，始進時魏公誤抑之，中歲時荊公力扼之，即論免役，溫公亦深厭其言，賢奸雖殊，同悵君門違萬里；到處有西湖作伴，通判日杭州得詩名，作守日穎州以政名，垂老投荒，惠州更忘情於佛，江山何幸，但經宦轍便千秋」。眉生負才跅弛，屢躓屢起，後爲曾文正劾，遂不復振，故蘇祠聯措辭若此，實佳構也，眉生事，諸說部多載之。

名醫張簡斋有聯云：「不諫往者追來者，盡其當然聽自然。」亦藹然見道之言。

張謇（季眞）臨終時，集古爲聯云：「朝聞道夕死可矣，今而後吾知免夫」，屬門人書之。良足見此老心事。

陳仁先（蒼虬），集蘇句爲孤山白（居易）堂蘇（東坡）堂聯云：「兩株玉樹明朝暾，定是香山老居士，一盞寒泉薦秋菊，仍呼我輩不羈人」。「故鄉無此好湖山，公如鸞鶴偶飄墮；何人更似蘇夫子，肯與梅花作伴來」。眞乃名家手筆。

鄭海藏白亭聯云：「逸老何關党事，醉吟不負香山」。亭在白居易墓上，鄭聯隱有自喻之意，然固不爲甚工。鄭又別有集古句聯云：「丈夫志四海，古人惜寸陰」。良可見其氣概。其作劉某新居聯云：「居一鄉得善士友之，欲治詩書，先崇名節；于有恒求聖人近矣，直師孔孟，略取程朱」。一派老夫子說教口吻，然自亦有是處。

湘人川人俱有利薄口吻，損人謔人甚。於川人劉某聯曾別錄之。湘人有嘲梁鼎芬爲拆字聯云：「一目高懸，屁股拆成兩片；念頭大錯，頸項砍了八刀」。又李本欽爲宏儒，主講嶽麓書院，成材甚多，曾募捐修山亭，殆即自卑亭，今愛晚亭前身也：有嘲之者爲拆字聯：「一木焉能支大廈，欠金何必起茅亭」。此誠謔而近虐，墮惡趣矣，不足取。

方地山聯語錄

方爾謙字地山，以善製聯有名於時，頃晚報載其數聯，游戲筆墨，非其最工者，然亦自超拔不凡，晚近此道人多不甚講矣。剪報存之。錄者署名磊菴，似是刁抱石君別字，此文是否渠作，容訪詢之。

爾謙，江蘇江都人，清光緒十五年副榜。方氏春聯，每歲一易，多係即景抒情之作，如：「埋愁無地，淚眼看天，歎事事都如昨日；剪紙爲花，摶泥作果，又匆匆過了一年。」又題北京寓所聯云：「說破廊風雪什麼？不五鼎烹，當五鼎食；有醇酒婦人足矣，先天下樂，後天下憂。」漢主父偃謂：丈夫生不能五鼎食，死即五鼎烹。宋范仲淹謂：士當先天下之憂而憂。後天下之樂而樂。方客袁世凱家爲家庭教師。民國四年十二月，雲南護國軍起，袁疑方將南下，是年除夕，方題門聯示意云：「出有車，食有魚，當代孟嘗能客我；裘未敝，金未盡，今年季子不還家。」袁之次子克文（寒雲），幼從方地山讀，兩人皆有古錢癖，方以女字克文子，文定日，各出古錢一枚爲信。方撰聯記其事云：「兩小無猜，一個古錢先下定；萬方多難，三杯淡酒便成親。」方袁聯姻，步林屋賀聯：「丈人冰清，女婿玉潤；中郎名重，阿大才高」。江都陳國瑞提督祠堂聯。國瑞，湖北應城人，隨僧格林沁轉戰魯皖鄂冀豫等省，平苗沛霖，敗張洛行，剿張總愚、任柱，所向有功，官至提督，而未獲封侯。光緒間，坐事削職，戍黑龍江，卒於戍所。尋復總兵，許歸葬。方氏題云：「封萬户侯何足榮？君若與古英雄比肩，李廣歡顏亞夫笑；挽百石弓猶識字，我重故將軍遺墨，岳王風骨魯公神。」此聯堪慰陳提督之魂矣。地山少負逸才，佯狂玩世，而大節凜然，民國二十年「九一八」事變後，殷汝耕叛踞冀東，以方有文名，聘爲顧問，峻拒不受，二十五年十二月十四日死于北平。陳誦洛輓云：「骨頭支離突兀，雖窮愁從不牢騷，或誚狂生，或憐狷者；心地磊落光明，即綺障亦關慧業，自稱情種，人詫仙才。」方當其中歲也，來往京津之間，攜如夫人同行，時纏足之風尚盛，因撰書房聯解嘲諷世，聯云：「做七品官兒，無地皮可刮；住三間屋子，擁天足自娱。」自題槐園聯：「插柳只圖遮白眼；栽花難免引狂蜂。」題贈某醫師診所春聯：「開春不利市；舊鬼盡銷寃。」另撰賀友人新婚聯：「始作，鞠躬如也，入公門，仰之彌高，鑽之彌堅，赧赧然，強而後可；以成，美目盼兮，策其馬，油然作雲，沛然作雨，洋洋乎，欲罷不能。」集句賀黃濤聲新婚：「花徑不曾緣客掃；蓬門今始爲君開。」借用成語，妙造自然。又壽張印濤聯：「五十再來五十；三千何止三千」。字面十分整齊。汪爵號笑儂，蒙古人，清光緒十四年舉人，官山東縣令，以演劇被劾去職。後寓上海，窮無以爲生，遂作伶人正式登台，自署伶隱；「捉放曹」「胡迪罵閻羅」，是這位名鬚生的拿手好戲。民國七年冬，客死滬上，方輓云：「你曾是七品命官，革職原爲唱捉放；此去有三堂會審，問君可敢罵閻羅。」頗有嬉笑怒罵之致，而意極哀慟。方氏世稱製聯聖手，其贈妓聯語在聯話中迭見，茲併錄數則；贈妓小紅嵌字聯云：「芙蓉帳暖卿卿小；姊妹花開月月紅。」集句嵌字贈妓月紅聯云：「楊柳岸曉風殘月，牡丹亭姹紫嫣紅。」贈妓寒珠聯云：「疑自玉京來，眼底花枝誰彷彿；不愁明月盡，人間烟氣太迷離。」刻劃其人之名，別具韻致。題贈綠香館聯曰：「便綠暗紅稀，我輩怕言花事了；看香南硯北，大家猶是少年心。」過來人語，亦寓及時行樂之意耳。

聯趣

曩與張劍芬等在羅理濤寓縱談近時文藝事，侈及祠廟聯語。羅嫂夫人忽舉所記某城隍廟聯相語。云：

百善孝爲先，論心不論跡，論跡，貧家無孝子。
萬惡淫爲首，論跡不論心，論心，千古無完人。

在座諸人咸以爲奇佳，眞能道菩薩心腸也。古人云「神者聰明正直而壹者也」，此聯實克當之。

在今日工商社會，家庭組織亦有變化，子女日奔走於工作職事，老年父母不得不寄寓於老人安養會所，寢食侍奉已不能躬及，養且有虧，何論於孝？又今時男女通姦，亦有隨若干國家法意倡議除罪化者。城隍神倘仍循此聯意以執法，不其難哉。或陰間亦有政府國會等等者，當不免於修憲也乎？

四川成都某茶肆，有劉某者工爲諧文諧聯，在抗戰時楊森未即統兵出川赴敵，劉撰「三不出師表」譏之，一時傳誦，文長不錄。時川省猶各小軍閥分佔地盤，圖戢兵言和，召開「善後會議」，撰劉嵌字謔聯：

「善」者無如之何，「會」放狗屁。
「後」來更不得了，「議」個××。

××可以意會得之，不必著。「雖有善者亦末如之何矣」，語出《大學》，四川善後會議則既往矣，今日者，彼亦一會議，此亦一會議，且復以會養會，當此局者其亦鑑之也夫。劉有謔銅像聯云：

口喝四面風，爲問何時開馬路？
手揑兩把汗，謹防他日鑄銅元。

蓋開馬路則銅像必拆除矣，鑄銅元則銅像乃上好材料也。今時銅元已不復鑄矣。惟聞某學區鑄建某一鉅公之銅像頗多，政局漸改，銅像拆卸，移集於廁所之旁，實大不敬也。此聯末句，改爲「當心他日守茅房」何如？

夢中得句與無情對

昔賢夢中得句事多矣，殆不勝記也。繼宗夢中有句云：「傾榼無窮酒，憑欄不盡山」。余頗喜其能兼詩語詞語意趣，屬書楹帖爲贈，書亦秀勁可愛。余亦曾於夢中有句云：「明月出關天勢迴」，以爲頗得明七子味，下聯者則忘之。明日補綴「時花如笑午晴新」一語，覺氣象甚不侔。嗣以未能得銖兩悉稱句，意或再能於夢中求之，而此等夢迄亦不再也。

昔張廣雅之洞善爲無情對，譽極一時，良有絕妙者。余友蕭繼宗幹侯亦好爲此，無情者謂了無關係了無牽涉，詭怪作對偶也。頃告余近作一聯云「岑西林拜陸鳳石」。川東菜炒山雞絲」。岑春煊字西林曾爲總督，陸潤庠字鳳石則清代狀元也。又繼宗在東海大學時，中國與西籍教授相處甚不洽，蕭有聯云：「最好河水不犯井水，井水不犯河水。別讓東風壓了西風，西風壓了東風。」運用當時習用之語極渾成自然，成如容易卻艱難也。有人集四書爲聯：「得政則得國，聖人復起必從；憂道不憂貧，君子居之何陋？」亦至工。繼宗又集一對云：「三公不易其介，二嫂使治朕棲。」誠巧不可階已。蕭近看杜詩，得兩聯，其一云：「意愜問飛動；心清聞妙香。」一聯此固是成句：「與世無爭，反求諸己；從吾所好，無責於人」。

此兩聯可書楹帖。余舉吳梅村句「末俗居中品」屬對，渠徐云：「小住悟長生」則陸劍南詩也。

繼宗所告余所撰無情對甚多，八九十忘之矣。就偶能憶記者錄之。「大哥大，多倫多。」，「波音七〇四，山本五十六。」、「人影明月三，我佛眾生一。」又謔其婦張宗毓云：「匹婦而憂天下，直心即是道場。」宗毓陽若不快，或者乃甚喜之也。

又曾見某報副刊：謔詈日使者聯云：「清水董三郎，混帳王八蛋」。

張佛千兄喜為嵌字聯，有謔之者亦為嵌字聯云：「西藏活佛，上海老千」。佛千豪邁，實非世俗所謂「老千」者。

半俚詞

馬雨蒼兄屢送籃球賽參觀券，在會所亦甚相得，頃迭屬代撰郭澄（鏡秋）輓辭，且必為詞，以郭喜製小詞也。余不彈此調久矣，為馬故，乃譜清平樂詞四闋。

夢痕無數，雁影橫空度，依約晉祠祠畔路，瑤草曲池深樹。雞聲燕市黃塵，短衣年少如雲，新槳秦淮春碧，一尊肝膽輪囷。

驚心鼉鼓，潮射三千弩，燭剪巴山聽夜雨，杕杜還歌江滸。鞵刀篝火狐鳴，蒼黃鐘簴鯤溟，同挹陽明山翠，中興新數周京。

青衫豪氣，白髮溫醇意，莫道感時花濺淚，忍淚綢繆深計。一腔血湧中宵，雲山頓失岧嶢，我向黃壚痛哭，寥天何處魂招？

海涯高館，寂寞平波晚，陌上野花開緩緩，更聽悠悠羌管。小龕長憶霜紅，孤笻來弔幽官，客路殘山亂冢，年年容易秋風。

此作殆不能謂之爲詞，曩余譏李蓴客詞多鄰於詩，余今之所爲者，又下蓴客數等矣。繼宗誚余爲率筆亂整，老友之戒，不容不受。

憶余齠齔時偷學填詞，酷好項蓮生納蘭性德兩家。一則苦命鬼一則短命鬼，其詞咸能感人肺腑。好之而擬之，如稼軒所謂爲賦登樓強說愁者，苦語窮搜，馴至咯血。長輩發覺此一秘密，嚴令不許填詞並不許讀詞，深以語味吉祥爲訓，蓋憐余爲孤兒且爲獨子也。尊重闈命乃不更作。迨在渝州，爲王芃師撰應酬文字。芃師以周美成兼柳耆卿爲法，頗有詞名，同時其戚劉雪耘亦善填詞，余乃受命偶復有作，爲芃師改竄者彌多。今老矣，何復彈舊時曲耶？

略記近人詞與聯

某雜志一文載李一氓集宋人詞送夏衍聯，甚可愛。聯云：「從前心事都休（蔣捷、高陽台），懶尋前夢。（謝懋、風流子）肯把壯懷銷了（李綱、喜遷鶯）作個閒人（蘇軾、行香子）。」此聯余擬書贈劉厚予，蓋與渠俱有同感也。

黃紹竑曾爲國共和談代表，在商談中，曾填有好事近詞一闋，不謂此人竟亦頗工於詞也。「翹首睇長天，人定淡烟籠碧，待晚一弦新月，欲問幾時圓得？昨宵小睡夢江南，野火燒寒食，幸有一番風送，報燕雲消息。 北國正花開，已是江南花落，剩有牆邊紅杏，客裏漫愁寂寞。些時遇著這冤家，誤了尋春約。但祝東君仔細，莫任多飄泊。」「欲問」「客裏」兩句，似俱添一字也，於律爲愆。但不害爲才人之筆。

尹仲容年譜錄林礪儒書聯「讀書幸未成君子，作圃猶能學小人」，尹續句云「亂世何求惟苟活，澤邊憔悴莫行吟」。此殆是我之心境，讀之怦然。

聯合報副刊載謝冰心一文云：「白話詩無論寫得多好，我欣賞後就是背不下來」。又云：「無論創作或翻譯，如不嫻熟中國文學辭彙，即不能達信達雅之境」。此數語余實有同感。謝又云渠曾用魯迅贈瞿秋白聯語以贈巴金，聯云：「人生得一知己足矣；斯世當以同懷視之。」聯亦不惡。

農林機構有宣傳標語云「家家綠化，人人綠化，世世綠化。」語甚可笑，綠到帽子，且復人人家家世世俱如此，風化將如何？所謂「綠帽子」固市井詈人語「忘八」之謂也。

松風亭詩

有友人告我：中央日報副刊，載一有關於黃庭堅文字，當爲余所未曾見者，因於報攤買得一份。乃何志浩謂涪翁松風亭詩，結尾不足，爲補三句，湊成二十四句。其辭義俱俗陋不堪。如何某者，蓋所謂多見其不知量也，狗尾庸可續貂也乎？所續句不錄。

僞山谷帖

在故宮博物院得見展出之沈德潛七言行書聯，結字大約如清高宗，此自投合世主之用意。特覺其雍容端秀，英華內蘊，爲學養功深之徵，非高宗之剽學淺嘗所能到者。余向不喜此字體，但亦不能不服歸愚川涵山蘊之功。歸愚文字賈禍遭戮屍，特其說詩實多精語，非一般所謂之鄉愿士也。

於碑肆購得一黃魯直帖歸，久置之，今始翻閱，初頗喜其如幼日所見黃書蓄貍說一型，細察欲臨，乃悉其爲文徵明西苑詩中之兩首。衡山晚歲喜山谷，所書滿江紅詞亦用涪翁體，其跋山谷書伏波神祠詩帖，尤稱歎不置，服膺涪皤在在可徵也。此所購帖，帖尾印記爲次郊審定，不悉其爲何許人。結署黃庭堅三字，截望江倪人垧所刻山谷諸帖跋記爲殿，坊賈圖以此掩冒僞之迹。特臺灣覆刻藏版者爲鍾克豪，自稱係教授，所出版碑帖甚多，其封面題簽，則爲高逸鴻。題曰「黃庭堅大字行書詩卷」，實足以亂人耳目。逸鴻名畫家，其書法亦頗有可觀。此二人者其爲蓄意欺謾市眾歟？余不欲問矣。昔蔣經國曾學書畫於高，高頗喜觀籃球賽，曾於座間屢遇之。

王寵書法

王寵書法特別展覽，耑往參觀，書頗工，惜其不壽也。寵字履仁一字履吉，號雅宜山人，家江蘇長洲，明弘治嘉靖間人。寵與其兄守從學於文徵明，又同師林屋山人蔡羽。守舉進士而寵連困場屋，但名益高，遠遊燕趙，歸隱養痾虞山，卒年四十。

寵書學王大令虞世南，婉麗而遒勁。此次展出之〈五憶歌〉爲廿八歲時作；〈韓愈送李愿歸盤谷序〉，卅六歲時作，俱極精妙。其師蔡羽書法，余未曾見，論者謂履吉結字用筆俱似羽，則非余所知。設天假以年，其成就何可量哉！即就所選諸作而言，亦足爲一代書家矣。故宮博物院出版《書法篇》此兩作俱未收。可惜。

余於明代書家頗喜宋克、文徵明、沈粲與寵。文徵明大中堂，祝京兆書〈美女篇〉，寵書〈盤谷序〉，實爲絕世所無。而祝書此篇亦未收，不解其故。

世艷稱解大紳書，余良不喜其流美。又唐子畏所作畫如仙山樓閣及仕女圖俱極工，西山逸士所宗法。余不解畫故不敢議，若其詩與書，則俱非上選，詩且不若文徵明也。祝枝山書饒有意趣，然有時亦不免狂怪，然而雖狂怪而能沈實，故可貴。

吳窓齋書李公廟碑

吳窓齋篆書〈李公眞人廟碑〉，久不見，今檢散書復得之，甚喜，此帖爲羅戎庵兄所贈。

吳清卿書〈李公廟碑〉，民國廿年蘇州振新書社發行，印製尚好，紙弱，久遂自魚口處裂開，幸有胎紙，黏補尚可完整也。

據碑，李公名育萬，元至大間長沙人，與其妹俱學道有得。屍解，建祠，禱雨輒應。李塑像爲赤膊，一足微蹻，左肩負一水桶，作傾注狀，迥與他神像不類。父老傳言：某歲大旱，李公竊自龍井取水注田禾，萬頃得不槁，某日忽有過者驚呼之，李應聲而僵，植立如今狀云。

去余棠村舊居五里許曰坡子上，有李公廟，每歲上元鄉農舞龍燈者，必詣廟禱賽。四鄉畢至，角技競勝，有至互毆者。舞龍燈有轉紐絲，紐絲有平地躍空兩種。外此又有盤花架，盤字架等等，花架有梅花、菊花，字架有天下太平、大小平安、中國一人、人壽年豐諸式。其精湛者羣歡呼燃鞭炮投之助興，若遜者，則往往遭擲草鞋、擲裹布之辱，舞龍會自新正十日至元宵不絕。余離鄉五十載矣，廟或已隳。別在淳化鎮有一廟，則供李公肉身相。或不致毀。

吳清卿書〈李公廟碑〉在清光緒廿一年乙未，另一名碑曰〈安西頌〉則光緒元年乙亥書也。〈安西頌〉乃集〈嵩山開母廟石闕銘〉字書之，若不遠追漢人意則尚易臨，〈李公碑〉則集秦漢諸碑字法爲之，殊不易近。

愙齋〈李公廟碑〉極有名，世亦譏其頭重腳輕，蓋習於鄧趙一輩小篆書，類長腳鷺鷥者，自有不同觀點。細繹碑文則又殊不能謂佳，敘其乙未禱雨之事，文隱用喜雨亭記結構，末乃宛然歸功於己，宜此文一出頗招湘人議口。猶記幼日聞諸長老，吳於朝鮮之役請纓勤王，疏與檄告之文，有「蠢爾倭夷，乃不聞本部堂有後膛礮邪」之語。後膛礮即毛瑟鎗，爲購自西洋之戰爭火器，吳之闇於夷情若此，亦可謂書駮子之尤矣。與王湘綺之說夷務，正相伯仲。此事又頗與程潛（頌雲）瞎眼自負之言近。抗戰時程爲戰區長官駐河南某地，其當面之敵酋爲有名之×××（佚其名）中將，頌雲於會議告於眾曰，本戰區必無可慮，敵酋若爲不諳軍事之後輩軍人，或輕冒來犯，如×××者，係彼方宿將，當深知我程某手段之厲害，必不敢輕攖我鋒云云，聞者無不匿笑。及戰，頌雲大潰，幾盡喪其師。頌雲固留學日本陸軍大學者也。

吾邑又有陶公眞人廟，章士釗《柳文探微》云：「陶峴唐開元時人，與孟雲卿爲友，其人好遊山水，自造三舟，一自乘，一載賓客，一置酒饌。到處必窮其勝，凡浪迹三十餘年，據稱尸解於湖中，法身留在長沙城外曰朗梨市，市人爲建廟祀之，號陶眞人廟，爲名流勝集遊觀之地」，聞之鄉人，陶廟亦禱雨率輒應。此亦吾邑故實，因併錄之。

談王禔篆書

王禔所書〈朱子治家格言〉。是近人治印筆法，視其書〈西泠印社記〉爲遜。然〈格言〉轉利於賈鬻，蓋此作變化多姿，襲古處即是變古處，雖涵蘊不深，而極能驚世俗之目。近時某人作篆字，矯揉造作，即師禔而略變其方圓形態而已，禔用枯筆短穎之法，尋究之亦不難。朱用純號柏廬先生，言居家儀法諸事，致詳晰扼要，往時殆家家誦習之。今社會情勢變遷，其言殆十之六七已非能適用，師其意而略變其用斯可矣。王書故作強矯是一型，徐三庚過求流動婉通又是一型，要之爲別趣，而非正軌，若某君之襲王，祇益見其謬戾而已。

報紙小文云，毛潤之愛寫字，晉以下書家悉涉獵，於于三原字亦頗欣賞，然其書多爲今草，略無法度，其書品固去中山先生萬里，或且不及明州，不免爲古人所謂惡札。報紙此文末又云，毛臨終前所閱書爲洪邁《容齋隨筆》。余曾有《毛書草字譜》及洪氏《隨筆》，袁暌九君取去，袁旋失之。

名家書法雜談

詣看王壯爲兄書展，頗有老態，結字微露偃蹇意，不若其壯歲之工也，其中年書饒具金石趣，晚途多取陳白陽王雅宜法，雖流美，轉減清穆。又渠曾懸示條幅一紙，謂其中有改字，孰能辨出當獎贈之，余意以爲寫字一筆便是一筆，決無可改者，設能改，則初下筆時即無當矣。漸齋適不在，未能以此質之。近日論書法，仍當以漸齋爲工。

世謂陳含光先生小楷書，多師歐陽率更姚恭公碑銘，昨閱宋克（仲溫）臨趙松雪蘭亭諸跋，陳書乃無一筆不似宋。含老於仲溫可謂得髓矣。

繼宗寄一剪報來，上有教育部長毛高文題字，其稚劣殆不可想像。余電蕭戲謂可與其同宗潤之先生後先輝映，然潤之但獷野而已，不稚弱也。余又云或當與吾湘易培基、曹孟其二氏同調。然易曹二氏兒童派書法，俱取徑漢碑而脫化者，又不可同年語也。午後外孫林世森來，自云作字極劣，余笑云，汝將來亦可作教育部長也。世森頃讀美國學校，畢業後去美。

黃山谷自謂學草書三十餘年，初以周越爲師，故二十年抖擻俗氣不脫，晚得蘇才翁子美書觀之，乃得古人筆意。其後又得張長史旭僧懷素及高閑墨蹟，乃窺筆法之妙云云，余曾習素師書，終不能近，若張長史肚痛古詩等帖，但覺荒怪，不知其所謂妙者何在。國初楊草仙曾以此類書名世，實深鄙之。僧高閑殘本千字文極有意味，山谷八節灘題小幅，實近閑師。蘇子美書罕見，但見其補懷素自敘帖前六行闕字而已。周越書亦但在懷素帖跋尾偶見之。昔歐陽六一曾謂「蘇子美喜論用筆，而書字不逮其所論，豈其力不副其心耶」，其說乃與山谷語微近。

書法統帥

電視報導，今拆除中華商場時，有一住民身裹國旗，遊動抗拒，旋為警察架走，此事令余憶及舊交胡昌熾君趣聞。

胡鄂人，頎長面微痲斑，任事勇捷，特亦不甚守繩墨，朋儕以黠而怪目之。任職某運輸庫長，與部屬衝突積怨，及解任去職，羣圖毆之。胡遂前捧國父遺像背挺總統肖像，昂然走出，無敢攖者。此舉蓋襲清朝某運司所為。運司去職，羣吏進襲，其人乃撒緡錢於途，蓋緡錢必鑄有帝號曰××通寶，某跪於前路大呼曰「救皇帝」，羣不敢踐踏緡錢，蓋以犯者觸大不敬律也。某遂從容逸去。胡君此之所為，實善學此運司者云。

又胡寓牯嶺街一小舍，巷底有巨邸為某立法委員所居，有小橋亭臺流水假山之勝。畜數名犬，深宵亦大聲放笙歌，溜犬高吠，胡屢登門請夜間弗爾，並再三邀警察勸之，立委恃勢不之理。某夜，立委正張讌夜深作樂會，昌熾集家人及鄰右，集各家菜鍋盆桶凡能發聲者，盡力敲擊之，噪音鬨閭巷。立委詈阻質問，昌熾答云，君每夜咸若此，乃更責我輩耶？立委語塞，亦無如之何，旋不久移家去。

昌熾退休後去日本，初余並不知其能書法，在日自署「書法統帥」，並詭稱八十餘歲，實則其年與余略等，時殆只六十歲耳。榜書尚勁拔，台灣間曾見之。十餘年前平安夜曾過余久談，後不復至，亦未能再晤。不知何往矣。

略談繪畫

諸友茶座聚談，笑話、掌故、委巷鄙怪之事，各瑣碎道之，頗悒懌。茲略記其稔於畫壇掌故者語於次：

蔣宋美齡欲習國畫，初擬從溥心畬學。溥婉答：余守舊禮，禮聞來學，不聞往教。深宮之內，尤不敢輒詣。現今民主時代，寓間授徒時間俱已排滿，亦非能爲總統夫人特別抽出定一時段，如能屈尊隨班就聽，良所歡迎。實乃設詞以拒也。遂改請黃君璧詣講。

歷數年。宋之山水畫幅多雲泉之類，頗有黃所改補者，其甚者黃筆殆居十之四五。黃頗不樂隨時赴召，且亦有偏頗性格，不悉邸中用人規範，遂又改請鄭曼青。

鄭固多才技，如太極拳法等等，流譽一時；宋所畫墨牡丹竹石之類則從鄭習也。鄭墨法最精，雖用淡筆而濃重深黑，如鄭孝胥用淡墨書字亦如點漆者然。某又云：鄭江湖氣頗重，蓄長髯，衣無領之半長衫，大不入時人眼。又此君云：據聞宋晨起頗遲，大約上午十時可至廳房習畫。鄭講解每在星期三，此時間與中央黨部常會相值，明州公必須主持會議。鄭在邸講畫大約十一時半至遲四十五分可畢事，而常會結束輒過午，明州回士林午餐多在一時左右，而鄭逗留不去，必圖與明州鞠躬行禮。明州並不禮之，但頷首示意，鄭僅望見顏色已也。鄭來，必等候午餐，餐後乃行，且將畫稿等轉示於人，以炫耀云云，故邸中諸人殊爲不滿。又云：鄭午餐係單開，較侍衛諸人略高而已。「內廷供奉」，歷代品秩原不甚崇，若鄭髯則又似以侏儒飽食爲榮樂者。溥西山眞倜乎遠哉！

鄭畫牡丹畫竹，俱有獨至，非時下諸人可及，特其品良不足重也。宋稟性堅剛有丈夫氣，乃至亦表露於畫竹。挺幹森森直立如貞松然。原夫竹性虛中有節而頂端微鉤垂斂縮，設如火鍛日灸乾枯，乃剛勁特甚，可以制梃刺殺人。如宋所繪，乃枯竹失生意矣，違其坤柔之人性，又失竹所特具通介之物性，非爲合作。至於牡丹，世稱富貴花，牡丹而無富貴氣，失其所以爲牡丹矣，過求富貴氣而鄰於穠豔，則俗媚矣。宋畫水墨牡丹富貴而不近於俗，斯可貴也，亦可徵其爲貴夫人心態也。

談題畫

國畫最重文人畫，蓋取其書卷氣勝也。書卷氣不徒表見於畫，更復表見於題識。畫之題識，自宋以降日益增盛。畫與題識互相蘊發，斯臻妙理。

沈灝《畫麈》云：「（倪）迂瓚字法遒逸，或詩尾用跋，或跋後繫詩，隨意成致」。又云「自題非工，不若用古，用古非解，不若無題，題與畫互為注腳」。昔人論王維云詩中有畫，畫中有詩，向來題畫者故乃往往以詩。然而陳陳相因，亦衹取厭爾。王概曾慨乎言之曰：「近來俚鄙匠習，宜學沒字碑為是」。

文徵明行款清整，沈周晚歲題寫灑落，每侵畫位，翻多奇趣。清代鄭燮寫竹好野戰，題識語或至侵畫面無空白處。鄭雅逸故能不俗惡，東施未可效顰也。

近世畫家題識，余首推吳缶廬（昌碩）。缶廬極工詩，奄有韓黃蘇柳之長，書精石鼓，饒有古趣，以篆籀法作畫，題詩或跋俱蒼古駿拔可誦，並時諸家莫能到也。此所謂眞積力久，隨處觸發都成妙諦，古香古色悠然穆然。

其次為齊白石（璜）。白石出身木工，以習木雕故遂精篆刻，為王湘綺所識拔，復得湘中諸名家指授，天資既超穎，又勤於肄習，乃卓然為大宗，所繪蝦蟹千古獨絕。白石讀書不多，其題畫概是自家本色語，毫無做作。惟其能眞，故天然妙趣橫溢，昔人謂英雄自有眞，白石足當之矣。題畫語少年時作者，其行草字多用何道州意，不為盡善，晚歲脫去，趨籀法，於於樸茂中見飄逸，極可愛。

其次為溥心畬（儒），遜清恭王世冑，其立品或勝於趙吳興。詩才敏妙，宗唐賢，出筆成章，字法二王吳興衡山，行草構字熟極，秀美遒上，欹斜散亂中彌見整飭，足徵讀書繕性之功。與畫面調協配合盡善，亂頭麄服，時花美女，輙復遘之。入臺後所作，間有漫與，故乃有贋品。

其次為張大千（爰）。大千馳踔士，磅礴大氣，曾學書於曾農髯，以篆隸入行草，墨氣奇重，非以眞力幹之，則骨不勝肉矣。題畫多為詩，間或短跋雋語，有豪想有逸趣，彌堪寶愛。吾鄉某君苦學之，頗得形似。仿大千仕女。余舉黃仲則用藍毵韻作牡丹詩，方之韓擒虎攫張麗華，以此論某君仿作，蕭君繼宗聞而大笑。

他如黃君璧鄭曼青暨嶺南諸家，畫皆工，而題識衹徒備一格，無甚超詣，不復論。曾見臺灣某畫家弟子，畫藝甚好，殆未嘗讀書，某年日曆彩印其所作山水，錄題劍南詩，中乃有極離奇錯字，可知其枵腹已。甚願其於丹青外多親典籍，不爾，則勉思王概之言也。

曾記程庭鷺《筆記》云：「項墨林書雖得松雪意，而題畫字句多累。相傳乞畫者，先以青錢三百餽小僮，伺畫畢，即用印記取出，免其題識，謂之『免題錢』」。余今倘求人作畫，定當於例潤外別備此錢矣。

畫展

挈大孫邀同許素菲看明末四僧畫展，甚有精品！爲張大千、王季遷、羅家倫、王世杰、張羣諸家所藏。石谿大幅山水尤所罕見，漸江有簡筆山水，極饒佳致，然兩家終較八大石濤爲遜也。會中不期而遇蕭一葦崔德禮林玉存諸人。

歷史博物館展出夏珪〈溪山無盡圖〉長卷，張大千題卷端謂第一希世至寶，是信然也。至石濤〈張公洞圖〉，大千亦云希世第一至寶，則侈辭矣。大千題先賢書畫，字輒有脫補，行墨欹斜，字亦粗獷，彌見其心浮氣躁，其畫功力意境雖佳，終頗見風塵氣。

歷史博物館又有畫馬展，今年馬年也。有張大千、黃君璧、季康、葉醉白、陳雋甫、李奇茂及一程姓者所畫，餘不悉記。張作類陶俑，黃作惟師唐人凝重設色，馬亦無生氣，餘人則狂野，但可謂胡鬧而已，不能卒觀。陳雋甫強爲勁直之筆，皆不當行。中有一人不記爲誰，用郎世寧法，稚嫩中略有可取處。歐豪年有數作，微有致，爲馬點睛設色，蓋用畫虎之意也，向來畫馬者不如此。

名畫家多出世胄

畫家多爲舊家子弟。即以清代論，如四王，王時敏（遜之，烟客）則相國王錫爵孫；王鑑（元照）則弇州孫，元照曾宦廉州，世遂以廉州稱之；王翬（石谷、耕烟外史），雖不爲顯宦子孫，而受業於烟客、廉州，故學乃大進；王原祈（茂京、麓臺），則烟客孫也。蓋舊家所藏文物多，耳目所接，異於恒數，理固然已。若宋之趙千里，以及宋亡後之趙孟堅、孟頫，明亡後之八大、清湘，清亡後之溥侗、溥儒皆貴胄。宋之徽宗、明之孝宗、則固是帝王也。寒畯之士習藝得成，非絕高天稟，則苦學力修必倍乎烏衣子孫也。

吳儁臨黃大癡秋山圖卷

辛未（一九九一），吳穎虎許素菲弟伉儷自燕都攜來一畫軸貽余，裝褫甚精，云或是黃大癡公望筆。余甚愛之。友人蕭繼宗頗能畫，因屬爲鑑定。繼宗於卷尾題云：

「大癡道人畫，今故宮博物院所藏富春山居及陡壑密林二圖，各有原仿二本。皆仿本先出而原本後見，二本對勘，而高下自定。眉叔出此幅見示，并屬贅言。展卷披尋，卷末僅署『大癡老人作時年七十有六』十一字，未施印記，是非有意作僞者可知，然亦不云臨橅，則未始非故布疑陣以亂人耳目者。至於畫風書體紙質墨華，事屬考鑒，非余所知。察其筆致，碻用大癡。惟前段主山正面皴法，似嫌僵槁，後段遠山位置亦微覺未安，則此幅之爲原爲仿，未敢斷言，惟當行者自能辨之。私念如出臨摹，則必有原本，安知其不爲雉媒爲駿骨，以速原本之蚤出？他日二本比勘，則徐公與鄒忌孰美、虎賁與中郎孰似，一覽可知，豈不快哉！辛未十月十三日幹侯蕭繼宗於北市」。

繹蕭識，大意謂圖係仿作，特不知所倣何圖。山水布置有微眚。余就〈富春山剩山圖〉影本略校，遠山布置與剩山圖蓋近同，主山皴法亦與剩山圖相似，特影本小未能纖悉比對耳。所謂〈剩山圖〉者，清初吳洪裕極寶愛大癡富春山居圖，臨終命焚以殉身，其侄吳靜庵急救而出，圖之前段已略損矣。余嘗譏繼宗題畫字近清高宗，繼宗甚恨之。及屬題此圖，字乃效南宮而略較尋常爲大，余訾其霸佔地盤，不肯爲人多留餘地。渠乃大笑曰：此固報復耳！

鄉人曾君霽虹，詩文俱有宗法，富收藏，所蓄手卷尤多。因丐曾題，霽虹以余時方力究坡詩，遂用蘇氏短古體，題辭云：

「林壑幽幽清晝永，中有高人樂其靜，欲尋猿鶴山路梗，待問樵漁雲水冷，無緣更向癡翁請，所意無乃在招隱，寫此江鄉好風景，披圖使我發深省。遂園主人詩文雄視當世，初不措意於古物庋賞，頃承出示此卷，居然黃家矩矱。展玩驚喜，敬題短章以誌眼福。辛未冬月曾霽虹。」

虞山龍磵居士李猷（嘉有）以詩書擅名，座談偶及此，遂乞爲詩張之。嘉有題云：

「一峯我鄉賢，其畫本董巨，愛看兩浙山，筆法蓋天與。閒坐湖橋亭，披襟酌清醑，醉眼看家山，浮嵐滿江渚。平生富春江，雙卷石渠聚，更有天池畫，石壁峭如許。

烏程龐虛齋，一卷秋林詡，更有山村圖，溯源從內府。斯圖未著錄，莫非久埋處，展觀如素識，清光逼眉宇。髣髴舊林泉，竟是虞山譜。眉老詞長命題，乞政。壬申上元常熟李猷」。

一峯為黃公望別字，虞山今常熟縣。公望本姓陸名堅，幼年父母俱逝，貧無所依，其族人鬻繼於永嘉黃氏。時黃翁已九十，翁甚喜曰：翁望子久矣，因易名公望。性伉直敢言，兩繫獄。絕意功名，居常熟時，日醉臥石梁上，酒盡缾擲湖邊，累積如山。某夕大癡乘小舟以長繩繫酒缾於船尾，循山麓遶湖而駛，舟返時，抵齊女墓，繩斷缾漂，覓酒不得，縱聲大笑，深夜林壑俱響答，人以為仙。李詩「浮罌」等語當是寫此。〈富春山居圖〉眞贗兩幅，見前蕭君所記。〈天池石壁〉圖，淺絳設色，亦為傳世重寶。後來名筆於大癡畫摹擬不絕，如沈石田、文衡山，四王俱有摹本。

曾詩描畫境，李詩述家山，俱為精心之作；為此圖生色不少。嗣余於卷首篆題「疑眞黃公望山水長卷」並跋云：

「此卷為同學友吳穎虎許素菲伉儷得於燕市，歸以貽余者。款識但云『大癡老人作時年七十有六』，未有印記，結構筆墨悉大癡法，樸茂閒遠，醇穆而蕭散，即或出於臨摹，亦斷非俗手所能到；淵如睾如，若不可窮盡，余極愛之。乞蕭君幹侯為之記，曾君式倖、李君嘉有爲賦五七言古詩。三君子鑑題既竟，爰命之曰疑眞黃公望山水長卷。曰疑眞者，未決之辭爾，可以爲大癡作，亦不必爲大癡作也。而一卷之中畫也、詩也、文也，都爲玅蹟，可以移我情，樂我志，而怡我神，攬古歡新契，忘年忘義，以偕之大適；斯亦足矣，可謂幸矣！亦何事更問作畫者之爲誰某也哉！壬申花朝遂園張之淦識」。

箋題畢事，亦可謂了此一番公案已。然余終惓惓於此幅割裂殘本，穎虎再北行，屬就原裝裱坊肆探尋，果得所裁去餘幅，大喜寄余。餘幅識云：

「一峯老人秋山圖卷，爲昆子布駕部所藏。己未春，以事過子布齋，出以見眎，即驚爲神物，尋假歸展玩，息慮臨摹，愈覺其用筆之妙，惟腕弱筆鈍，未能得其萬一，徒深仰止之歎。其蹟之妙，心泉上人亦同聲歎服，用贈此臨本，聊慰其欣羨之懷；然恐優孟衣冠，難邀巨目眞賞，教之幸甚。菊秋二十六日江陰吳儁并識」。

此割餘之幅，覓工補裝，作隔水，示劫餘復完之跡。其題識所涉諸人，茲略考述：

吳儁。清江陰人，字子重，號冠英，性敏悟，品醇粹，凡詩書畫皆工，稱三絕，游公卿間有重名，尤工寫眞，深得古法。曾爲恭王寫眞容，頗禮重之。

心泉上人。據張之洞《文襄集．龍樹寺詩》註云：「曾與心泉和尚張繩菴學士同游。不具酒食，清談竟日，乃游茲寺第一適意事也」。是心泉上人爲名僧，與當時所謂清流者游處。或當駐錫龍樹寺耶，然詩注但云同游，則又或非此寺僧也。

曾以此眎熊質傳兄同賞，質老云：心泉當是日僧。旋返美影印所藏日本《書品》雜志來，因悉心泉上人碻爲日僧，兩度來華，居中國前後逾十年。第一次爲明治十年（一八七八），率留學生至上海，歷遊蘇杭諸郡名刹，十六年返日，第二次爲明治三十一年再至南京設學校。行腳重慶並詣燕京，三十三年回日。在華期間，頗與俞曲園、錢子琴、王韜等有交，工書能詩，曲園編《東瀛詩選》曾收選所作。大有時名。吳儁識語中所云「己未春」者，己未爲咸豐九年（一八五九），當係追溯獲覩公望原蹟而言。蓋其時，心泉尚齠齔，未至中國也。臨本貽心泉當別是一時。關於心泉行跡暨詩文書法造詣，另文論之。質老任文化參事，襄駐日本使事有年，名家子而善書能詩，今時行人中所罕覯者也。茲承開示，併此志感。

昆子布。駕部司屬兵部，昆或係司員，如杜甫之稱杜工部也。尋黃子久畫傳承源流，當可考得之。余與故宮博物院主事者交疏，不果問，世有知其人者，幸以告余。

得知此卷爲吳儁臨本後，擬改題「吳儁臨黃大癡秋山圖卷」，并擬作詩或文，志此因緣。余暫能保有此卷，爲不負穎虎所贈，及作畫者受畫者吳子重及心泉上人焉。特以未能爲昆氏行迹尋證，迄尚未命筆也。

王麓臺作畫謹細

《清朝畫徵錄》，張庚著，創稿於清康熙後壬寅（六一年 1722）脫稿於雍正己卯（十三年 1736），民國初年銅版重印，甚顯目便讀。張自號白苧村桑者，文字亦佳，不獨論畫甚精也。書中屢見「清朝」字樣，多處文義乖迕。蓋民國初年淺學時儁，緣鼎革排滿而率改；張氏撰書時，但得云「國朝」不得云「清朝」，又「朝廷」字亦不得用「清廷」也。

《畫徵錄》記王麓臺（原祈）作「秋山晴爽圖」事，極見作畫之嚴謹。云：「聞人克大之父與麓臺同官燕京，交往甚密，克大將歸婚，麓臺許寫一圖爲贈，折簡招克大晨過其寓，曰：看余點染。麓臺展紙審顧良久，以淡墨略分輪廓，既而稍辨林壑之概，次立峯石層折，樹木株榦，每舉一筆，必審顧反覆，而日已夕矣。次日復招過第，取前卷稍加皴擦，即用淡赭入藤黃少許，渲染山石，以一小熨斗貯微火熨之乾，再以墨筆乾擦石骨，疏點木葉，而山林屋宇橋渡谿沙了然矣。然後以墨綠水疏疏緩緩渲出陰陽向背，後如前熨之乾，再鉤再勒，再染再點，自淡及濃，自疏而密，半閱月而成。發端混侖，逐漸破碎，收拾破碎，復還混侖。

流灝氣。粉虛空，無一筆苟下，故消磨多日耳。」杜老云「十日畫一水，五日畫一石」，麓臺乃復過之。四王畫風細潤密微，固當如是，然亦有人縱筆濡墨一揮，頃刻而就，則又非可一概論已。

記彭玉麟畫梅暨聯語

曩曾見此間一畫刊，有縮尺影印彭玉麟梅花畫幅，似是余棠村舊居書室所懸者，爲之怦然惘然。近讀《湘綺樓日記》記彭畫梅事甚詳，因備錄之。

「彭雪琴畫梅，以童時有所眷小名梅香也。方其孤貧，獨識其爲非常人，執巾進茗，磨墨拂紙，以不能約婚爲恨。及其稍貴，梅已適人有子矣。因往來爲太夫人義女，要其夫俱從軍，爲保敘副將，梅家日用所需，纖悉爲之經營，小梅家營煤業，江南所需石炭，輒由江南戰船運載，他可知矣。如是三十餘年情好彌至。一日梅得其西湖一緘，知（雪琴）在杭州別有所眷，取其書徑歸。尚書（彭玉麟）徒步追數里，索以還，自是不甚相見。及雪琴薨，梅來弔，哭甚哀，知者皆以梅不負之也。畫梅必自題一詩，詩皆有寄意，人知其事者，不知其後之參差也。」

右所記在《湘綺樓說詩》中亦見之。彭爲水師名將，功高，而不受祿秩，擢兵部尚書亦不赴，以欽差巡閱江海各處，斬罰營將及地方姦宄豪強不稍瞻徇，人以是深敬畏之，歿謚剛直。其題名勝諸聯，最膾炙人口。莫愁湖勝棋樓聯云「王者五百年，湖山具有英雄氣；春光二三月，鶯花合是美人魂」。西湖退省盦聯云：「退食有餘閒，當載酒人來，莫辜負萬頃波光，四圍山色；臨流無俗慮，看採蓮船去，只聽得一聲漁唱，幾杵疏鐘」。又題西湖平湖秋月聯云：「憑欄看雲影波光，最好是紅蓼花疏，白蘋秋老；把酒對瓊樓玉宇，莫辜負天心月到，水面風來」。題黃鶴樓聯云：「心遠天地寬，把酒憑欄，聽玉笛梅花此時落否；我辭江漢去，推窗寄慨，問仙人黃鶴何日歸來」。

經眼書畫小記

原春輝君得鄧爾雅及日人愛雲元信與溥心畬書各一。西山字殆贋品；日本字甚勁健，題年丙寅，最少當去今一甲子也。鄧書亦頗可觀。又得清人張宗蒼畫山水，筆墨溫潤，清疏羅羅，特欠凝重，不耐讀也。

鄭經生君藏董香光手卷，係贋本。又高克恭畫，甚惜售。高畫裝裱不精，數處紙碎落，無法補完矣。

胡崇鈞君西康人，早歲入台，藏元明諸家書畫多幀，不識其所從來，寄藏銀行保險箱。胡與黃君元伯篤厚，黃入台係胡爲具保，因黃故得觀其所收盛懋、唐棣、周臣、謝環、陳淳、仇英數幅。胡甚寶此，不輕示人，余但能略觀而已。驚鴻一瞥，眞僞無從論。亦未及記其畫題名。胡黃俱已謝世，諸名蹟不知尚在否。

原春輝兄出示明賢倪元潞山水畫。倪畫極罕見，此幅筆墨疏潤，樹石色則濃鬱，云得自張某家。張富收藏，今家驟落，所收品乃多流出云。

同寅袁君（佚其君）得曾滌生何子貞條幅各一，曾書實佳，何作則未敢斷其爲眞。價各千餘元，購自拾荒者，亦可謂福緣已。

茶座中與春輝雜談鑒賞收藏諸事，渠頗與古董商有交往，亦頗有經驗心得者。旋渠出一冊葉，畫殊俗惡，渠近來所收諸幅中，此最麤，不記畫者姓名，似有一圖章曰薌圃。又一溥西山字幅，非贗品亦非精品，云自胡偉克家流出者，未之能信。

大陸文化革命時期，多數書畫遭燬，亦有人賤價收得，售與日人，由日本轉入台灣者良不尠，是則有賴購者之眼力，或者能於無意中得寶也。袁君頃又得王冕畫一幅，令我羨煞。

羅學海君攜古賢書兩種來，云有人託覓收購者，未詢其價。其一為米南宮書木蘭辭，絹本，卷尾有鄭珍題跋。其一為趙孟頫書古詩，趙書係手卷改裝冊頁葉者。因與蕭繼宗兄共鑑，同以為米書非眞，趙書亦不碻，但非俗手所能到。鄭子尹《爪雪山樊詩》，曾多處云甚寶此一米書字幅，或者並鄭題跋亦係贗造，又則或由鄭之賞鑑未能精。南宮書僞者極多，故宮所藏亦有贗品也。此二者俱未能脫手，旋再詢羅君，云已有人攜往美國云。

鄭孝胥屏條四幅，書柳州兵變詩，早歲所作者也，書猶有何蝯叟意。曾君式侔極鄙視海藏書，不解其故。式侔之兄昭儉，曾營名家畫廊，收藏多。式侔尤廣收各家手卷，有極精者。

林琴南仿米山水，墨氣太重，但寫柳佳。昔人云畫樹難畫柳，畫人難畫手，琴南乃於難處見工。畫為羅君所藏。羅又有費某所作白描仕女，畫頗佳，特不知其命題。殆是紅樓列女花神小說中人物，知其寶莫名其器也。

原君藏東坡墨竹，有（金）明昌御覽、項子京鑑藏、（清）古希天子諸印，或當是內府流出者。

同羅才榮兄觀吳詠香畫展，並有前代人書畫冊展出，其中俞曲園、溥心畬書畫俱佳。有印尼淩紅者畫粗俗。

張大千畫展

看張大千畫展，許素菲、林碧珠俱，林愛梅未至。

此次展出約六十幅，芭蕉高士、文會圖頗佳，潑墨山水一二幅可取，九歌圖則係舊作也。擬李唐及一仙山樓閣巨幅，亦爲舊作，筆墨俱好。近來作品祇荷花梅花數幅，醜拙不足觀，且布局多雷同，足見老來才思竭矣，「青裙白髮李師師」，爲之慨然。舉師師以擬大千，得毋不倫也乎？然余固別有所解也。再三巡覽，覺其中題蘇詩小幅「山耶雲耶遠莫知」，渲染得趣，恰稱所題。又荷花幅題「無人無我非古非今」橫幅，亦是妙品。

大千爲女伶郭小莊作畫兩幅，其一爲湘君，頗見倩女幽魂之意，又一爲鍾馗嫁妹，則元日作也。鍾馗不能奇醜，磔鬚圓頰，轉有似大千矣，可爲一噱。

電視女伶夏玲玲，羅才榮兄之媳。才榮與大千俱爲蜀人，大千爲玲玲作一梅花扇面，玲玲趨吻其頰，電視與報紙作特別刊播，騰爲佳話。此作今未見展出。

此次展覽，殊不足以見大千所能，若但爲畫幅出售計，則余無所議矣。

大千「少作精嚴故不磨」，享盛名良非偶然。暮年遠適，其巴西居所曰八德園，園居時尚頗有佳畫，後移居美國日環篳盦，手愈戰，眼愈昏，遂一切俱不能不率意爲之。牽於人事，且揮霍不貲，眞無不作畫換錢之自由，老鈍力痛，時見窘苦竭蹶之態，是可哀已。

大千畫具壓迫感，寫雷電風雨精神，眞有山飛海立驚霆鬼攫之觀，古來無此作者。墨荷亦獨步千古，曩見張岳軍廳事中所張諸幅，一派煙水籠明，清香可挹，眞神來之筆。其餘深篁過雨，滿紙清新溫潤之氣，撲人眉宇，亦是文湖州王孟端外別創之境。

記曾於日曆畫幅中見其贈毛澤東山水，題潤之先生雅正，時正解放軍渡長江時也。而其後作黃山圖，曾無一人點景，謂託國中無人之意，此不大相徑庭矣乎？又其爲張岳軍祝壽作長江萬里圖，設使其更爲華盛頓孫中山頌壽，豈不當作太空圖也耶？又不禁爲之一歎。

筆墨雜談

看東坡題跋集，其論書法碑帖諸文，有愜心者輒書爲短幅張之，隨時省覽焉。余不甚習坡書，尋玩其神味，取勢用筆，亦有可通於山谷書，或正相背反而可參會於山谷書也。余於宋四賢最不喜蔡襄，使轉或入於輕俊。蔡誠非俗筆，而世之俗書實多濫觴於襄，而歐陽六一等乃盛稱之，何耶？

蘇東坡書黃魯直所藏徐偃筆云：「筆鋒如著鹽曲鱔，詰曲紙上，……有筋無骨，眞可謂名不虛得。」此語大不可解，似此等筆，將如何可作書耶？東坡晚途好用雞毫筆，我固知之矣，筆鋒如鹽鱔曲詰，則是何種筆乎？昔賢云「作字如錐畫沙」，「如錐」者，象其堅利耳，今時常用之鋼筆原子筆，則誠是錐矣，顧不見有以此工書者？又何耶？古人豈欺我哉？

古人論墨者多矣，近人惟鄭孝胥用墨著紙最黑。鄭嘗夜起自起磨墨，自號爲夜起盦。又鄭曼青畫竹用墨亦最黑，其多涵水者墨色亦視他人爲深，此兩鄭俱嫻技擊，或者使力與人有殊。前在博物館見王寵所書盤谷序，用墨亦極黑，他所罕見也。

六弟秉模前年在嶽麓山爲余購得硬毫大字筆，使之無不如意，信是昔年老筆工精製者，今殆無有矣。

心畬先生游日，日女為研墨，於硯中直來直往不作盤旋，溥怪問之，云：此是中國研墨古法，溥大慚。

高麗髮牋舊是名紙，劉生託人為余遠致百番，澀筆拒墨，殆不能用。甚矣，今日紙工之退步也。

談圖章

璽印由來舊矣，有秦璽有漢印，不可勝數焉。清賢龔定盦得漢鳳紐白玉印，文曰「緁妤妾趙」，喜極賦詩，曰：「天教彌缺陷，喜欲冠平生」，又曰：「狂臚詩萬首，高供閣三層」。此印定公歿後歸何子貝，何旋轉售粵東潘某，後乃不知何屬，古賢之重古印者如此。五代以前畫家，俱未有印記，其名款多藏著於器物或樹石中。宋以後乃多著印，明清而後益大著。名章而外，閒章復多，如沈寐叟別署乃至數十也。書畫家多能自奏刀爲金石刻，圖章故遂益多焉。

近人閒章如康南海曾有一印大略爲游歷數十國，經行數萬里等文字。譚茶陵亦有以南人北人騎馬食麥之異等事鐫一印。今老眊俱記不詳矣，而老輩之風流高致，可挹可想也焉。近時羅志希有「籌邊西域持節西天」一印亦頗有佳趣，李猷曾爲國史館擬撰傳記，一小印曰「今史官」，雖略自詡亦兼自嘲耳。若夫某某等小印曰「聯聖」，曰「忝爲華岡博士師」，曰「文學侍從二十五年」，概可謂之「顏孔厚」矣，且更亦不知今日爲何世也。欲刻意恭維之，亦苦不知如何措語，此雖劇騰笑枋，亦可謂圖章之一厄。

于右任、溥心畬、張大千所用圖章俱不俗。于氏且祇用一印爾。昔吳大澂曾得度遼將軍印，蓋漢印也，大喜，朝鮮釁起，率師出援，以謂可致大功，俄而師大潰而官謗速，無可為地矣。又可為一歎。

藝事入門書略談

東坡曰：「李建中書，雖可愛，終可鄙；雖可鄙，終不可棄」。極質切，眞金針度人語也。

今之談國畫者，輒訾鄙《芥子園畫譜》，非作此等語殆不足以鳴其「高」，其實，習國畫諸君又有何人不曾涉獵此書者。近人《馬駘畫寶》亦有其可取資處，亦復未可全毀全棄也。特近來印刷工藝日精，美術教育理論日富，此等書重要性日減，然中西今古畫藝，正可彼此相互參發，旅長途必資餱糧，先賢榘法庸可悉捐也乎？

又如論詩者昔時多有取於詩話，其習見者如《隨園詩話》，初學啓發靈思，提高識解，實有可取，特不可爲其巧說而迷失正途耳。沈歸愚詩殊凡庸，然詩論時見深切精警，如作字之樹間架，此有最宜者。更如漁洋《聲調譜》，雖固陋窘狹，然求聲調之正，此又不可不讀；然此間好言詩者，靡不以爲鄙不足道棄之若遺，儉腹枵腹以高談，余殆不知所可已。近人《石遺室詩話》，余曩曾痛闢之，闢則誠當闢，特爲眾生說法計，固亦可思東坡之言也。又近人余紹宋所著《畫法要錄》，亦論次銓評講說甚備，學者固亦宜留意參觀焉。

別好

龔定盦有「三別好」詩，於其所好，余有從同亦有執異者，人所好惡固未能纖悉畢同也。余對當世詩家書法家亦各有所別好。

就詩家言。伍俶（叔儻）余既屢有文述之矣，所著《暮遠樓詩》，嚌味魏晉南北朝，清聲雅調，不爲激楚之言，於世無所求亦無所迕，我雖在眾中但爲眾中之自我。深於情，濃郁醇至而一寓乎清澈澹永之中，嵇志清雋阮旨遙深，雖不能至意實嚮之，有出塵高世之志，謝夫人林下風清，或可以相方也。其自視殆爲一詩人而不爲詩家，因是其所作，乃如清沼修篁籬花村酒，無長江大壑崢嶸磅礴之概，可以靜玩而不足以登廟堂，得失固顯然已。極鄙薄杜陵，訾爲傖父，不其過歟？

鄭騫因百，著《桐陰清晝堂詩》，鄭深於宋詩，於陳簡齋陳后山兩家，俱有箋註。規后山則減其鋒稜，法簡齋則遺其雄闊，而別爲一種深摯廉礪獨造之境，蓋於簡齋爲尤深也。近時竺於簡齋者推梁鴻志及君，梁熱中權宦終以失節見法，君則反是，絕口不道時事，而感傷悽惋，託於一花一木一小物之中。其惘惘戀戀，一往情深，每足以沁心脾感肺腑。人或逃禪君或逃於詩者歟？取境逼仄，而蘊畜廣遠，戛戛乎其獨難已。然有時亦不能盡掩其強力抑制所夙有之濃烈情感轉化釋解之迹。故詩中邱壑時見。骨力高騫，無一淺露語，后山所謂「善刀而藏光奪目」，意或近之。無其體物之深、注愛之切，蓋不能知因百詩讀因百詩也。

就書家言，弘一法師李叔同，早歲留學東瀛，以畫藝曲藝劇藝，名噪一時，倏忽一切捨去，紅魚清磬一瓢一鉢爲苦行僧，積久爲戒律宗師，世所共仰。其書植根北碑，廣取鍾傅王令法以融匯之。莊嚴中有慈祥意，窺之無涘，尋之無窮。在摩巖刻石唐人寫經外，別樹一幟，不著一點塵壒，似無意於書而篤志於書者。東坡所云「剛健含婀娜」，尚未足以盡之，是足以服人矣。

故立法委員段四惕永慶。謂四惕者，惕驕矜惕財色惕權位惕聲名爾。生時無藉藉名，歿後十餘年，梁寒操香翰屏諸君輯君遺墨刻於香港，印凡千冊，售出者乃僅以十數，甚矣，知賞之難也。君書大本在兩石門，博參古篆隸法，以注於草書，自章草二王長史素師旁收博攬，篤古而變古，結字不甚取古貌而用筆無不隱寓古心。極而論之，凡所謂筆法墨法者，君皆無所縈心，特假筆墨以展現其奇邈之意氣而已，無轍迹可求，不取一法又不捨一法，偶或荒誕自遁，不肯投時目。讀書或非甚多，多寫近今體詩之淺熟者，蓋其智力壹鍾於書而已。欲近傅青主。似所蘊畜，乃不足以侔傅，是終所以爲小就也哉。

之四家者，俱有類於畸，畸而不畸於氣類相近者，是所謂爲別好矣歟？黃山谷與姪榎書曰：「士生於世，可以百爲，惟不可俗，俗便不可醫也」。醫俗以拔俗，能近取譬，執柯伐柯其則固不遠也。

略談雅與俗

《山谷別集·書嵇叔夜詩與侄榎》云：「叔夜此詩，無一點塵俗氣，凡學作詩者不可不成誦在心，想見其爲人。雖沈於世故者。暫而攬其餘芳，便可撲去面上三斗俗塵矣。何況探其義味者乎？故書以付榎。可與諸郎皆誦取，時時諷詠，以洗心忘倦。余常爲諸子弟言：士生於世，可以百爲，惟不可俗，俗，便不可醫也。或問不俗之狀，余曰難言也。視其平居無以異於俗人，臨大節而不可奪，此不俗人也。士之處世，或出或處，或剛或柔，未易以一節盡其蘊，然率以是觀之」。此書余幼日能成誦，白髮重溫，有深媿焉。叔夜詩余最善其四言，眞所謂豪壯清麗者也。迥出同時諸家上矣。俗與不俗，實正難言，山谷但舉其一節也，然教子弟，亦衹可如此說乃爲正軌耳。

詩書畫諸藝，最須辨雅俗，俗，便不可醫矣！梅聖俞詩不避俗，化俗爲雅，其未能化者，則終俗矣。夏吷盦學梅詩，極化俗爲雅之功，而於「化」之手段、工夫，太致力、太用心，顯露痕迹，遂有不能優入聖處者也。鄭子尹與其舅氏黎恂等，使俗成雅，造一新境，然雅俗之畛域固在。顧亭林處俗而無不雅，雅與俗混然同矣，此其爲獨高也。鄭板橋寫竹題畫與作詩文，蓋有志於雅俗混同矣，特坐好野戰，有時適成荒怪，揚州諸怪，其病亦皆在此。刻意矯俗避俗絕俗，乃適成其爲另一型之俗，不可不知。李笠翁《十種曲》，昔蕭君幹侯極服膺，謂其人超塵拔俗，余頗不謂然，諍之甚力。蓋不獨以其作《肉蒲團》爲筆墨汙穢，即其論庭園布置裝飾，瑣瑣碎碎，東裝一花牕西飾一扇角，小家子氣十足，不能語於大方也，最令人生厭耳。昔人論陶詩謂「淡而永」，有味乎其言，此眞不俗矣。蓋學者必先明雅俗之分，而復能泯雅俗之成見，純任自然，斯無往而不自得矣。清高宗之好爲「多寶格」，直如兒童之喜辦「家家酒」也。偶爲之可耳，爲之而不戢，小器之盈，俗乎？雅乎？

七子與八怪

考建安七子之目，出魏文帝《典論・論文》，爲孔融、陳琳、王粲、徐幹、阮瑀、應瑒、劉楨，乃不及數陳思王。《小學紺珠》從之，其他諸書所稱述亦如是。別有以陳思爲首而去北海者，則本乎《魏書・王粲傳》及謝靈運詩也，明人楊承鯤《建安七子集》從之。是建安七子云者，蓋亦有兩說也。

朱明一代有前後七子。前七子者李夢陽、何景明、徐楨卿、邊貢、康海、王九思、王廷相，世無異辭。後七子者，李攀龍、謝榛、梁有譽、宗臣、王世貞、徐中行、吳國倫。以上並見《明史・文苑傳》。亦有舉列李先芳而不列宗臣者。清朱彝尊《明詩綜》則逕擯李先芳而易以宗臣，則兩說之異也。陳子龍（臥子）云「伯承（按先芳字）爲七子先驅，而其後不振」。錢謙益云：「伯承未第時，詩名藉甚，嘉靖七子之社，伯承其若敖蚡冒也。厥後李王之名已成，羽翼漸廣，而伯承左官落簿，五子七子之目，皆不及伯承，伯承晚年每爲憤盈，酒後耳熱，少年用片語挑之，往往努目嚼齒……」。甚矣，爭名如是其切且激也。

有清一代斥七子者實過甚，夢陽、景明、攀龍、世貞亦何可輕耶？詩追盛唐而上溯，固是坦途也。惜其後，李王末流囂習漸被，流弊滋彰，浮響空腔，乃滋議口耳。今世之追同光體者，其失殆或過於追七子者歟？

世有稱揚州八怪者，莫知其所始。考《清史稿・藝術傳》：「乾嘉之間，浙西畫學稱盛，而揚州游士所集，一時名流競逐，其尤著者爲：高鳳翰、鄭燮、金農、羅聘、奚岡、黃易、錢杜、方薰等……」。此所舉爲八家，但並未指爲八怪也。新出之《中文大辭典》云：「清金農、羅聘、鄭燮、李方膺，汪士愼、高翔、黃愼、李鱓、要皆豪放不羈，野逸畸行之士，在雍乾間以善畫流寓揚州，因號爲揚州八怪」。李玉棻《甌鉢羅室書畫過目考》則謂：「畫家金農、黃愼、鄭燮、李鱓、李方膺、汪士愼、高翔、羅聘，畫史稱之爲揚州八怪」，新出《中國名畫欣賞全集》從之。張庚《清朝畫徵錄》則但著李鱓、高鳳翰、鄭燮、金農等名，餘無見焉。余不習畫，亦未嘗多畜論畫之書，弗能考已。竊以爲「八怪」本無定名，各隨其意所好尙進退之可耳。以不齊爲齊，固莊生之旨哉！

邗上有老翁寓台者，致友生書札輒自署「揚州九怪」。夫「八怪」之稱，乃爲後人所推定，自署爲「九怪」則固已「怪」矣，自審其爲「怪」，余固亦樂稱其「怪」焉。

詩舛

詒繼宗寓還書，且以近批《空軒詩話》示渠，徵詢意見。縱談甚歡。

繼宗以爲李太白「大雅久不作」一詩，與其平昔所作不類。蓋太白平時但間有侮弄宣聖語，獨此作深著推崇，即使此作爲眞，亦係其門面語非良心話也。又太白力主四言，曾云「五言又其靡也」，此語或又非眞。太白詩實多五言，四言者絕少，既以四言爲善，又胡不多作四言翻乃多作五言耶？即此已可證其非眞矣。語未必無見，然余重思之，此等俱是的筆而非假託者，詩家有時弄筆墨，或不能太認眞也，作考據是另一事，而此所云亦無關於考據。

繼宗又云：易實甫〈曉行詩〉首句，「黃葉聲中催酒醒」，「中」字未妥，遂使「催」字無著。

李猷〈題梅花〉詩二首，首作起句「一樹千花與萬花」，「與」字未安。次首起聯「畫罷梅花又一年，墨池波泛起蒼煙」，「起」字亦不妥，豈有作畫一年之後，墨池復起蒼煙之理也乎？事理大乖矣。

又伏君作陳某某米（八十八）壽及鑽石婚詩，有句云：「人間桑海婚將鑽」，繼宗云：

「婚而不鑽將若何」？相與大笑。

此爲余兩人偶然尋笑料之一例也，俱是現成材料，瞥眼隨手拈得，不「挖坳尋蛇打」也。繼宗又云：「我輩作詩文，實難免有不通者，但通者較多耳。有某君以文事自負，檢其所撰，或邏輯或文辭，十乃十不能完全通，此不暇笑，但可佩其能全不通本領之大焉」。

舛文

偶閱今時號爲文家者之作品，其別字、誤句、謬用成語辭彙不一而足，眞堪笑憫。此又不得僅責賣文諸人已也，操選政者出版者咸與有責焉。

前日繼宗電話云，國史館館刊載某君論陳寅恪藝事專文云：「寅恪初學駢文於范當世，嗣又學詩於其岳父范肯堂」，此眞如鬧劇所謂「諸葛亮提寶劍要殺孔明」者矣。作者不知而審核者又復不知，不讀書而懶惰，故一團糟如此。國史館所出史事書能鬧出此等笑話也乎？

文復會所出今注今譯之古籍，檢其錯舛，當不止萬端。以李宗侗之注釋左傳例之，李固宿學，可信其疏注左氏傳必當無大舛錯，而檢所出書則觸目俱是錯處。宗侗晚年病瞽，此注殆是由渠口述句讀與注義，錄音由生徒傳寫，而傳寫者學力過差，故其荒瞀乃不可究詰。文復會諸君，疏忽如此，究竟所司何事耶？

又故宮博物院所出大部頭書曰《法書篇》者，今殆已出十許冊。余偶買三數種，其中謬誤每冊殆不少於百處，曾抉其所刊〈孫過庭書景福殿賦〉釋文按之，其誤乃至四五十處之多，亦大可駭矣。蓋釋文者既不識草書，而〈景福殿賦〉收在《昭明文選》，復不一查對，帖中兩「構」字闕筆，蓋宋高宗名構故爾也。是則書所據乃宋刻《淳熙覆刻本文選》，顯爲宋人書，非過庭筆矣。諱字亦不知考，則於板本學亦懵然無知矣。尋其所書與過庭書法迥異，唐賢絕不如此。胡標誤識，以一國家機構，轉不如日本平凡社之精審，可嘅也夫！

不虞之譽

王湘綺云：「作文時不可看書，但令逍遙」，《隨園詩話》云：「讀書久覺詩思澀」，兩氏俱有大名，而俱云作詩文時不宜讀書，然則讀書時乃不宜作詩文耶？余則於讀古人書時，詩文之思，又頗有觸發。自審讀書不及兩君，故當是體會不到也。李義山之獺祭羣書，宜是檢考資料，非讀書耳。今時人則多師義山矣。

少壯日讀古人或近人詩文，覺多有不足觀者，老年重讀，乃覺其亦頗多佳趣，是意氣衰頹邪？抑識力有進境耶？又或者兩俱是耶？湘綺云：「少時意氣盛，近來眼界寬」，已先我言之矣。龔定盦云：「我論文章恕中晚，略工感慨即名家」。此仍是有行行氣，設毫無所感慨，則古今詩文當芟卻十之七八矣。孔聖所删或此等耶？然固亦芟之不盡耳。

欲撰一文，適陳敦正君郵眎萬綸君致渠信，信封加註數語，於我頗有譽辭，亦近來罕見之事矣。「承贈大著（蓋指陳所贈書），容慢慢讀，頃閱張之淦先生敘文典雅高妙，似係樊易一流，欽佩之至，想其書法亦必高雅也。綸附上」。敦正註云「萬綸將軍字壯波，湖南瀏陽人，對閣下序文之評語，特轉一閱」。萬非舊識，詢理濤亦不諗其人。自來未有以樊易方我者，此亦異見也。頗笑萬，更頗自笑，然竊又自喜。乘興而稿乃迅成。此撰乃爲駁辨某君文字，頗嬉笑而不怒罵爲之。以眎三數知好，乃又蒙嘉賞曰此才子之筆也。自審年逾六十而使人以才子相譽，學問無成，不足稱數，滋可傷已，今後眞當努力。

數月來不讀一書，不撰一詩文，但作飲食之人而已，然此亦大有好處，可免生事。又屬純消費，但消費而已，亦可以間接有助百業生產也，似又可謂功德。老氏所謂「無用之用」耳。今於多處獲此「不虞之譽」，其能令我忽然自奮，勉爲木屑竹頭也乎？

攘書

劉申叔曾著《攘書》，意在攘夷排滿，余今襲劉書之名，而不取劉旨。乃謂攘取他人著作，易著己名以行之者。

《呂覽》《淮南》之類，遠弗論矣。如谷應泰之《明史紀事本末》，曾見某筆記謂係以五百金買得張岱之稿者；趙雲松《陔餘叢考》傳亦出自另人之手；戴震《水經注》世謂襲趙一清文，胡適之曾力辯其非；王湘綺《湘軍志》有謂本自莫友芝《湘武志》，康南海《公羊經說》亦有謂取自廖平，而梁啓超著論兩平其爭焉；其事猥多，不勝舉也。至於陳沆《詩比興箋》世盛稱本魏默深以稿屬陳即用太初之名行者，張廣雅《書目答問》則本由廣雅屬繆藝風代譔者，而非爲攘也。諸君子皆名重一時，傳言良未可信。近歲有吳君者踵《臣鑒錄》成一書，稿就，擬送請教育部獎助，屬其友轉致之，此友乃竟掯匿，改易添湊若干文字成書，極諂主宰時命者，命曰某錄以希榮固寵，果大得效。此友旋爲介薦一金融乾薪高職，並給領公屋一所爲償，用塞其口，吳君稿可謂得善價焉。又張翰儀《湘雅摭殘》本係劉腴深所著書，張實風塵末吏，無足道論者。

邇歲博士碩士學位論文、教授講師升等論文、國科會請獎論文，爲抄襲，爲假手他人，爲半鈔半寫，爲拾人牙慧者，乃不一而足，學風士習頹敗若此，亦賈生所謂可爲痛哭流涕者矣。

道統與文統

近有以「一肩承道統，一肩承文統」，發表談話者，其人則主持文化工作者也，各報刊羣起應聲張之，余愈益滋惑焉。

「道統」之稱雖始自宋人，其實則昌黎韓愈即已有此旨，且以道統之承傳自任。昌黎之說，隱採禪宗法印之承傳，遠紹孟子卒章之啓發，余夙有此論。近見陳寅恪〈論韓愈〉一文，說與余同。深自喜余讀書之頗能有契於明達也。道統十六字心傳比於釋家之心印，所謂「人心惟危，道心惟微，惟精惟一，允厥執中」，見於僞書〈大禹謨〉，其託根已自可議。且「道」者，依《中庸》之說，爲「不可須臾離者，可離非道也」。其爲質乃與萬物資生之日光空氣水等，殆不可私而有之，故不可以統，統之亦無所用，可以統者，必爲可以得而私者，若夫一學派之說，有其承傳統緒，則「道」之義，乃與《中庸》所詮者不同，所謂道其所道是也。但可稱爲「學統」。今人恒執「道統」之說，蒙竊以爲未安。

若夫「文統」云者，余曾未之聞，祇清人鄭小谷獻甫與人論文書，譏桐城流裔選文，爲一脈師傳，故爾云也。鄭之言曰：「近有妄者，以歸震川直接歐陽，以方望溪直接震川，以姚姬傳直接望溪，其餘概不得與。余得其選本甚相怪笑。噫，北宋人有正統之說，南宋人有道統之說，近人又有文統之說，妄語不足辯，聊爲吾子言之爾」云云。今日司文運者亦效爲此等言語，其亦可怪也夫！

學作文

余小年或亦尚了了，讀書從未覺其苦，午前課經史習大小字，讀古文及詩。文之千餘字者，讀十數過必能背誦，其解義以侍祖父叔祖煙榻畔，不時得有所聞，且其深微處亦不甚講，故覆解亦自易易。凡課某史某家詩文數篇後，必命橅其聲調作一小段或數語，不必成篇。老人閱改析論之。背解費時短，常有暇閱諸筆記或小說，不常溫書，故經史讀過後或竟不復經眼。憶祖父授《楚辭》，亦命仿作，余不樂為此，屢督則連書十餘「兮」字「些」字以進，殆受《隨園詩話》轉述曹孟德不喜《楚辭》語之影響也。祖父雖不甚怒，但連詈余曰：「畜生、畜生」。此為最重之責，後亦不復講此。余於騷經為最疏，受病蓋當緣此。兩老常以博涉廣聞勉勗，小書凡非褻蕩者不禁閱，故於藝文事視兄姪輩所知為多。

中學二年級時，周蝶珊師點文字較清順者五生，余與其列，施特殊作文磨練。文言虛字如「之」「也」字，一文得用五次，他如「乎」「哉」「歟」「耶」「者」等字，亦各有嚴限，典故成語不得徑直引用，必變轉繹衍乃可入文。基本分數八十，逾禁限者扣分，別紙寫明有無違限情形夾入所繳文卷中。初甚感苛苦，得分逾六十已為慶幸，久乃漸能安之。學年終了前一月，禁制悉解，得縱筆抒寫，羣遂滔滔汩汩，無所窒滯矣。祖父云此法良善，於散體駢體俱有益。今余猶深感之。特以爲今時文科學生讀古籍少，求用虛字能軌於正已難，遑論屏去。是則此種磨練殆已無可實施矣。

童丱時，凡讀新書於翻葉之際，輒預測次葉前一二行當是何語，十或中七八，長遂無此樂矣。余自揣讀書速度尚不爲低，今時學生講求速讀，不知其術，問於從業者雖詳爲置答，亦懵弗能曉。竊以爲科學技術進步，日新月異，商戰分秒必爭，於新知之汲引接受，自以能速讀爲宜。特就藝文撰作以言，依先賢之指述，參己身之體驗，必先有所蘊蓄融會，眞積力久，靈感激盪而出，乃能心靈手應，斐然而成章，若夫徒爲目涉，飛鴻影過，聲響靡存，復何蘊錬之可言？是知速讀之必不能致其功也。余茲所論，其拙或甚於土法錬鋼，益悔往日怠於溫讀故書，遂成枵儉，有悖夫曾湘鄉涵泳之言，噬臍復何及哉！

「剜肉爲瘡」

曩余讀章實齋《文史通義》指其論《古文十弊》爲村塾師之言，但概括言之。茲舉一例以明余說。其所舉十弊中「剜肉爲瘡」條云：

「某名士撰其母行述，謂其祖年八十餘病廢臥床，其母苦節，家無次丁，母乃不避穢褻，躬親洗濯，其事既已美矣，而其下復綴數語曰，其祖於時蹙然不安，母乃肅然對曰，婦年五十，今事八十老翁，何嫌何疑。「嗚乎，母行可嘉，而子文不肖甚矣！如冰雪膚剜成瘡痏也」。

凡此之所云，實乃與古文之弊了不相涉，而爲不知文不知理者之失也，實齋掇拾譏議之，毋亦鄰於不知方矣歟？，於古文乎何尤？

歐陽修撰〈長安郡太君盧氏墓志銘〉，述其得於父母舅姑戚鄙之懿，取徑乃藉眾口之稱美，頗有近於古詩〈陌上桑〉稱美羅敷之法。其中有云：「其舅姑老，事之如其親，其歸寧於父母也，能使其舅姑不見三日，泣涕而思」云云，其辭或者病於夸而昧於事理矣乎？使實齋論之，將不知作何說辭也！

重爲文

唐順之與王遵巖（愼中）書云：「屠沽鄉人有一碗飯喫，其死後則必有一篇墓志。達官貴人與中科第人，稍有名目在世間者，其死後則必有一部詩文刻集，如生而飯食死而棺槨之不可或缺。此事非特三代以上所無，雖唐漢以前亦絕無此事。幸而墓志與詩文集者，皆不久消滅。然其往者滅矣，而在者尚滿屋也。若皆存在世間，即使以大地爲架子，亦安頓不下矣。此等文字若家藏人蓄者，盡舉祖龍手段作用一番，則南山樵炭竹木盡減價矣。可笑，可笑！笑僕文何用更置一莖草於鄧林棼棼之間哉」。讀之增懍。

湘人某，余素薄之。其母喪，欲得一哀啓奠誄文字，馬鶴凌兄電話相屬，且云必致厚酬。余謝不敏。馬不之恚，且曰姑試言之耳！猶憶曩余新遷敦化路時，此區甚荒僻，有田父置餿桶於余宅畔收廚餘，隔隴農舍蓋畜豕甚蕃也。敦化區地價日數倍，此叟有田產，遂團團爲富家翁矣。翁鰥居，有子女各一，鄰邑有嫠婦亦各子女一，翁子先娶其女，嗣翁女又嫁嫠婦子，旋翁與嫠復相爲耦。翁七十，有欲爲壽言爲祝者來乞文。此等糾纏不清之關係，如何著筆、如何題款？謝不敢應。今逾數十載，仍尋思無善處之法也。誠使余賤賣其文，亦何肯作如此誕謬之事乎？

余茲既刻平生所爲詩文，抑又何逃於荊川之所譏？赧赧然效昔人之工解嘲者勇爲言曰：吾從眾！過而存之，焚之與否，則聽諸世人已。

文籍推銷異術

唐武后時，陳子昂初舉進士入京，不爲人知，有賣胡琴者，價百萬，子昂顧左右輦千緡市之。眾驚問，子昂曰：「余善此」，曰：「可得聞乎」？曰：「明日可入宣陽里」。如期偕往，則酒肴畢具，奉琴語曰：「蜀人陳子昂，有文百軸，不爲人知，此賤工之伎，豈宜留心」？舉而碎之。以其文百軸徧贈會者，一日之內名噪都下。此文籍推銷之一術也。

宋初柳開與穆修極力爲古文倡導，此事於吾國文學發展甚具影響，蘇舜欽有哀穆先生文，甚悽惻，能狀其人。穆字伯長，文甚飭鍊，有特操，柳字仲塗，其文則殆榛僿不可讀者。伯長曾爲參軍，舜欽又有穆參軍遺事一文，頗有趣；大意謂：伯長甚貧窘，得柳子厚遺文丐於所親厚者得金，募力鏤版，印數百集，攜入京師相國寺，設肆鬻之，伯長坐其旁。有儒生數輩，至其肆輒取閱，伯長奪取怒視而謂之曰：「先輩能讀一篇不失一句，當以一部爲贈」。自是經年不售。此又殆推銷而反推銷之道也。

尋右所舉揭，子昂伯長所操術不大相徑庭矣乎？伯長殆不免過已。今之書賈，於報刊恣登其違實而不通之廣告，求售所刻，不乃迹陳而背穆者歟？又何獨書賈爲然，百業蓋俱如是也。

國文試題

近司法官考試國文題：「法之惡，猶勝於無法」，語出《愼子》，而「雖」字誤作「之」字，報紙雜志競抨擊之。《馮蒿庵隨筆》記一事與此頗相類。光緒癸已順天鄉試，第三場題譌誤者多，其尤甚者，赫連氏所都者統萬也，而曰拓跋；姜嫄所生者稷也，而曰契。有榜於貢院者曰「人地生疏」，考官請下吏議。是科考官爲翁同龢、孫毓汶、陳學棻、裕德，內監試爲李慈銘，同考官則吳士鑑等十八人，並極一時之選云。

稱謂之異

章士釗《柳文探微》引載李蒓客甲寅日記之言曰：《爾雅·釋親篇妻黨》有云：女謂晜弟之子爲姪，郭注引《左傳》：姪從其姑，故姪字從女，今男子稱兄弟之子曰姪，失之矣。夫兄弟之子當稱從子，謂從子而別也。《呂覽·疑似篇》，黎丘奇思善效人之子姪昆弟之狀，此子姪之稱最初見者。《史記·田蚡傳》。蚡侍酒魏其，跪起如子姪。而宋于庭則謂漢人無言子姪者，何況於呂？〈田蚡傳〉談稱子姪，《漢書》即已改爲子姓矣。《唐摭言》，張峴妻是顏蕘舍人猶女，猶女即姪女也。似唐時姪字已通行。柳宗元〈送兄偁序〉，有「從姪立」之句，何義門譏其不古。士釗又引柳子厚〈送內弟盧遵序〉，糾之曰：「母家稱外氏，而舅子翻言內弟，唐人母黨稱謂外內不一致，似不如今人號表弟爲得」。

今時赴告父母之喪，恒書孝子某某泣啓。憶余童丱時所見，則必云「不孝某某」，數十年間，其自稱「不孝」與「孝」者迥異。按《禮記·雜記》：「祭稱孝子孝孫，喪稱哀子哀孫。」《疏》云「虞以前凶祭稱哀，卒哭以後吉祭稱孝」。夫「孝」固謂善事父母也，要非居喪子孫自稱所宜。禮貴從宜，宜則民俗從之。處今之世，徑書子某某女某某何如？

宋翰林學士李宗諤〈書送士龍詩〉，題「詩送士龍腹兄，從表弟翰林學士李宗諤上」，從表兄而稱之曰「腹兄」，良不可解。宗諤歷翰林學士諫議大夫，風流儒雅，藏書數萬卷，曾與修《通典》者也。

柳子厚與人書札，多稱人爲秀才，實則唐無秀才科，所謂秀才，殆指應考之書生，及第與否，在所不論。其言舉秀才，猶言舉進士。見章孤桐《柳文探微》。又子厚撰〈箕子碑〉，稱箕子曰先生，此亦有異於恒數者。

家祭

顧亭林曰：「記曰：君子有終身之喪，忌日之謂也。世俗乃以父母生日設祭，而謂之生忌，禮乎？考之自梁以後始有生日宴樂之事，而父母之存固已嘗爲之矣，則於既亡而事之如存，禮雖先王未之有，可以義起也。」余遠遊，家祭禮缺，每歲考妣生辰爲魚菽之祭，僅此而已，此亦且資以燕賓客也。顧氏此說，固是能會通性理者，時俗乃竟有爲亡父母八十九十百歲徵詩文、設筵讌，迹近於抽豐，則無聊之甚矣。

喪祭枝談

馬君鶴凌母向太夫人捐壺。馬母守節撫孤，來臺後余數曾謁讌，深所敬禮者。鶴凌兄電話詢問居喪之禮，意在有何可以權宜損益者。因告以今日社會情形，已與往古不同，無須泥古，矧國家亦未有禮制之頒定，可酌古擇其可從者法之，哀戚在心，孝敬亦在心，形式固可以取可以無取，禮曰「從宜」，先聖固云「汝安則爲之」也。旋以所撰母氏事略稿來，有數處非盡屬於文辭者，商詢爲斟酌之，鶴凌極表申謝。余謂此固朋友之道也，君亦何須如此。

另有某君擬於某日爲其母在華嚴蓮社唪經，有柬帖來，並諷其所親厚者發動同仁送禮。據送帖者云，今春聞其母早喪於上海，下週四爲其母生日，今年九十六歲，故於此日設薦，箋帖明文則慶冥壽云云。余深惡其乖禮，於來使顯斥之：母喪設奠，余輩當往弔，爲百齡冥壽，亦當往賀，非此兩者，余輩則何緣助祭？九十六設祭，九十七復設祭，年年設祭，遂當年年往助耶？或曰今年聞母喪故特爲乘誕日設薦爾。是則其質則喪禮也，而託名則壽慶也。夫喪、哀戚事也，壽、慶忭事也。某君將以母喪爲可慶賀之事乎？受弔乎抑受賀乎？先聖之言曰：「是日哭則不歌」，喪則當哭，壽則當歌，爲人子者處此事，其衷心感情究竟爲哀耶慶耶？抑或麻木混淆且哭且歌莫名其妙耶？爲其賓客者，壹陷於莫名其妙啼笑皆非哭笑不得也。助祭醵金，人皆有，我不可獨無。送之送之，實所謂非禮之禮也。

害天下之三流人

《唐語林》云：「盧舍人羣、盧給事宏正相友善，羣清瘦古澹未嘗言朝市，宏正魁梧富貴，未嘗言山水。羣日飲高臥，制詔多就宅草之，宏正未嘗在假告，有賓客皆就省相見。」按唐世制誥詔命，皆中書舍人爲之，謂之內制；其百官告詞，則學士爲之，謂之外制。余比月以感風轉病肝腑，未能詣會所，而設計考核裁復諸案，無他人可假，亦不得不勉力就臥榻書案之側爲之，但未嘗有賓客也，我思盧羣，特今時山水之趣乃亦不屬焉。

昔賢云：「害天下者三流：一居心刻薄之小人，一專意詐僞之老猾，一不知辦事之少年，徼倖一己之功名，嘗試萬民之性命」。吾於此三等人，殆悉見之矣。請告而猶不能不力疾在寓辦若干無聊無理之文字工作，記馮蒿菴語，有同心焉。

於電視時事評論節目中，偶聞王君作榮謂當領袖者須略帶些許流氓氣，乃可集事云云。此眞有見之言。昔曾湘鄉屬李鴻章建淮軍以代湘軍，旋李勢滋大，湘人或偶有求於李者，李不輒應，怨之者每詈言：「李二先生又打痞子腔矣」。此極有味。有時非「打痞子腔」實無法應付也。

聖賢豪傑盜賊之性

趙翼《廿二史劄記》論明太祖，謂兼具聖賢豪傑盜賊之性，可謂一針見血。又其論明祖行事，極意學漢高祖。歷舉初起兵時之豁達大度，嘗語孔克仁以寬大馭羣雄，以漢高自期；建都金陵，即倣蕭何建未央宮之例；徙民於中都，即倣徙齊楚大族於關中之例；分封子弟於各省，即倣分王子建國之例；殺劉藍、胡等人，即倣誅劉彭韓之例；凡此等等蓋不一而足。

近多有宰制時命者，輒復勇效明祖以追漢高，所惜其失時而乖方，遂每致魚爛土崩矣。考諸前史，略可比類者，殆近符堅而已耳，獨更惜時無王景略一輩人耳。

古聖之美周公也，曰：「善戲謔兮，不爲虐兮」，善戲謔則亦不免帶少許流氣耳。即此可以略見周公之爲周公，領袖之所以能成爲領袖也。

昔龔定盦詩云：「歸安醰醰百怪宗」，又曰：「歸安一身四氣有」，夫所謂四氣，指春夏秋冬四時之氣也，不幾於明太祖所賦性也乎？以今之俗語釋之，則「千面人」耳。世之具此四氣者，而乃徒爲市蠹、徒爲凶人，不能爲領袖也，事固不可一概論哉！

青年才俊

歌姬崔苔青，美艷而聲宛轉，傾動市朝。近年當局用人，競登進青年台省人士，謔之者乃謂爲「崔苔青路線」。蓋取崔吹諧音，吹則吹牛皮，即好大言也；苔者亦諧音，謂台灣籍也，青則謂青年也。然大抵著重在青年，驟登高位，羣不滿者遂恣爲譏詆焉。是又何必！俗語云：「長江後浪推前浪」，事理固然爾。

明代溫陵人李光縉曾有考述，歷數弱歲而躋隆顯者。其言曰：「顓頊十四歲而爲少昊相，帝嚳十五而爲顓頊相、唐堯十五而爲帝摯相，甘羅十二而爲秦上卿，韋成康十五而爲郡主簿，司馬元顯、高澄俱十六開府輔政，崔英十七而爲苻秦諫議大夫，子奇十八而爲齊東阿守，張緬十八爲漢淮南守，賈誼十八爲博士，終軍十二爲謁者，俱有聲」。

右所指述，俱青少年才俊也。今之所謂青年才俊者，其騰達視此猶有所不及也。宰時命者但當審其信爲才俊否耳！

九一八

今爲九月十八日，政府及民間乃無若何紀念行動。回憶六十年前今日，余正讀書長沙，日軍強佔東北，全國同學少年咸憤切痛恥，組織鐵血義勇隊，自動請教官訓練操兵，余報名參加，以小弱不適一步槍之高被擯，深以爲憾。當時士氣民心，視今時眞相去萬里矣。

又憶十餘年前，日本文部省狡飾其侵華史實，於學校教科書中，對侵略中華領土，竟詭用「進出」字樣，對南京大屠殺亦並一概抹煞，全世界爲之譁然，大陸尤其嚴重詰責抗議，日方卒改用較爲接近事實之文字。而是年國民黨黨史會舉辦九一八××周年紀念展覽，該會主任委員某，素與日本產經新聞報有連，該報又與日本右傾分子關係密切，因是黨史會於展覽事大爲棘手。其展覽會請帖文字，左迂右迴，遮羞半面，一若爲世所迫不得不辦者然，閱之眞令人心痛皆裂。此帖余當時憤而撕裂毀棄，如存之則實一民族文化恥辱之文獻也。如今時而仍在對日抗戰中，某之不爲殷同汪時璟輩之廝養者殆希。

學術會二三事

近年來學術演講會甚多，余常避不參加，蓋若干余實聽不懂，若干則殆為常識，又若干則特持奇怪可喜之論，其舉證析理錯引誤解不一而足，幾令人噴飯。輒欲起而駁論之，於禮於勢皆不當爾，聽之不聽之，俱氣悶之至，故余不與也。

某君近時以講哲學詩有名，報載其在某學術會談中國文化取向大意，大意謂由佛家之乾淨，進而道家之清淨，發為儒家之誠教云云，誠教當是誠敬字誤。然檢討其語，實有數義未安：其一，自位階言，乾淨清淨俱是一種境界，而誠敬云者則是努力達成某一目的境界之途徑，位階殊不同。其次，自各家之精神或要旨言，從來未聞僅指佛家為乾淨者，「不垢不淨」乃佛言也。道家則清淨無為或清淨自然，亦非徒云清淨。儒家存誠主敬，是宋儒說，中庸則云「致中和」，漢儒所詮釋則是「天人合一」。復次，自所談歷程言，如何能由乾淨而進為清淨，又如何可由清淨而發為誠敬，是眞節節處處不可解矣。此君頗劬學，特愛炫耳，屬其友為婉道之，後此勿輕率為辭耳。

鵬程弟寄〈我看儒學經世〉文來，謂若干儒家之言或不當於世用，甚且亂治。闢顏元所主復宮刑、復井田、嚴邊禁、戢異端諸主張，語甚警切。顏氏此等說，本之韓昌黎，而井田農兵等等，取於周官之說。周禮或乃指為六國時人作，不盡可據，明末清初諸儒，於今時國家或社會情況，及其需要，固無所了解，且無從了解，其知識亦限於一「部落文化」情況，無足深咎。特有一共同之點，則多涵有斥異族觀念，如王船山《黃書》之論宅都、顧炎武之主張郡國、黃宗羲之君臣論，俱見此旨。鵬程能於牟宗三學術會中直言其師熊十力之誤，亦可謂敢言，論學必當實事求是，不作調人也。

「兇悶」譚

上午崧高來，因同羅理濤同遊故宮博物院，羅甚憊，實訝其遽衰也。午在頂好市場樓上進自助餐，同桌有少女送余冷凍果，羅谷頗羨訝，余實不識其人，亦不及問其姓名，或是早年聽課學生耶？

理濤談次甚沮喪，余廣之曰：「余輩身閱兩次世界大戰，且參與百年來民族戰爭第一次勝利，投身政治社會各種激烈革命，迭經大難而獲全，未罹刼害，生活享受大過百代祖先，更目覩人類登陸月球，或且有幸赴月球旅行，比種幸遇，決非常人能及，復何有所不滿足耶？惟有善葆頽齡，再閱數十年，看羣生變化耳！」渠意頗謂然。

崧高請勘定周子若教授所撰王介甫《老子評》一文，大概閱之，不甚中竅要。語以余近時實無暇及此，留稿，俟余所事畢再查證動筆。此老曾與余有筆戰，然與精神識力，實可敬佩，當別紀之。理濤頻頻乾哇，此爲甚不好現象，囑其速看中醫。渠頗熱中，退休驟冷，遂不免中此病矣。余自謂：所恨者學問無成，語經濟則未嘗失敗，蓋余數十年來，歷不名一文也，復何失敗之有？語政治，則竊嘗有意作官，又未嘗毫無機緣，到頭來一介平民而已，並無何并呑八荒流澤萬禩之豪情壯志，幼日所培養之「信仰」「觀念」，經數十年之身經目擊，覺亦漸次消褪，所僅存者或但爲先世所遺傳之志節而已。既見慍於羣小，復見罪於鉅室，作「麒麟楦」既不可得，且覺亦略無意義，本有意投入政治乃正爲「政治羣」所屛錮，夫復何求？可謂澈底失敗者已。蘇東坡云「勝固欣然敗亦可喜，優哉游哉，聊復爾爾」，是眞能詮達莊旨者已。眼中可崇拜之偶像漸少，覺眼前可欣賞怡悅之文字正多，「我愛湖山、湖山留我，寧不自適自得也乎？」

此段無聊言語，雖屬自道，實欲有以略廣理濤之心，但頗覺其似解又似不解也。

是日，談頗多，欲作詩，而未能屬筆。陶潛詩有云「旡悶徵在今」。其所云「旡悶」者，或不全爲先聖「旡悶」之意也，余茲之題篇曰「旡悶」，亦聊用陶意，而我自用我意耳。

另型世說新語

李模《日記》中錄甘地語一則甚好，云七事足以毀滅吾人：

(1)沒道德觀念的政治。
(2)沒有責任感的享樂。
(3)不勞而獲的財富。
(4)沒有是非觀念的知識。
(5)不道德的生意。
(6)沒有人性的科學。
(7)沒有犧牲的崇拜。

其中惟第七條余尚不能得解，餘皆韙之。李模所撰自傳曰《奇緣此生》，甚平實可喜。

國畫家黃永玉係沈從文之甥，曩曾避地香港，旋返燕都，近見某雜誌載其友人過訪黃居紀錄，謂其北京邸舍可方大觀園云。黃畫尚有才情功力，惟題識用毛澤東郭沫若一派，於我輩殊格格不入，但亦頗具新趣。

(1)無風格也算是一種風格。
(2)靈感是成熟以後才有的觸發。
(3)欣賞水平如喝茶，開始時喜歡加糖。
(4)聽笑話的反應，最易檢驗智商。
(5)最不可理解的東西最令人感動——深谷、海、蒼穹、閃電。
(6)誰敢冒犯樸素。
(7)好詩人從來沒有老師。
(8)詩是語言的情人，沒有感情的詩，是沒有感情的情人。
(9)把感覺完美的鋪開，就接近完成。
(10)藝術上的騙子，先騙自己，再騙別人。
(11)我聽過齊白石唱過一句「十八姑娘好戴花」的採茶調，很難聽，但有意思。
(12)最狂妄的行爲莫過於要改造老祖宗。
(13)你注意過俗中的美嗎？別輕蔑少年時期感動過的東西。
(14)直著看書，橫著想一想。

此類題識語，余尚能略理解，他如「現代畫」乃至「現代詩」，則余眞如「山東人喫麥冬」矣。曾以此語繼宗，渠云：「直當是發高燒人之譫語看可也」。淺乎哉！我輩也！又何適而能深乎？

戲談「試管嬰兒」

試管嬰兒頃已在美國試驗成功，又云台灣首名試管嬰兒出生。據報導先此固已曾有數處成功者，特未公開宣布爾。此事如更普遍，非特對世界各宗教有極大之破壞影響，其於我以倫常爲基礎之中華文化尤有粉碎毀滅之威脅。蓋所謂「常」者，永恒不變之謂也，如或可變能變，即不得謂之「常」矣。茲粗舉數點論之，隨想隨寫，不及深思。凡所論者或現行法律已有規定，或現時尚無規定，或現有之規定並不周延合理，姑妄言之，爲游戲之問。雖然；固是一正經事也。

先提一基本觀念：所謂五倫（即五常），曰父子兄弟夫婦君臣朋友是也。就中唯「父子」一倫爲純粹屬於自然者，蓋我必有父母，我必爲父母所生，父母可以生我，我不能求父母生我。此即是「常」，決無可變。我可以無子女，但我不可以無父母。「兄弟」一倫，亦屬於自然，同爲父母所生，然而我可以有兄弟姊妹，亦可以無兄弟姊妹，父母生與不生，我無從亦無法求之，故此倫殆有半爲可闕。若夫夫婦，則乃由社會關係（婚嫁）而進入半自然關係（夫妻一室一體），若夫君臣也，朋友也，則純屬社會關係。「五倫」乃係由「父子」一倫，尊重推衍及生活需要而形成而建立。如「父子」一倫關係變亂或破滅，則「五倫」之義之教，亦即必因而變更或被毀。此觀念須首先建立。

茲先就倫理關係設想數狀況

一、夫（甲）妻（乙），（甲）不能生育，取另一人（丙）之精子（價買或贈與此俱不論，下同）注入（乙）體，使（乙）受精而生子（丁）。

問：（丁）與（甲）之關係爲親子？養子？

二、夫（甲）妻（乙）皆不能生育，取另一男子（丙）之精子與另一女子（丁）之卵子配合成胎，而移植於（乙）體中。生子（戊）。（此種情形已試驗成功）

問：（戊）與（甲）之關係爲：親子？養子？（戊）與（乙）之關係爲：親子（自己出生）？養子（（戊）無（乙）之血統）　（戊）與（丙）之關係爲親子（丙之所提供者爲一「物品」——造人之原料——而非胎兒）。　（戊）與（丁）之關係，可以循（戊）與（丙）之關係而推知。

三、夫（甲）妻（乙）能生育，而其子媳（丁）與（丙）不能生育，取（甲）之精子注入媳（丁）體內，而生（戊）。

問：（戊）與甲之關係，倫序爲祖孫？抑父子？　（戊）與（丙）之關係爲父子？抑兄弟？（此俱自血統言。至於更下一層次之倫序關係循此可推）

四、夫（甲）妻（乙）皆不能生育，取另一男子（丙）之精子與另一女子（丁）之卵子配合成胎，而移植（乙）體中生子（戊）。（丙）與（丁）爲有夫妻關係者。（丁）乃（丙）妻。

問：（戊）與（丙）（丁）前後所生之男女，（己）（庚）（辛）（壬）等，是否爲親姊妹關係？又（戊）與（庚）（假設爲女性）相戀，是否可以結婚？

五、夫（甲）妻（乙）皆不能生育，取另一男子（丙）之精子與另一女子（丁）之卵子配合成胎，而移植（乙）體中生（戊），但（丙）與（丁）無夫妻關係。更以同樣方式取男（庚）男（辛）之精子，與女（壬）女（癸）之卵子，配合成胎移植（乙）體中，而生ⒶⒷ此ⒶⒷ與戊是否爲親兄弟姊妹關係（同一母所生）。是否可以結婚（血統完全不同）。更問：（戊）與（丙）與（丁）之關係又當如何？

六、將來社會上可能有一種女性，專受他人已成之胎，而爲之於體中寄養以至出生（其性質略當如己出生嬰兒之褓姆，此種女子僅爲一生育之工具）。

問：此女子並不出嫁，其所生之嬰兒爲親子（此女事實上無夫）？非婚生子（並未與任何男子有婚姻及性交合關係）？又原出精之男子與受精之女子，欲取得此嬰兒，是否須經認領？又此種情形下同一母體出生之眾男嬰眾女嬰，是否有兄弟姊妹關係（血統各各不同。）又是否可以結婚？

七、夫（甲）妻（乙），（甲）不能生育，（乙）以試管方式取得不知名男子之精子受胎生（丙），而（甲）不肯承認，但（甲）（乙）夫妻關係仍在存續中。

問：（丙）與（甲）之關係如何？（丙）與（乙）之關係爲親子，養子，非婚生子？我國最重孝道，將來爲兒女者將對出生之母盡孝道乎？（爲其所生，但無血緣）將對投精受精因而成

胎之男女，事實上親父親母盡孝道乎？（但爲尋樂，或供售賣，並未胎養）

我國文化之根本在倫理，五倫莫重於父母，前已言之，人可以無兒女，而決不可能無父母，父母非己身所能選擇者。生命受之於父母，此乃不可改變者，故乃謂之「常」，今以人力奪天工，此所謂「常」者已改變，不能復視之爲「常」，倫理文化其將何所託本乎？設醫藥及生物科學更有進步，人可使獸受胎而仍爲人，以胎兒寄於獸體，養以出生，又或但取男女精液配合，純由試管而不經任何母體寄養，則此類人之父母，及由父母而推展之親屬關係，更當如何確定之。

今複製羊已成功矣，複製人已可成功矣，取「我」之一細胞發展而成一次「我」，此即今語所謂之「本尊」與「分身」，此「本尊」與「分身」之關係，爲同係一個人乎，抑係不同之兩個人乎？其權利與義務又將如何確定耶？

人有生存權，醫學方面，早有將人冷凍至若干度，經所預約訂定之時間，解凍而恢其行動能力（生命），此技術多數國家已禁止其發展，此又非侵犯人權也乎？人之生存權亦猶自由之不得拋棄也。

凡此種種，余俱未經參考任何書籍，純屬冥想，實滋惑懼。或多已有所解答。但仍以爲法律政策於此等事，當注重保護當事人利益，抑或注重社會秩序關係，又或當注重其實質上之關係，抑注重形式上之關係，此亦當作一番推究也。余實愚過於「杞人」蓋乃不止於憂天已。抄附報紙所論數則如后：

借腹生子引起熱門話題，尚難適應我國民情習俗

醫學技巧雖能勝任但與倫理道德相違背

自從試管嬰兒試驗成功後，使許多無法生育的父母能享有自己的「親生兒女」。現今更進一步「借腹生子」之風也逐漸展開，使人覺得科學文明的進步，永遠站在宗教及法律之前。

前一陣子一位澳洲的富翁過逝後，生前曾保存了精子在精子銀行，有人認爲應該可找一位女性來借腹生子，這件事曾引起軒然大波！

近年來在國外更有許多借腹生子的介紹所出現。在本月十四日英國高等法院甚至判決，將一位借腹生子所產下的嬰兒，交給她的生身父親和妻子。法官認爲，沒有人能更好好的照顧這個小孩的生活，不論是身體或精神方面來說，均是如此。

雖然說英國民眾基於倫理和法理的理由，普遍對商業化的借腹生子存有敵意。但是法官的裁決也給英國法律史上添了一項新的判例。

美國一位借腹生子的介紹所老闆亦指出，禁止借腹生子是一項悲哀，因爲不能生育的問題，決不會因法律而告消失的。目前他們的借腹生子的代價爲七千五百美元。

榮民總醫院家庭計畫科指出：從醫學的觀點來看借腹生子這個問題，可以分爲三類型：第一種是妻子子宮有缺陷、或先生性功能不好，但是有卵巢能製造健全的卵子。因此

取先生的精子和太太的卵子，實施體外受精，將受精卵放在培養基中四十八小時，到了相當的成熟後，將此受精卵植入借腹生子的婦女子宮內，這種方式可以說是，自己的種子借用別人的土地來栽培，等果實成熟後，再收回來，父母親衹要辦理領養手續即可。

澳洲的那位富翁就是屬於這一種類型。這種方式，對遺傳方面或心理方面均是比較恰當的方法，較合情合理，類似這種情況，在醫院中也碰到相當多病患要求醫生幫忙，一些膝下猶虛的父母，常會找自己的親妹妹來代腹生子。

但醫院因礙於規定沒有接受。但是由於時間和環境的變遷。也許未來能接受這個觀念和看法也說不一定。

從法律觀點看借腹生子

藍田代人種玉，情可憫，法難適，莫使人間親情，因韻事成憾事

外電最近報導一則發生在英國的借腹生子訴訟，法院判決出租肚子的婦人應將所生嬰兒交給其生父，而使借腹生子一事再度引起人們的討論。

在我國尚無借腹生子的事情發生，極可能有人暗中從事此類行爲，但至少尚沒有像英國那樣成立出租子宮的公司，對外公然從事交易，「西風東漸」之餘，在國內遲早會有這種事情發生，因此有關之法律問題值得探討。

借腹生子固然可使無法生育的夫婦得到子女。但在道德的層面上是無法令人接受的事

情。在法律上則牽涉到民法上親子關係的種種規定。

首先是這種行爲是否適法？丈夫因妻子無法生育而租另一婦女的肚子生育，其情可憫，於法則有問題。

表面上借腹生子是民事契約行爲，一方付錢，一方負責受胎生育，然而生育必須兩性之間發生性行爲，或是由醫學方式把丈夫的精子送入出租肚子的婦女子宮中使其懷胎。

這種婚姻關係之外的性行爲或醫學受胎行爲，是否有違背公序良俗，值得研究。民法第七十二條規定，「法律行爲，有背於公共秩序或善良風俗者，無效」。這種無效是絕對性無效。因此，婚姻之外性行爲之「借腹生子」，應屬無效。

其次是嬰兒與出租肚子婦女之間的關係？嬰兒與出租肚子婦女間是民法上親屬關係最近的母子關係。

民法第一〇六五條規定，非婚生子女對其生母之間，只要有生育的事實，即發生母子關係，其間不必再經過任何法律手續。

民法規定親子關係（母子關係亦爲親子關係之一環）及親權，是權利亦是義務，並不得拋棄此種權利義務，也就是說生母嬰兒之間的血緣關係，任何外來的原因都不能「拆散」。

一個人可能陸續被數人收養而有數名養父或養母，但只有一個生父、一個生母。

再其次是嬰兒與生父之間的關係。丈夫借別的婦女肚子生子，是婚姻關係外的生育，丈夫對非婚生子女可透過認領手續而使自己成爲嬰兒的生父，而且一經認領，即不得撤銷認領，以保障非婚生子女的權利。

再其次是嬰兒與生父配偶的關係，亦即嬰兒與租腹生子丈夫的妻子之間的關係。嬰兒與生父配偶間顯然沒有任何血緣上的關係，如果因婚姻關係的存續。而矇混將別人所生之嬰兒申報户口爲自己所生的，是刑法上的僞造文書行爲，合法的行爲必須辦理手養手續，使自己成爲嬰兒的養母，從而取得民法上擬制血親的關係。

嬰兒生父的配偶，也可不與嬰兒辦理任何手續，因丈夫爲嬰兒生父，自己又與丈夫有婚姻關係，從而與嬰兒生活在一起，成爲家屬關係。

最後是嬰兒權利的保障。一個人有權利在正常婚姻中誕生，使自己獲得幸福。生父一開始就用不是正常婚姻關係產下嬰兒，並立即與其生母做永遠的隔離，這對嬰兒來說是非常殘忍的事情。

嬰兒長大萬一知道自己是被借腹生下，而且其中有金錢代價，其心理必然難以平衡，從而爲其一生帶來陰影，甚至影響其一生的做爲或生活。

因此對嬰兒來說，他有權拒絕生父借腹生子，只是他無力抗拒此種殘酷事實。

一個人生於幸福的權利雖然法律沒有明文規定，但法律的種種相關規定，無不在保障人的這種權利，要使自己的子女幸福，最好不要借腹生子，借腹生子固可爲自己留下「韻事」，但對嬰兒來說則是「憾事」。

〔美聯社倫敦十四日電〕英國高等法院今天判決說，英國第一個經由商業性借腹生子而產生的「柯頓嬰兒」，必須交還給她無法生育的自然父母。

法官提在一般民眾基於道德和法律理由，而反對商業性借腹生子之後，今天在高等法院家事法庭作出這項歷史性的判例。

他宣稱說，這個女嬰的「扶養與監護權」歸屬於她的父母親—A夫婦。他說，這對夫婦得將嬰兒帶出英國。

拉提法官並未說明這對夫婦的姓名和住所，但是他說，沒有更好的人選，可以照顧這個小孩的身心幸福。

英國報紙說，據信這對夫婦是美國人。同時，他們已經在上週末將這個嬰兒帶出英國。據報導，他們付給提供代理母親的機構七千五百英鎊（八千四百美元）的酬勞。

此判例蓋仍以承攬契約為基礎也，商業性借腹生子實一大問題，尤以我國為重倫常者，其衝擊尤大。

雜覽碎記

余不常看電視，新聞外極少能看懂者。某夕休息時，因看公寓風光一劇，殊不了了。因問兒輩，汝等嬉笑喧豗，當是深領其趣者，望告余劇情，屢問之，言兒云：「此係尋娛樂，無須求了解者」。此答實有理，頗類余讀《易經》看梵筴心態。好讀書不求甚解，余有取乎柴桑。

坐書房擁書深讀，雖不能謂神交古人，亦復上下四方心開意領，多所通挹，良不寂寞。稠人廣眾中，人固不欲與我多交談，余亦於眾人殊落落，我無炎可趨亦不趨人之炎，則寂寞甚矣。余固愛熱鬧者，不甘寂寞，當於書房中求之。

看《愉園詩》，李景堃次貢作也。曩荷見贈一冊，向未重視，今發書細讀之，此老大有過人處。乃閩派健者，非時流所能及；入川諸作尤見功力，信夫名下之不虛也。

蕭繼宗兄以《孱香蓮寸集》相貽，托龔鵬程棣送到，繼宗序此書甚詳。詞之集句大不易，而汪淵乃優為之，匠心獨運，天衣無縫，可云巧手。蕭序謂當空前絕後，今日文字之厄，塡詞者日益少，茫茫來日，更何人能繼汪為此等書耶？於汪可服，於後可懼，繼宗不失為知言。

賓默園國振之妻寄國振遺著《晚悔樓詩餘》一冊到，印刷紙墨均佳。國振逝久矣！遺著乃能刻出，夫人功不小也。其詞能中規矩，措語甚雅，覺微傷於木。

《范伯子集》前自淡江借來。余閱書好加圈點，借來者不能施墨，甚不快，命澤奕購一冊歸，今始圈。余曩極好《海藏樓詩》，曾加圈點，不甚察擇，圈點或略濫。又大好《散原集》。散原名公子，在湘日與先祖先叔祖曾相往還，雖非厚交，固是彼此禮重者。余從湘士中頗能飫聞其軼事，晚途得識俞寥音昆仲，所知益加詳，於陳集深持敬慎，不敢輒施朱墨，蓋賦性愨慮或失謹也。但略考其世系及行迹著於書眉。龔鵬程弟曾傳張夢機君意，欲余作箋註或選註，時曾昭六翁曾有此志，彼固優爲之，余益不欲命筆，屬龔以此意復張。

看《勞貞一詩》，繼宗曾爲之序，並勉余更作一文申之。勞爲中央研究院院士，研究流沙漢簡極有名。詩集今爲覆看，多有可取。五律最弱，前四俱不作對，蓋非常法，七古最長，有風發雲揚之態。綜其詩，多格調而少情致，是學者之詩，亦不失爲一作手，時賢固難企也。

看《春秋會盟政治》二章，此爲覆看，近將開講一有關《左氏傳》專題，此書頗能助益參考。但析述其事，無何論評，亦先聖述而不作意耳。

看徐復觀《秦漢中古史研究論集》，所最注意者爲其〈呂氏春秋及其對漢代學術與政治的影響〉一文，若干處甚有新意，頗能啓發人，惟論證有時不免粗疏武斷耳！其所著《文學論文集》，亦復如此。更取尹仲容《呂氏春秋校釋》，參校許維遹舊註本。尹書係據許本就若干處參以新解，勇於改古人，輒有舛錯，分段亦有失。屬工人複印尹書序及附錄〈呂氏春秋輯佚〉。此書已絕版矣。

看蘇雪林撰《玉溪詩謎》，極荒誕可笑。今檢書忽瞥見此本，欲焚之而又不忍，蓋可資笑噱解悶也。

看周作人著《書房一角》，寫其所藏各書，雖略近目錄學意味，而擺落恒蹊，讀之彌覺清雋。余所收之本，殆是抗戰末期淪陷區所印者，紙墨印工俱極粗劣，頃聞台地書賈將印《苦茶盦全集》，則此本殆必收入矣。作人與乃兄魯迅即周樹人作風迥然不同，久乃大不相能。據北大諸人言，此公講學殊訥訥云。

看葉嘉瑩所輯《杜甫秋興八首集說》。葉云：杜甫七律最大成就爲句法的突破傳統與意象的超越現實，極力稱美意象化之感情，而非現實之感情，深慨千古詩人未能循此。認此兩者乃爲今日詩家之蘄嚮。竊謂此惟李賀之作能恰符此旨，長吉乃實能打破傳統而意象超越現實者也。此固爲一種境界、一種技法，如視此爲至高無上最完美之追求目標，則必宜使詩人概爲神經病譫囈呻吟者而後可。嘉瑩論詩頗有趣，而此等語當爲偏失。集說蒐羅清季以來詩家之論頗富，而葉之主張亦往往偏主一說，失卻詩之多義性，與其平素所主張者相違。

《史記新校注稿》，張森楷撰，視日本瀧川龜太郎書爲佳。瀧川書則實先曾盛闢之者。

《春秋戰國異解辭》，陳厚耀作，蒐集古籍中異於左傳國策之紀載者頗多。亦可備參考。

看《鶴林玉露》。古人有自詡爲高語而實不通者，其第十二卷云，琴以不鼓爲妙，棋以不著爲高，殆有取於莊生陶令之意，而實乖也。琴不鼓失其爲琴之用，棋不著又安用於棋？然則所謂妙者高者，何所云然耶？莊陶不爾云也。

看近人曹銘所編《東坡詞》及所附《年譜》，錯誤百出，又有費海璣者撰《蘇軾傳記研究》，荒唐乖謬，不可究詰，直令人噴飯耳！

張其昀撰文論蘇張縱橫，多與余《戰國策》講義論點相合，其一二處則非在講義範圍之內，則有頗須再酌者，此可見通古今事之難。且自喜余讀書識解固亦於今世通人中有同心者，不見薄於文衰道敝之世也。

看黃節（晦聞）《漢魏樂府風箋》十五卷畢。幾乎每日只看讀一卷也，何其濡滯耶？此書論音韻太穿附，於古韻大申同互通轉之說，良不可從，蓋若是則諸韻殆無不可通轉者；然其說亦可備參考。箋注處亦有傷於鑿說甚且有不得其指者，王湘綺《八代詩選》，亦盛主比興，且主詩與樂府不分，黃撰則但選樂府，且盡於漢魏，以六朝有新體也，是亦足匡湘綺之所闕失。又看《黃注曹子建詩》，向所不解者漸能通曉矣。

連清吉弟寄到《黃仲則詩》。《兩當軒集》余少年十五二十時，實極愛之，今重讀，加圈點評說。其綺麗風懷之作，昔俱能成誦，寖皆忘之矣，今茲一燈重對，已不復往日情思，信哉老去看花意轉慵也。黃作良苦寒窘傴仄，古體奮作矯厲態，亦覺其氣力不加，一副貧薄相，世間安得有許多畢秋帆耶？李漁叔嘗自詫爲仲則後身，衹渠自身能知之，余不敢置詞。

看《古詩集釋》。合劉履等《古詩十九首集釋》，譚儀《鼓吹鐃歌十八曲集解》，顧敦鍒《南北兩大民歌箋校》，黃節《樂府風箋》四種爲一冊，世界書局出版。黃著余已論之，顧書但就黃氏說略加繹述，劉譚等著但蒐錄前人之說，無甚新解。但於初學者亦頗有益。

龔鵬程君送陸昆曾《李義山詩解》到。此撰雖收李詩不多，但頗用心，能明當日政情及義山遭遇以揣其心境，余昔講授《義山詩》，所撰講義頗亦多近陸旨，書眉折角處，鵬程亦有注記。

欲作《漢書》一節講授綱要，發楊遇夫《漢書窺管》讀之，頗瑣碎，然補王註之闕漏，亦衹如爲此作也。

買得《夏敬觀詩詞》一冊，平而不淺，用新事物新辭語，雅稱其宜，同時諸家殆無人能及，敬觀亦能畫，曾選註諸家詩不少，極具功力，持論特崇宛陵，詩亦近其聲口。其《唐詩說》甚精。

看《六朝文絜注》，選文俱好，但印本錯字太多，開本即見。又看張仁青《駢文選》，其註文甚多乖舛。仁青爲惕軒學生，或不能與曾霽虹、劉孝推並論。

看《徐志摩集》。憶余廿許時，讀徐作，以爲驚才絕豔，今重閱，乃無此感矣。徐詩華藻繽紛，他人如此妝點，必致俗不可耐，而徐獨能以才情驅使，乃不爲累，骨植之高之厚，良不可及。

看吳宏一《清詩論》，資料有甚可取者，為論頗見紕繆，欲樹新義而不察事情者，每有此失。

看金聖歎《評杜詩》，此君慣以歪道爲妙解，然有時亦復道得正著。所謂談言微中者。

看《四六法海》，此固是俗書，但所收俱爲佳作。

看張爾田《玉谿生年譜會箋》。前年曾閱一過，今復看，覺其頗有理致，然若干小節則未敢苟同，岑仲勉《平質》一文，則不免略失之粗耳。再看爾田《李義山詩辨正》，其所主張，仍覺有若干處未臻愜洽。至論詩各條，殆專對紀曉嵐所評批駁，謂「紀氏無理苛求，直是向古人尋釁」，余於張書之對紀評亦云。

看施鴻保《讀杜詩說》，最無意思，蒙館先生之見實多，可採者三數條而已。辨其所無庸辨，考其所不必考，何事嘵嘵也哉。

看梁章鉅《歸田瑣記》，窮一日之力竟十卷，玩物喪志，遂不能讀正書矣。其實又何正書非正書之分也乎？惟所記之瑣，遂爾移人。數十年來，凡我所讀者，皆無用之書也。

龔鵬程弟送所借到之《百種詩話類編》來，卷帙頗繁，編次固無法，選材亦無識。甚至古人名氏亦不了了，如著《唐詩品彙》之高棅即高廷禮，竟分列爲兩人；祝允明、祝希哲即明代江南四才子之祝枝山也，又分爲兩人，此大笑話也。陳簡齋詩又混入楊誠齋名下，觸目皆是錯誤，不知所可。尚不如朱任生《詩論分類纂要》之精。此書題名主編者爲臺靜農。臺係宿學，決不致發生此等錯誤。殆是其不甚讀書之學生，掛老師頭銜以利推銷也。而臺氏則大累盛名矣。

借得趙克宜《蘇詩評註彙鈔》。趙書係節選者，所選大致徇紀曉嵐意，祇間有不同。好詩俱已選到，尚少差誤。評語則全係三家村蒙館見解，殊鮮可取。注則注重地理沿革，以《大清一統志》爲主；餘則重草木之名。讀書殊少，引諸家詩文亦不知本源，於蘇集無大補益。

借到錢基博《駢文通論》，論旨甚明允達要。又孫德謙《六朝儷指》，於究六朝文，銓評多有可採。獨謝無量《駢文指南》遍詢未得。晚與惕軒電話商研李申耆《駢體文鈔》不錄漢賦之用意，及庾賦「自顧採薪，皆成留客」句，典實俱易明白，但串講當如何解？惕軒亦未能遽答。

王文誥撰《蘇詩總案》，頗有功於東坡，而橫詆查初白《蘇詩補註》，語極乖刺忮刻。文誥出身刑幕，習性固爾，其所撰〈三江考〉及論樂律諸作，亦闌入書中，甚乖體例，正不獨健訟口吻之爲可厭也。此書余曾詳讀，粗細紅筆綠筆標識殆徧，與讀仇兆鰲註《杜詩》相同，蓋兩書蒐羅資料俱甚富，余腹儉，當廣有所汲取也。

略看嚴恩紋《宋詩概論》，亦頗有可取，因圈標之。看《駢文史》、《駢文與散文》等書，但常識而已，東坡所謂「譬如食小魚，所得不償勞」者也。

看黃永武所著《詩論》，甚多俊解，然頗有引例未盡妥適、持論不圓之處。書開首即提出「設計篇」，「設計」字用於詩之創作上，似頗未洽。永武李漁叔學生，談詩頭頭是道，然觀其所爲詩，則殊欠工夫，不成腔調。亦如葉嘉瑩談詩詞，俱有高詣，覈其作品，則殆屬初學生手也。

龔鵬程弟持近人劉維崇撰《李商隱評傳》來。劉曾撰有《杜甫評傳》，乖舛不一而足，余嘗爲批識。據李傳劉君自敘云，已撰及擬傳諸詩家，計有屈原、李白（已出）、杜甫（已出）、王維、白居易、陸游、曹植、陶淵明、駱賓王、元稹、李商隱（已出）、李後主、蘇軾等人，浩浩乎無能名言已，其書且由國立編譯館定爲傳記叢書。此君殆不甚懂詩，而所傳者皆爲詩人詞人，其不自審可知。鵬程曾從余讀義山詩，其所作眉批，要亦張余之說，間有數處則非余恉也。此等書令人啼笑皆非，駁不勝駁，且又不值一論。當屬鵬程另寫一傳，或者於讀者有益，渠可能於碩士論文畢事後命筆。

馬非百著《秦集史》，結構頗宏大，而採集各種舊籍文字，俱未加甄鑑，所收特爲蕪雜，有爲上古遺傳之制，有爲漢代新制，采漢書所載風俗，亦有並非秦時所行者。所記諸人中有與秦竟全無關係，雜人一表中竟有子虛烏有先生之類，此則有志造述而未逮者。有愧其先馬驌《繹史》多多矣。但所載新出土器物甚多，此則別有可取之處。

近人所爲書，吳丕績著《鮑照年譜》，資料原極貧乏，旁搜別證以成其書，頗見劬力。陳香《讀詩箚記》雖不足重，亦頗有別致。

病榻瑣記

成惕軒兄定廿八日招飲心園，柬旁注云：「沒有什麼事，但聚談而已」。惕軒上月生日，柬註云云，蓋避壽宴之說。雖然，諺固有之「此地無銀三百兩」也，但自惕軒言，殆亦不能不作此一註。陳君起鳳云：惕軒今年爲七十有二。飯局同席有唐嗣堯，王愷和、朱垂鍸、韋仲公、陳起鳳、袁爵人、陳光憲，及程某林某洪某萬某等。今日惕軒竟亦飲數鍾，大概是緣「生日快樂」也。余強與席，病不能飲。勉強終席，歸不能興。

病臥伏枕略看《東坡集》。東坡云：「治事不若治人，治人不若治法，治法不若治時。」見其〈應舉上兩制書〉。雖未必盡當，要不失爲有見之言。然亦縱是有見，亦總覺不免爲套話也。余茲爲續兩語曰，「治時不若治病，治病不若治心」，則信是貼己之言。更爲下一轉語曰：「先民之言曰，不恥不若人，何若人有？此三不若，總成一不若可矣」。繼宗電話問病，以此意語之，渠大笑。所以諈諉慰藉者良厚，可感。

昔南昌龔一足與八大山人善，此兩人皆高才，每聚詩文爲薪，煮苦茗啜之。今人好著書印書，惜嗜苦茗如八大山人者少爾。余每月必燒去若干濫書，室架實無以庋存。今新晴，兩孫適不在，遂無能爲秦皇矣，可歎。章孤桐《柳文探微》曾記一事云：廣西陳柱尊所著詩多，自爲巽語曰「待焚稿」，以請益於鄉先輩馬君武，君武欣然爲題四字歸之，曰「不焚何待」。惜今時又少君武一類人也。

許君武筠廬，頗能詩、人極疏散，嘗柬邀客。及期而主人不至，客大窘而散。此殆與吾宗香濤於龍樹寺招集文士爲高會，而忘備筵席事等類。吾嘗自誚曰吾宗有三張，長爲之洞，次則余，再次則之江也，第三已甚勉強，更那得第四老弟耶？

楊鍾羲《雪橋詩話》：「西湖舊有花神廟，李敏達（衛）督浙時，自塑其相廁花神中，後樓別塑小相，並有正夫人及左右夫人相。高宗庚子南巡至浙，幸花神廟，召對大學士嵇文恭，詢以花王何粗俗乃爾，文恭對曰：此李衛相也，東樓二女，其所最寵者。曰：旁坐者何人？曰此季麻子也，善說稗官野史，衛善之，故使侍側，餘着蠻靴短後衣，皆傔從也。曰：衛本賈人，何敢狂悖，因降旨命署布政使德克精布毀其相，投諸湖，而重塑湖神祀之，後樓則塑花神花后二相」。此事甚雅。高宗好題詩於書畫名蹟，每滋污垢，後世殆甚鄙之，獨此舉爲能留湖山清氣耳。鍾羲子鑑資與余相識，亦畸人也，詩凝厚有法，特頗傷於直拙。余游日月潭，甚愛其潭上玄奘寺，供玄奘靈骨者。曾有句云：「香火湖山新結願，水心亭子供花神。」但余非李衛，亦決不作李衛也。

「譚復堂云：張婉紃夫人正書，爲近代第一手，老輩如吳讓之，朋友如趙撝叔，皆當却步。……柔厚無唐以後姿媚之習，對之意遠」。「吾國女流能書，吾見以傅幼瓊夫人之漢分爲第一，夫人使筆剛勁如景君碑，奇峭博麗。夫人爲瞿兌之之母」。以上俱見章士釗《柳文探微》。張婉紃傳幼瓊書余未曾見。在台灣女流之以書名者，曰譚淑，茶陵譚畏公女，習魯公書，筆畫端嚴，而終不免有閨閣脂粉氣。兼亦畫梅，故意作態。梅畫固當講穿插，過穿插，則不能自然而爲俗姿矣。又一爲張默君，邵元冲夫人也。習爨寶子，雖略遜其夫，而古拙有蘊藉，行草則不能甚工。能詩，古體頗有法，但多做作粧點。亦自以爲女流，不敢逞其才艷，功力似視清代才女太清春爲伯仲。譚張皆湘人也。均有書畫贈余，默老幅尤凝重。

蕭一葦爲溥門高弟，與余交甚厚，其人戇而不失其慧，慧而不失爲戇，故能脫其府主孫立人將軍案之連累，而老以畫師名。頃去美，頗念其人。台灣今日以書名者，余必首推程滄波，一葦意與余同。三原早逝矣，陳含老泥古稍弱，亦作古矣。寒玉堂畫足學，詩宗唐而傷膚廓，行草書結字熟極而流，其上者有「天女身騎落花下」之工，其次焉者殆不免俗媚云。

羅尚戎庵近著〈七古聲調使用原則〉，以榻畔待看書多，未及細閱，未知其與王漁洋趙秋谷等持論何若。戎庵富詩才，殆或加於曾君霽虹，而窮達殊異，可惜也。初學詩於李漁叔，繼而淹沈州邑小吏，一隨劉星使鍇游菲律濱，以畫竹名。先是且又曾受聘航運商陳靄麓，司記室，所用不能盡其才。戎菴今此所作論文，爲慶惕軒七十諸從習者羣論之一，豈其又自繫於成康廬弟子耶？其詩固非康廬所能囿也。

前於市肆購得《心史叢刊》，今閱。〈丁香花考〉，即談龔定盦與西林太清事者；〈橫波夫人考〉即談顧媚者，《董小宛考》則與世傳入宮之事有殊。諸作蒐羅資料甚富，頗有味。

病中閱此等書，有宜有不宜也。

柳子厚〈與蕭子謙書〉云：「飾知求仕者，更言僕以悅讎人之心，日爲新奇，務相喜可，自以速援引之路」。余於舊識吳某某夏某某等等，蓋亦云然。讀柳文可爲一嘅。然人能有所造福於彼輩，亦自好事，復何悶然。余病須養心，視彼輩若芻狗焉可耳！

呂居仁述東坡之語曰：「意盡而言止者，天下之至言也，然而言止而意不止，尤爲極至」。此說極有見。而章孤桐乃斥爲謬論。孤桐習法律，文宗韓非晁錯，故必以言意俱盡，明達峻厲爲工。余亦夙好韓晁之文，特不以蘇語之爲非，文境固非一也。

宋人四六歐蘇陸諸家頗多爲長儷，余夙撰四六文多效之。唐柳柳州作〈張中丞墓志〉，長儷乃至百餘字，是亦罕見矣。余每有作輒就正於友朋，惕軒不以爲非，李君肱良則舉顧寧人說，長儷傷氣，以之見規。今後余亦將不復爲四六文矣。窮老盡氣，亦何苦爲之。

《續古文辭類纂》有兩種：一爲吾鄉王葵園祭酒所編，一爲遵義黎蒓齋所編。王氏所選，江浙人以爲偏重湖湘，大不韙。其實曾湘鄉於古文固已稍變桐城一派主張，王選自一時風氣所嚮，湘鄉器宇當較桐城諸老爲大。雖曾詩有云：「文筆昌黎百世師，桐城諸老實宗之，方姚以後無孤詣，嘉道之間又一奇」。可以見其指，然亦非大開四門而揖百靈。黎氏所選，自有其個人之見，亦未盡允。今時古文已式微，可弗深講已。

龔定盦〈己亥雜詩〉，夙苦不易得解，近有萬尊嶷者爲之註，遂多能通釋。萬不知爲何許人，將尋惕軒等一問之，或係不在台灣者也。近人丁治磐《似盦詩集》中，有雜詩數十絕句，間使僻典，其中若干如不註明本事，信是不知所云。此非可援章太炎沈寐叟之例，殆是作者有所諱避，縱宛轉說之亦所不敢耳。

臥病近月，說來極可笑，因抱稚孫扭腰而引發膀胱炎尿道炎攝護腺炎……等等，謁醫爲苦，儼然是一「炎帝」矣。自信尚不致爲多得五斗米折腰，乃竟爲黃口小兒亂動妄動而腰折，天之折磨人，乃竟若是夫。

談近人筆記

今人所撰筆記之類短書，蓋亦多矣，而佳者絕尠，余所得見者，略記之。

陳定山《春申舊聞》。陳爲天虛我生長公子，少年風流自賞，著聞於滬瀆，所見聞實多，如達官，顯宦、遺老、名伶、豪商、名士、大猾、詩詞家、畫家、妖姬……等，可謂上窮碧落下黃泉者。其所紀多可喜可愕可恨可歎可恥之事。文筆亦條達能鬯述，雖林林總總，特囿於一方一隅，或又所聞牽涉異時異地者，未必盡能徵實。然海隅送老，俯仰興嗟，吾知其屬筆有餘恫焉。定山能畫、能書、亦工詩詞，《蕭齋詩》甚有名於時。

李漁叔《魚千里齋隨筆》。漁叔曾一宰建德，隨李默庵陳辭修爲幕客最久。少日曾留學東瀛，殆未嘗有所專攻，亦未諗其諳日語否也。在陳所但司函牘聯額之事，非甚得意。《隨筆》所記，祇留東謏聞、湘上傳奇遊俠技擊歌舞、及文藝掌故雜譚之類。於文求姸美，遂未能沈實，紀人紀事俱覺有隔，求文章之嫻雅者，或亦有取焉。好容貌修飾，有翩翩書記顧影自憐意，在台頗與諸勝流酬唱，多有佳什。又喜爲葉子戲，甚精，蓋其天稟有過人者。兩易其姬人，以爲憾事。著有《花延年室詩》，能畫梅，字學倪雲林，雖孱弱但尠時俗囂怒喧卑氣。臨歿前數年有句云「顧我不堪憔悴死」，又云「晚鐘無力斜陽外」，識者憐之。其鄉人張君劍芬曾爲其刺血寫《金剛經》。

姚若一《鶴軒憶語》。姚威遠人，四川故多奇士，姚幼日頗能有所習接，及長就學金陵，遂工文筆，其所紀盛有畸人異遇神技以及名勝雅譚等事，本非有意成書。篇幅不多，贈余者已爲人取去，無可追跡矣。姚工爲詞，曾爲考試委員。又蕭幹侯，早有神童之譽，生平多涉靈異事，曾爲小報撰雜談，亦僅述此類，殆《聊齋》《灤陽銷夏錄》之裔也，曾影寄成束抵余，今存鵬程所，未輯刻。

以上俱爲余交舊，故於其所爲諸雜撰，知之尚諗。其最所推欽者，別有兩書，作者則俱不識。

高拜石《古春風樓瑣記》。此撰曾在台灣新生報連載有年，併其未全刊者綜爲數鉅冊，由新生報出書，旋板權移轉某書店，今殆絕版矣。高爲一新聞工作舊人。文筆極佳，聞見廣博，所讀書亦多，其蒐羅積存資料之富，殆足方一新聞文藝圖書館。自遜清晚季以迄近日殆靡不備，凡勝國軼聞，政治、軍事、經濟、社會、秘聞密事，交涉經緯，纖悉如數家珍，而俱有徵據，非里巷流傳之言。民國軍閥、政客，影星、伶工、雜誌、僧侶，咸能亹亹道其行事與夫此輩結合交惡之所由然。談山川名勝，譚詩文歌曲，談金石書畫，亦咸當行出色，無耳食淺薄語，信哉其多能也。逸趣橫生，書香流溢，讀之忘倦。凡爲此等文字，必須不裝飾、不流鄙，寫情境能實能活，有關知識能具備，平平寫出而自然流美，斯爲上選。高君實兼有之，而余尤服其浩博也。其文甚雅飭，度亦必能詩詞，余未之見。聞能治印，殆必爾。曾得其分書中堂影本，厚重淹雅，迥出時流上，甚珍愛之。

黃濬《花隨人聖盦摭憶》，爲黃於廿四年在南京供事行政院時撰，在中央時事周報連載甚久。因係隨筆，遂並無分題著篇。台灣聯經書局據香港龍門書店本，分著類目編印之。凡分六大類。曰知人：此目覈以所收各篇標題內容，似非洽，姑仍之。凡百卅八篇，記咸光末至民國北洋政府間諸人事。最精詳，當係哲維（黃字）接聞於前輩者，其細微竅窔，非一般人所能知，是此書精華所在。其謂曾國藩弄狡獪，左宗棠仇郭嵩燾，張之洞疏故交，俱半屬珍聞可證傳言者。於其鄉人陳寶琛、沈寶楨最致欽挹，特於革命黨人除唐才常三條外餘無及焉。曰論史：凡九十六篇，亦俱係論咸同以來政事，兼及軼聞，略有考論者，殆與「知人」類同軌。治史者宜必有取。曰識小，凡四十五篇，以北京爲主軸，記敘玩好、飲食、遊藝、方言之等，語雖及而弗詳。曰述古：凡七十八篇：諸如服制、成語、諸書考辨、疑案、碑板、文玩俱屬之，有極精警處。曰談藝：凡六十一篇，如書法、詩詞、印章、筆墨，俱屬之。原意其論詩詞者必夥，乃著墨甚尠，更絕口不論畫，良可異也。曰紀遊：凡十八篇，但收有北平、西湖、福州諸地遊記，如滬濱閶門亦無專記。全書文字極流美鬯達，引書多而不病於滯，固是氣勝爾，有《聆風簃詩》，余未嘗見，論者謂爲滿頭珠翠，想必當瓔珞莊嚴也。抗戰中以通敵漢奸伏法。佳人奈何作賊耶？惜哉。

高黃兩撰，所謂「阿龍故自超」者，意其當可傳世也。

清賢函札

周培敬兄攜來清賢手札百數十通，俱可備掌故。旋加清理，頗費時力。此諸函札俱係當時名流致金眉生者。計其所交往諸人張文虎、郭慶藩、趙烈文、蔣春霖、陳元鼎、李肇增、雷以誠、方子箴等，其不甚知名者亦實繁有徒。旋王表姊續送數十函至，有吳坤修等人手蹟並清點整理畢事。以此告繼宗，余並略示意將屬渠爲選刊計，渠當有「花子拾金」之喜也。繼宗旋來，決定將此等函件交其考證出版。蕭故工詞，諸函中又以詞人爲多，出版當至有價值。

今年余有兩得意事，一爲將清賢彭玉麟、何桂清、沈葆楨、翁同龢、李鴻章、左宗棠、劉蓉諸人信件，凡一百餘件，託由黃彰健兄轉向故宮博物院洽請收購。以余與該院主事者向不往來，不欲徑自表示故也。以低價得諧，使此等文獻不致外流。一爲將前節所列諸詞家函札委蕭出版，於文獻保存，當是微有貢獻。蓋後者姓字多已被人遺忘，蕭考證出版後，深有發潛德幽光作用，可以仰對古賢也。

此諸信件，皆前海關總稅務司張申福家藏。張年老出國，散佚可虞，經此安排可謂得所矣。繼宗爲正中書局董事長，意書局必亦能於張氏申致謝金等等，乃竟杳然，余頗於申福有愧。旋申福擬將其先世所著《椒花館詩文集》刊行，倩余校勘作序。余於此等事向來必收潤金，於此遂全謝卻，亦藉以補償云。

錄飲冰室語數則

錄《飲冰室詩話》兩則，此俱足以警人啓人者。

「曹著偉最躭哲理，思想淵淵入微，晚年欲窮魂學之精髓，以爲佛教密咒必有特別妙諦，捐棄百學以冥索之。居羅浮歲餘，以暴病卒。以不通梵文之人，而欲從事此等，豈非無舟圖濟？即通梵文，此等詭怪咒語之類，亦何從索解邪？聰明人作荒誕事，往往有之。王陽明格庭前竹子致病，與此相類。竹子猶有可格之理，求符咒之解，不可思議矣。」

「楊度贈梁啓超詩，有『楊朱重權利，墨子尊義務，大道無異同，紛爭實俱誤，自注云：余嘗謂湘潭王先生援莊入孔，南海康先生援墨入孔，實爲今世之楊墨，而皆自託於孔者也』」。

任公自言於詩學不深，是殆自謙語，所撰七律自饒一種清夐蒼秀之致。游臺灣寓林氏園諸詩，世多能誦之。綜其平生所作，殆其所謂「能出色而未必當行」者，所撰詩話是開一時風氣鈐鍵之作，余曾撰文論之。彼讀書既多，記憶自有未能悉深刻而遺忘者，不足怪也。其所爲長篇嘗郵趙香宋就正，而不近問於散原等人，亦屬別有心眼。吾湘李曉暾曾鈔五詩寄刊，云爲譚嗣同作，報紙刊出一世大嘩。詩話云：「旋有人以片郵來糾正，曰龔定盦詩也，檢之良信，吾初讀此詩已覺其似曾相識，但以爲或從他處曾見瀏陽作，不意乃十五年前曾讀之定盦也」，遂作兩絕句以自解嘲。此寄檢正者，乃余師李肖聃先生，見肖師所著《星廬筆記》。武陵（今常德）何烈士。鐵笛名來保，爲譚嗣同至交，庚子歲謀舉義湘漢，事敗後死事最烈。鐵笛工詩文，今存者殆僅已。任公《詩話》云：「頃趙曰生郵寄其絕命詞四章，……滿江紅一闋，亟錄之」。詩詞俱慷慨抗烈，述亡命匍奔情況尤悽切生動。賴有此詩話，何氏文事乃幸傳也。李肖師趙曰師俱曾游學日本，李曾一度居任公記室，趙則爲譯介馬克斯《資本論》最先之一人也。又蔡樹珊鍾浩，曾游東，並與鐵笛罹庚子之難，曰師更郵其獄中詩與任公，亦甚可讀。

「美人香草，寄託遙深，古今詩家一普通結習也；談空說有作口頭禪，又唐宋以來詩家普通結習也。狄楚卿之詩殆兼此兩種結習而和合之，每詩皆含有幽怨與解脫之兩異原質，亦佳構也」。詩不具錄，狄詩殆所謂「因病成妍」抑又「矛盾的統一」之謂乎?

「過渡時代必有革命，然革命者當革其精神，非革其形式。吾黨近好言詩界革命，雖然，若以堆積滿紙新名詞爲革命，是又滿洲政府變法維新之類也，能以舊風格含新意境，斯可以舉革命之實矣。苟能爾爾，雖間雜一貳新名詞亦不爲病；不爾，則徒示人以儉而已」。此爲指切鼎革之前詩家疵病，今時之所受病者又何異乎是，且視曩昔更深已。「新」「舊」詩家其盍一思此言也乎！

僞滿康德時事雜錄

借得《溥儀和滿清遺老》一書漫閱之，作者爲周君適，陳蒼虬子壻也，曾任康德宮內府文書科長。書殆多鈔自《溥儀回憶錄》，略爲改寫，但於僞滿人事略有尋探資料。周殆不甚讀書，蒼虬繪韓偓（致堯）相，贊語俱切致堯事，蓋自況且自勵也。周書乃謂爲「比韓愈與唐昭宗之關係」。憶昔歲高中國文課本，選李白與韓荊州書，註文指韓荊州爲韓愈，與周可謂無獨有偶。周自云久隨蒼虬讀書，此等事乃亦不了了耶？可憫歎矣。

曾見某筆記，似是《南湖錄憶》云：蒼虬居滬甚困，乃鬻賣家藏吳鎮（仲圭）蒼虬圖，買宅西湖。周書云在西湖陳寓，見室懸吳畫蒼虬圖。此必有一誤，當更考。然當以周說爲正，蓋親見也。

此書附溥佳《清宮五年的回憶》一文，則多存小掌故。

蒼虬爲周君適妻父，翁壻之間當存禮敬，蒼虬實不可遽指爲漢奸，蓋自有其本末也。今世亦未嘗有輕其人者。書中乃一貫斥名陳曾壽，殊非一讀書官宦人家子弟所應爾。

夏吷庵就杭州附近西溪秋雪庵改建兩浙詞人祠，門聯得上句「詞客有靈應識我」（溫庭鈞句），不得下聯，蒼虬爲足成之云「西湖雖好莫題詩」（蘇軾句）眞乃妙絕。亦見周書所記。

周於談遺老事，多屬耳食，良不足據。其敘鄭海藏仕歷，極顚倒錯亂，不知其何故如此。

蒼虬晚歲時有數詩，余疑其乃爲婉容發者，得周文印證，乃益信。

仍看溥佳（即金智元）所爲書。溥撰與德菱公主所著各雜文，收在《溥儀外傳》中者參看，略可徵滿清貴族習俗。

蘇龕《函髻記》本事

清光緒中，張之洞總督兩湖，節府在武昌，鄭蘇龕（孝胥）新自日本襄使事歸，入居張幕，識度宏遠，辭華英邁，深見倚器。諸如洋務、練兵、興學之事，悉以資之。又其時盛宣懷爲鐵路督辦，京漢南段工務、路權等，亦委由蘇龕辦理，盛但在滬遙爲區畫而已。蘇龕實爲兩湖炙手可熱之紅員。二十七年（一九〇一）正月，蘇龕乞假滬弔何梅生之喪後，因得間遊歌榭，女伶金月梅正屬妙年，色藝俱絕。蘇龕驚豔，不勝傾倒。返鄂後憶念不置。翌年（一九〇二）三月，奉盛督辦電召去滬與外商議商約事，連夕在群仙戲院賞月梅所演諸劇。自庚子拳匪亂後，士大夫南竄者，集於上海一隅，歌舞之盛，遂逾於平昔。金月梅以花旦獨出冠時，壓倒諸伶，其精彩奪人，如彩虹經天，觀者莫不神眩（按：此俱錄蘇龕日記語）。四月四日因張讓三之介，同至觀盛里金寓，坐候月梅演戲歸，月梅有客曰陳詠韶者同歸，詠韶則盛宣懷之甥也。月梅周旋諸賓之間，銳敏非常，巧於言笑，盡歡。次日陳復邀讌觀劇，再次日，爲月梅書小聯，「冰雪聰明渾難比，幻境芙蓉故未眞」。另作詩擬爲月梅書扇（詩闕錄）。旋張讓三來告：月梅聞鄭將貽以扇件，請署款曰雙清館主人。遂寫三詩及隸書雙清館匾遺之。索月梅照片。屢邀朋好飲讌，召月梅與同，恒終席乃去。遺以金，月梅辭，強而後受。十四日獨過金寓，其母留候其歸。（按：據日記編輯者註云，「原稿此下被剪去五行，約闕百字」。疑留髡或在此際，描述繾綣旖旎風情，殆甚細膩，中冓之言不宜留，故割去也。參後此日記所述，可以推證）。十六日又詣，登樓望月。十八日復遺以金，度月梅或有委身意，翦髮貽蘇龕以明志。並語蘇龕，沙遜洋行干某及周玉山之子，在渠處斗炫闊綽，千數爲周所窨之狀。又有漢口蔡某欲娶渠，固拒之而不能絕。此又或爲蘇龕有量珠爲聘之謀，月梅故矜身價如此耳。後此復屢過之。蘇龕公畢將返鄂，月梅良有離別可憐之色。鄭廿日行，送登馬車就輪舟，執手含悲而分。蘇龕過通州、蕪湖、九江及抵武昌，逐日俱有致月梅書。可見其愛戀之深。十一日得金來緘，云未得一信懸念甚至，夜作復，並作觀盛里詩三首，五月初六初七各又補作二首。買得香篆一枚，鐫「雙清館」，託李一琴詣上海便致之。按香篆者，即百刻香，造香似篆文，燃之以測時刻，其文準十二辰分一百刻，凡燃之一晝夜乃已，殆寓一日相思十二時意也。覽唐人說部歐陽詹（行周）「函髻」事有感，思爲小說以托意，六月十六日作《函髻記》成。頻得月梅書，足以慰意。以寄雙清館諸詩寄吳鑒泉，吳，蘇龕內兄也。凡寄雙清詩，海藏樓集中俱刪去。此年中詩有「海内相哀能幾輩，殷勤函札賴雲鬟」，「雲鬟」必指月梅無疑。

見報：金月梅復入群仙演唱，八月廿五夜登臺。蘇龕迭有書致金。十月二日，隨張之洞赴南京，之洞調署兩江總督，力邀幕府襄事故也。初六抵南京，初九致書雙清。十二日請假赴滬，舟中逢周立之即前揭周玉山之子，金月梅嘗稱之爲風流才子，于式枚（晦若）弟子也。能誦蘇龕雙清館諸詩，其所作亦頗有才調。十五日獨坐乘車雨中至雙清館，月梅梳洗甫畢，握手極歡，登樓看雨，談次各有怨離之況。傍晚，周立之等來，同出晚飯。時天轉寒，蘇龕衣薄，月梅以白蘭地一罌進，畢飲乃出。月梅是夕演「富春樓」，妖冶絕倫，眞奇藝也。復過雙清館，食棗粥一甌返，蘇龕云：是日之樂，殆爲百年所不能忘者矣。十六、十七連過月梅，遺詩一本並貽以金。盛宣懷命蘇龕赴鄂區處鐵路諸務，再過館「聽雨」樓上，促膝談至暮，蘇龕語金，今日一談可銷半年之別恨。十八日手錄《函髻記》一通以貽雙清，此當爲《函髻記》清本正本，彌足珍異者也。十八日復過館，對語至暮。蘇龕屢起去，月梅屢止之，遂共食粥後飲少酒，蘇龕乃西行。十月廿日作詩寄金，安慶，大通沿路俱有寄金詩。廿二日抵漢口勾當諸務，廿八日寄金書。十一初四還抵南京。初七寄金書。時翁同龢柄樞，頗惎之洞，因是兩江署任不能久，廷命補授魏光燾，之洞仍還任兩湖。於此須追述一事：前歲蘇龕以兩湖保薦入京謁見請訓，曾受翁款宴，翁亦頗爲揚譽於廷臣。之洞聞而不樂，比還鄂，曾小詰之，蘇龕雖力爲解釋，然彼此間終不能如前此之推心置腹，蘇龕或亦稍稍萌去志也。十六日乞假赴滬，允十八日行，自十九日至廿五日俱假榻於雙清館，廿七日還寧，十二月初三日復西上至漢，寄丸藥與雙清，廿日復還寧，排日有致金書。時蘇龕奉委上海製造局總辦，亦一優缺也。不俱還鄂矣。廿三日陪張之洞至江陰，蘇龕東旋。廿八日至滬，與雙清聚。光緒廿九年（一九〇三），以局務冗劇，不輒詣館。正月初八與雙清共飯。初九詣南京，十四日奉命協勘蕪湖馬廠一帶地勢，過安慶、九江，沿途俱有致金書，情致款款，在行旅中，苦憶月梅不置。十九日日記，據編者云剪去四行約七十字，蓋亦追述床笫顚倒之言，不欲存者。其迷戀，殆不自勝也。此行並自鄂接眷屬到滬，二月二日抵寧，即書致雙清，初八至滬，居虹口壽椿里，晚即過雙清飯，亦可謂汲汲矣。

蘇龕在鄂，與岑春蓂交善，是年春蓂之兄春煊署四川總督，川省亟謀開鑛築鐵路，春煊奏調蘇龕督辦四川路鑛爲部議所扼，仍著責成岑春煊督辦，蘇龕以道員隨同辦理。蘇龕意大沮，而製造局又不能不交。請張之洞奏留兩江，不獲允。三月九日卸局任，過雙清飯，明日再過之，雙清貽以自製靴葉。十一日蘇龕夫人中照命車迎雙清至壽椿里坐甚久，十四日中照夫人及女景復同雙清遊愚園，並同觀劇。十四日蘇龕攜中照遺雙清飾物數事詣館。此蘇龕調協中照雙清情感，所爲亦可云至細密費周旋也矣。詢雙清能同入川否？曰：「恐未能耳」，「然則若之何」？曰：「余將送二老歸奉天，依吾舅以居，余亦埋頭年餘，以待君之迓我」。蘇龕曰：「子北行不亦瘁乎」？曰：「吾棄所業，則滬上居不易，且不能絕往來者，故寧出此耳。我不更適，君無疑矣」。曰：「子非戲我耶」？曰：「戲君何爲」？蘇龕悵然良久，曰：「子乃如是，吾不負汝」。遂太息而起。越日，再詣雙清，雙清示蘇龕周立之所與書，附詩云：「羨君能自營三窟，愧我終當遜一籌」，並云：「可使蘇龕共參之」。蘇龕笑曰：「小兒乃竟戲我耶」。旋月梅爲蘇龕說杜十娘故事，甚感人。連日俱詣館。十七日雙清頭痛發熱，延醫治之，視所處方甚平淡，心乃稍安。越日愈。連宿於館中，廿七日以「鳳雛」小印遺雙清，嗣此「月梅」「雙清」「鳳雛」之名乃雜用，仍以命「鳳雛」者爲頻數。雙清欲爲其母買一養女，名月蘭，蘇龕因以六百元購得之。四月朔婢來，初三雙清忽病臥，但云胸悶，拭涕不已，疾旋起。初五夜蘇龕作詩六首，翌日寫扇貽之。十四日過館，聞新買養女昨逃歸蔡氏，雙清母女懊恨不已。蘇龕笑謂之曰：「汝母之長厚，汝之孝順，因此更顯，六百元不足惜也。宜以和平令蔡氏使還款，勿破其顏面乃佳。汝知吾平生有三癖乎？樂用疏遠而不取親昵一也；喜以財物助人而不願以財物借人二也；財物生產有所損失，必諱而不言，三也。汝素自命豪傑，宜味此語，則懊恨自銷矣」。連日復居館，贈之以金。與諸親友頻聚飲於館。五月朔，陳叔伊赴南京應經濟特考過滬，睨蘇龕詢曰：「佳人已屬沙叱利乎」？曰「何謂也」？曰：「發漢口時，魏季渚云如是，至清江時，（沈）愛蒼亦云爾」。蘇龕笑曰：「僕之佳人，以古押衙自任，縱有沙叱利亦無妨也」。周立之魏季渚沈愛蒼固早洞燭其情矣。蘇龕英察自負，母亦墜於溫柔迷魂陣耶？

岑春煊自川赴粵任，暫留漢口，奏調蘇龕同往，電招往會，光緒廿九年（一九〇三）六月初四日正感冒力疾而行，途中有詩致金，初八抵漢口，初十夜得一夢：觀盛里雙清館被焚，急詢鳳雛，已移入對門，急入視之，方寢榻上，未及問慰，惶愕而覺。悵恨不能復寐，是亦夢魂牽掛顛連者已。十五日隨岑舟抵吳淞，未登岸，作書與中照及雙清，遣僕送歸。僕還，得鳳雛書曰：「千山萬水之隔，不能一見面而別，何以堪此？君不欺我，我萬不能欺君，惟憑此心而已。妾將往烟台，計君秋涼來迎時，妾已歸矣。粵東炎熱，千萬自保。吾君台覽，雙清館淚下寫拜書」，凡三紙，皆濕漬淚痕，蘇龕持書驚歎其高絕。此「米湯」當極濃至也。雙清定十八赴烟台，中照夫人懼有變，使蘇龕弟稚辛致語：欲尼其行，雙清不能止，但勸早歸。雙清答云不過兩月必反滬也。旋得弟樫（即稚辛）書，云雙清登船，始知此船不過烟台，乃先往天津。連月日寄雙清書。蘇龕在岑署歷洋務軍務諸督辦，調充武建軍統領戍龍州，爲邊防督辦，武建軍即向在鄂省時所編練者也。軍餉由鄂、桂、粵三省濟供。在梧州寄書雙清並塡「點絳唇」一闋貽之：「分手樓中，者回南北增離恨，丁寧千萬，何日如人願，苦惜年華，意密翻成怨，憑誰勸？海天方寸，休道龍州遠」！連致書雙清，未得復。八月初十蘇龕得夫人中照書云：「月梅遣王二持片至滬寓，言猶住烟台天成棧，已在烟台購地蓋屋，王二來迎其父赴烟台」云云，蘇龕頗謂其有智計，且觀其後焉。重九得周立之書云：見雙清于天津，今赴烟台，方求田問舍，爲陶朱之隱，又見余（蘇龕）所書扇云云。十月初六日作五絕七首絕寄月梅，其一云：「彼姝有高風，求田復問舍，棄我忽如遺，淚痕爛香帊」，爲鳳雛歸隱烟台而作也。廿三日得周立之書及詩，先以得雙清信，在烟台營別墅甚佳。十一月四得雙清書云：「丁父喪，現居烟台太平衛天成客棧，回信請寄楊秩五老爺交太原金宅」。即電弔並致書云：「知汝素孝，勿過哀毀，得汝書，滿懷怨恨消化一半矣，吾自歎爲虛名所累，致事事不能遂心，所作怨詩一章，天下有情讀之，必有代我抱恨者，特未知足以感動玉人否也」。廿一函弟樫擬令舊僕劉升赴烟台詢雙清來否。十二月廿五得雙清信，余（蘇龕）函電俱收到，詞意頗嗟怨，自稱苦情人，又咎余不審其手書，才別數月，若來年相見，恐將不識某爲何人矣！廿六日復函曰：「不識足下書，可見我恍惚迷離之情景也。我不能去，君不肯來，相見除非夢魂間爾，人生易老，願自求多福而已」。光緒卅年（一九〇四）正月初七日寄雙清書，十二日得雙清書，十六日復函，廿九日信筆書杜陵〈琴台詩〉放翁〈贈別詞〉寄雙清，三月八日復寄照片，廿四日得鳳雛三月三日書云：今年未得余（蘇龕）一信，猜疑萬端。自稱患難人緘淚拜書，詞頗淒楚。四月十三日作三詩寄鳳雛。三月十七日得鳳雛三月初十四日書云「得君三月書，如獲珍寶，知正月書詩皆未達。彼此各有猜訝，殊可笑。君謂我得好處，以致漸冷，此冤我矣。吾身在芝罘（按即烟台），而心在桂嶺，口是心非，有如東海。今雖願來龍，而事多阻梗，非書所罄，不能自由，君其鑒之。病困不能多作字，望自愛而已」。只用竹紙半幅，似撕裂者。墨痕欹斜，詞旨淒惻。十九日電鳳雛，「已派孫林往接，切望速來，如家事未了，年底可再回料理」。廿五日得烟台復電：「家務難離，決不能來，萬勿派人，鳳」。余（蘇龕）猶疑其母之阻之也。五月初八日得樫弟烟台來電：「清不欲行，姑留孫少候」。廿八日得鳳雛四月廿五書，若甚懊惱者。曰：「吾未約定，何忽發來接之電，且俟得脫身時，自當函告耳」。六月三日樫弟返滬，鳳雛以指環奉中照，以小照寄余，並云：何時能來，尚不能自主也。樫弟五月十八日書，鳳雛十一日信告，將返太原。八月二日孫林歸，得鳳雛所遺赤玉指環及照片，左手揚扇，右手引裾作飛舞之勢。計自光緒廿九年十一月在連城得鳳書至三十年六月來書，共得八次，其末次乃楊秩五代筆，云欲往太原，以指環留念，此余（蘇龕）所認爲哀的美敦書者，自此以後，亦不復寄書。其後蘇龕曾托陳少南過烟台訪金，詰其來往太原何無一字寄龍州，對曰報紙言蘇龕將歸，且久無音問，恐不能達耳。光緒卅一（一九〇五）年乙巳，孟蒓蓀來客於龍州，頗有遊談之樂，索觀鳳雛相片，余（蘇龕）久不啓視，勉出示之。孟讀諸詩，以余（蘇龕）爲痴絕。九月蘇龕解龍州兵任，十月抵廣州，朱古微贈余（蘇龕）摺扇，自書暗香詞用白石韻，爲鳳雛賦也。彊村詞集未錄。十六日抵吳淞。

光緒卅二年丙午（一九〇六）正月十一日，蘇龕自滬詣烟台，計自龍州歸滬才兩閱月也。舟中自念、鳳雛不在烟台，余當不遇而返。啓小箱得鳳所寄赤玉指環，乃中照取置卷中者。又念：或鳳雛已嫁，則當謝余不見，或請見余略談所過情狀，余何言以對之乎？余在龍州時所爲詩，亦有頗吐其怨恨者，乃余之褊爾，如彼不羈之概，要是能獨立之豪女耳。小寐，夢鳳雛被徵入宮中教戲，既寤，殊鬱鬱，默憶前在龍州所爲雜詩「邊關病臥忽三秋，輕別眞成悔下樓，金鎖沈沈零落盡，歸來空賸一生愁」。更憶去歲還滬，絕足不近觀盛里，一日無意中車馳過之，見舊居後門有小紙書「金寓」二字，愕然，使人探之乃非是，悵然累日，偶占一絕：「三年舊恨欲成塵，又見人間別後春，枉向邊城乞殘骨，不知誰是夢中人」？夜半甚暖，益不能入睡，作一律「夜半回春氣，海中殊不寒，濤聲炊正熟，月色燭俱闌，人定舟彌速，夢回天自寬，明朝應有見，冥想更無端」。此可徵蘇龕繫情雙清，頻年屢屢見諸夢寐也。十三日抵烟台入天成棧，乘轎至東莊，鳳雛悲喜相持，爲余（蘇龕）下榻，絮語終夕。翌日鳳雛母女及其戚王亮哥與余（蘇龕）共飲，聽唱極歡。因語鳳雛，母女同至蘇州，就海藏樓文案之館，當以幕友待之。又次日口占一絕：「海上明珠久拂衣，窮荒塞主亦東歸，相逢復有扁舟約，只許鴟夷是見機」。夜放烟火，鳳雛出觀畫冊映本，甚美。十七日，同登玉皇頂小蓬萊閣，可俯瞰烟台全勢。鳳指其父墓田，墓後砌石爲短垣，云工竣後當南來。並請余（蘇龕）書一聯與閣中老道士石堂留念。十八將返滬，臨別戲謂鳳曰：「余神機妙算，此次來烟台，如諸葛孔明之收姜維，可謂快矣」。海舟中有粵人李道元談：「楊秩五本寒士，初在招商局，月入才數金，後爲德國領事館文案，月可三十金，居積經營致富，在烟台辦滌淨公司，包攬全埠水肥，處理不善折閱萬金，以利說月梅投資三千金，將敗，取回千數百金，此公司今爲粵商接辦。楊逃歸黃縣云云」。余（蘇龕）在烟台尚見有滌淨公司門匾，據老僕尹某言，公司易手乃暫住金處。楊自言月梅已許嫁之，參互李尹所言乃若合符節。鳳雛曾告余（蘇龕）與楊甚疏，月餘一來耳，余（蘇龕）頗疑楊未去，避余不敢見，又或雙清近日始疏之耳。夜作烟台紀遊詩五首（日記亦未錄），抵滬即寄烟台書，二月初七得鳳雛復函凡千餘字，力辯滌淨公司並無入股事，語甚悲憤，謂余（蘇龕）聞訛言有翻悔前約之意。即復書譬解之。鳳又以金月梅小片上書「貴夫人壽安萬福」以寄中照。余（蘇龕）亦屬中照作一函復之。鳳雛十二日書，慰余勿怒，南來當謝罪。比即作復並錄烟台所作諸詩寄之。三月初七得鳳雛初一日書，云過清明即來滬。遂爲覓定春暉里寓處。

十一日派樊成許四攜信及款赴烟台迎鳳雛，十九日母女俱到滬。蘇龕赴友宴後，過春暉里，談有頃而歸虹口。次夜復過之。廿六夜住春暉里。（按自是日後，至閏四月十八日日記始復有有關月梅之紀載，視往昔每有合并聚會之事，必有「借榻」「樓上」「看雨」「宿」等等隱飾字樣，茲乃無之，或亦從史家常事不書之例耶？以下數月亦同，又或是久「曠」耶？兩存其義可也）。十八日鳳從其母游無錫、蘇州、杭州。五月初八日自鎮江返。病瘦露骨，蘇龕頗訝之。六月初八鳳雛去普陀。廿六日蘇龕乃聞其甫歸，午后過之。七月十七日至春暉里食麪。八月十三日有一特殊之紀載，辛丑壬寅間（一九〇一—一九〇二）有南京莊和卿者乃莊椿山之侄，嘗欲娶月梅爲室，鳳母不許，鳳吞金覓死，救之得免，距今殆五六年矣。聞是日莊訪鳳雛春暉里，余因詢鳳，欲爲撮合媒定，以償其宿志，鳳泣辭不願。九月三日午后，過春暉里，郭少娥來約鳳雛入羣仙演劇（按此事破局不諧）。廿四日邀朱古微過春暉里，朱欲見鳳甚殷，談有頃乃去。光緒三十三年（一九〇七）正月廿日蘇龕甫自南京歸，鳳雛辭蘇龕曰：「二月赴烟台，不復返」。二月二日夜鳳雛來（按當是壽椿里），十二日往春暉里與鳳雛別，鳳雛亦來謁中照問疾且辭行，時中照病喘甚劇也。明日鳳雛行。三月初八得鳳雛書云：「依君一年，自慚無功坐食，而婢母猶嘖有煩言，婢自無顏立於君家，高情厚愛，終身不忘，今願自苦，復理舊業，請勿相迎，婢不來矣！寄去繭綢二端，乞存之以表微意」。（蘇龕）得書肌跳頭眩，幾不能坐。初九日復書曰：「汝病瘋耶？乃爲此語，我誠有負情義，使汝有去志耶？所約端午節復遣人往迎，明有天地，暗有鬼神，豈可欺哉」！初十日再與書：「一年之愛，豈不如於往日？金之依鄭，天下所知，復理舊業，實損吾名，想汝雖有此言，旋自悔之。繭綢姑存，須汝自來，手自裁製以衣吾體耳」。十二日又致書：「二月十二日春暉里樓中敍別之情，今爲三月十二日，宿熱猶在肌耳，豈可視我如路人哉！必踐前約，或母子偕來，或汝身獨來，商量後日之計，決無所難也」。廿二日再寄烟台書及報紙，月梅俱置不復。自是鄭金不復相見亦續無書問。四月初三日，蘇龕自南京返上海，得悉月梅已在天津下天仙園演戲。（按：金月梅有菊部盛名，日在氍毹歌鼓，燈紅綵綠，鼓掌纏頭中生活，庸可如瓶花籠鳥囿之於一室？其社會背景既甚繁雜，既得之矣，又縱之獨游，且復置之「曠之」，夫豈月梅所能甘心安守者哉！如莊某之來，郭娥之來，則既知之矣，他人之窺其室家者，殆非蘇龕所能蹤跡聞知也。蘇龕既已久悉月梅之爲敏銳，之爲豪氣，之爲能自立者，夫養豪健士，又豈可徒爲豢畜也乎？月梅之去，固勢所必然者爾。有宿士嘗謂蘇龕論議可觀而處事甚迕，又謂蘇龕眞「疏率不堪」之輩，亦可謂知言已。）

宣統二年（一九一〇）蘇龕應東三省總督錫良招，籌議借外資興建錦愛鐵路及秦皇島開發建埠事宜，籌劃已具，部議多沮，蘇龕因錫良命赴天津與外商商討合同諸節，三月十九趙爾巽（次山）之弟小魯於飲次告之曰：「與雙清甚熟，雙清曾語小魯，鄭君遇我誠厚，其人家庭甚篤，吾不欲使有間言，乃忍而去之耳」。廿日趙復來言：「雙清云，淪落賤業，無顏見鄭，夫復何言」。蘇龕在津眷一雛鬟曰金寶，自言與雙清稔，每看其戲輒哭。此金寶殆即後來蘇龕小星劉婉秋也。蘇龕告以識雙清以來經過情狀，金寶言：「君之於彼，悲歡離合，亦一齣情感好戲，誰似君癡？何爲溺情若此」？金寶復請他日爲君往詰雙清。蘇龕止之曰：「彼不從人，自食其力，于理亦是也。余固癡絕，安能責人」？金寶泫然去。九月十一日蘇龕過烟台，晚烟夕照中望玉皇頂，至于不見，五年悽惘自知殆不能勝。宣統三年（一九一一）詣天津，六月十一日孫仲英邀蘇龕共聽月梅戲，辭不往。十三日抵烟台，舉望遠鏡遙睇，烟雲際尋玉皇頂不可辨識，覺眾生造孽，何故妄用吾情，何故妄用吾信？作詩云：「玉皇頂上曉雲堆，海色山光滿眼哀，哀者不知心未死，更攜遠鏡看山來」。七月廿四日蘇龕在滬，孫仲英來談，覩案頭筆袋，遂語及天津舊事，悵然久之。私祝願月梅與所昵長相保，不可中斷也。八月初四孫復來言月梅爲李長山所虐，托人求拯之狀。余曰：「勸彼忍耐，勿再破散而已」。此蓋是訣絕之語，覆水不再覆收也。九月復因北行南歸，至烟台，更舉遠鏡望玉皇頂，峰巒千疊，謂皆積恨耳。蘇龕之未能忘情，蓋若此哉！是年十二月，既鼎革矣，月梅至上海，在登春臺出臺，蘇龕殆未與之遇。但數年後，津班諸伶俱北還，月梅或又北去也。書闕有間，未能詳。就此打住亦自佳，有餘不盡之情，作煙雲飄緲想可耳。又據鄭氏之日記云：民國六年（一九一七）閏二月初四，黃少希來，求詩集及《函髻記》；八月杪，（陳）仁先求檢《函髻記》原稿，予之，以裝作手卷。是此《記》世間最少有三本。《函髻記》余未之能見，蘇龕云「擬效唐人小說」，當是傳奇之體，或減去神仙詭異，而添飾旖旎婉孌之詩文，意傳奇之文必不甚短，亦必不甚長，以其可裝爲手卷也。重經世變，此記手迹，或幸尚有存者歟？

本文係擷取《海藏日記》纂錄，文中第三人稱或第一人稱，時有間雜，爲抒寫便利，亦未遑擇別，勉強成篇而已。此固不爲「傳奇」之類也。

略記黃季剛軼事

舊聞成惕軒兄談黃季剛軼事甚多，甚可記，惜不能詳記也。

季剛好漁色。其大弟子劉永濟任武漢大學文學院長，一日黃過劉，劉女傭頗具姿首，黃徐語劉曰：「汝寓中事簡，余近日頗需傭力，宜以傭暫借余」，劉爲難而不敢違，女傭遂久假不歸矣。

季剛好罵人，與諸友宴玄武湖亭，正戟指罵座，忽急雨迅雷至，諸人走避。徧覓季剛不得。雷過雨止，乃見其蜷伏座下，色如死灰矣。季剛素懼雷，謂諸友曰：聖人迅雷風烈必變，我，聖人之徒也。

金陵胡翔冬，文學名家也。少年時喜任俠，季剛與之忤。胡因人告季剛曰：傳語季剛小心，我必痛毆之。季剛遂不敢過胡居附近。此其生平見慍之一事。

季剛師事太炎至謹。太炎有《論語補釋》，鄂人某捃摘其疏失，作糾繆，請季剛題簽，季剛不加查察，漫從之。其書傳至蘇州，太炎立召季剛至。入室未交一語，即兩摑之，擲書與觀。季剛長跽請罪，久之乃解。

季剛與胡小石頗友好，胡有詩云「江山千古一徘徊」，見譏於儕輩。一日，摴蒲爭道，胡和一牌，黃因吟曰：江山千古一牌符，牌符徘徊音近也。胡推案而起，遂失歡。

季剛五十，太炎贈聯云：「韋編三絕今知命，黃絹初裁好著書」，季剛得之彌不樂，蓋聯中有絕命書三字也。未幾，季剛卒。

此數事似曾在高拜石《古春風樓雜記》中見之，書已佚去，無從尋考矣。

西山逸士〈臣篇〉

西山逸士溥儒所撰〈臣篇〉，為其告廟明志堅拒康德偽命之作，一世所傳誦者也。今始得詳讀，陳含光先生亦題有一跋。兩文俱可誦，溥作尤引史據經，侃侃持論，爽切駿激明切事情。

一葦云：清皇室極頑固分子，羣致怨於恭王奕訢，蓋以為無恭王之挾忿抱怨介入，則無辛酉（一八六一）政局驟變之事；八顧命大臣持政，則亦無慈禧垂簾之事，亦更無爾後之種種亂政，清祚或可得延。推源溯始，殆不能不歸罪於恭王；故對恭王後裔乃甚嫉視之。康德竊號，逸士即使去長春，亦非能得敬禮。此其誓廟，固積勢使然。說雖有此，而西山皎然之志節與深確之政治認識，固足炳炳千秋。

西山之逝，以頸部一圈潰爛，百計藥之無效。滿人頑固偏激者，乃謂其祖宗以遏必隆刀斬恭王之裔，潰瓛圍頸乃刀斬之痕跡。誣罔致毒至如此。可笑亦復可歎。

西山獨子溥孝華，習軍旅，以風癱死。媳姚紹明善畫，教授於文化大學，以多藏西山遺蹟，爲覬覦之暴客勒死，破夾室盡取所藏。此案司暴者迄未能得。於是西山一脉盡矣，致可憫嘆。西山元配爲總督升允女，早逝，納婢李墨雲爲繼。西山逝，墨雲改適一蒙古人，曾爲立法委員者。

溥西山軼事

西山逸士溥心畬先生，入臺初寓「凱歌歸旅舍」即今國民黨中央黨部舊址，嗣移寓連雲街某巷一日式寓所。日久街道及街名屢有更易，記不眞矣。有庭院，雖非宏敞，亦不偪仄。西山有盛名，當局頗禮重之，招待者似係一文化機關。舊友鄂人曹君薇風，司其事。曹頗雅幹，能得西山歡，故所藏畜溥氏書畫甚多，其人久不相見，今不知在亡矣。

余因曹及羅君理濤引介，得頻謁。日間諸從游弟子聽講，晚則侍觀作書畫。余亦輒與焉。西山坐一蒲團，體稍肥，髮必光潔，衣短褐，出則長衫。每夜用棉紙隨意畫數幅，提出三數紙，命來者擲骰，得點多者獲之。余未曾得一幅。好吸煙捲，爲八一四牌。此煙係供空軍用者，或係其嗣君孝華買供者也。喜飲椰子汁，輒盡一巨醆。近丙夜乃散。

作畫時伸紙命筆如飛，未嘗見其略一構想。題識亦佳妙，俱隨手而出，度每作一幅并題識不過三數分鐘也。濡墨入口吮之，口液與墨和，乃特具光彩。旁置一盂漱墨，此事殆別有一種機秘，非剽學口耳能到。喜用靛青土紅濡毫略點水即著紙。端午日必畫鍾馗，朱墨者最佳。其著意精作，自家收藏者，雖有題識，不鈐印，且必留有闕筆。

余屢曾詣謁，久之遂萌先學書再求學畫之想，呈所作之詩及行草隸書。西山諦觀之，連曰：「太遲！太遲！」余不解所謂，但直覺其拒收爲門徒而已，遂亦未續請。聞有楊紹印君者，作字極類寒玉堂，西山欲收置門下，而楊乃不願。頗憶前代任伯年貧日，賣畫扇於市攤，款題任熊渭長。一日有客過買扇，審視久，問價頗不賤，曰任渭長筆也，價故特昂。客笑曰，君識我爲誰？我，任熊也。伯年大窘。渭長頗賞伯年畫，遂收入門下，其後伯年盡得師學而益進之，乃竟爲一代宗師。余鈍資自愧不能如楊君，而又頗覺西山之未能遽若任熊也。西山於近人多有評騭，曾聞其言曰羅志希貌甚不揚，而字頗韶秀乃過其人。又云齊（白石）于（三原）合之，可謂絕配，意殆有所不足耶？

西山好飲啖，食量宏，時食肆精者曰鹿鳴春曰曲園心園，魚翅價並不甚貴，西山特愛之。每進，在座者但稍食而已，餘必資以飫西山。其食頗類王芃生師，有含婪意，盤瀕盡時乃問諸君尚有需否？羣知其爲「假客氣」，無敢應者。西餐輒詣中心診所附設餐廳，蓋爲其點心特佳云。宴西山者輒有所求，設筆墨紙張廳隅，西山興到，偶爾命筆，必有佳品，足償所費也。好飲，顧量窄，或過量，每掩面大哭，余謂設此等食局良非善類也。

夫人李墨雲，善積貲，凡筆潤咸歸之。李君漁叔爲人求一作品，而未即付資，墨雲乃吝不興，索價倍於常格，此作遂終留。時各報刊有盛詆慈禧太后及雍正皇帝者，周君棄子乃蒐集剪囊之作數千言書大申義憤，以貽西山，謂必執論嚴闢之云云。其實乃欲挑起一場筆墨官司，於中取利耳。西山於先世素恭謹，如稱聖祖仁皇帝高宗純皇帝及某某后必拱揖而立。

覩周書，曰：「國變以來，一世譏詆皇室者文字多如山積，余輒不之覩，自度彼眾我寡不能應且不可應也，周某乃竟以此徑函抵我，是橫辱我矣」，立命盡焚，且戒命周某無論信來或人來，俱毋得通，余所見其盛怒亦僅此。西山逝，周撰文「中國文人畫最後的一筆」，當係自悔或亦自蓋也。

西山居臺日，曾一詣扶桑，人或疑其將不復還。及歸，羣乃大慰。其實，疑之者，乃不知西山者也。

今世論畫者，輒曰南張北溥，然余竊以爲中國畫所重者筆墨與書卷氣。求用筆墨用水之法，必當師範西山。如徑求之大風堂，則或如何蝯叟所云「似我者病，學我者死」。溥門弟子傳其書畫者曰蕭一葦，其次爲女弟子任若愚夫人陳某佚其名。陳畫秀瑩精密，章法無多變化，固亦未易才也。昔歲余曾參觀溥氏弟子書畫展覽，時一葦已去美矣。展覽會諸作乃俱無甚可取，且有「師唱誰家曲，宗風嗣與誰」之感矣！

記書家王壯爲

入臺之初，得書不易，輒詣牯嶺街舊書店求之。易水王君壯爲字漸齋，適居此街，余間或詣之。

君居爲一日式小官舍，庭院靜潔，小有花木，布置無俗態。玄關側一白小猧，客至淺吠數聲，毛色光澤可愛。室殆鮮俗客，主人善雅談，特不及政事耳！君居青田陳公幕，文札主稿爲李君漁叔，委君書之。文非足重，其時君正壯年，作字饒金石氣，兼有變質張黑女志筆趣，余甚愛之。厥後君書名益大震，筆意頗縱橫，包米黃文王諸家法。曾有絹質長聯適丈，志取文衡山，或微遜固不大遜也。訂有潤格，求書者必饋上酒。作書取材早歲常節書《易林》，嗣取宋諸賢筆錄小詞跋記之類，皆雅調無俗韻。善飲，但不賭酒，未嘗見其醉。或微醺，則談益諧矣。

君於茗飲，亦有別調，然而悉是遵古法製耳。以細藤織一筐籠狀桶，中實棉胎，置茶壺其中，取諸種精茶沖泡之，命之曰「雞尾茶」，其實如早年茶肆款客之所爲也。壺傾出略半則熱水貯滿之。午前過其廬，必可啜佳茗，過午香味則遞減矣。每憶墨香、茶香、清談、雅謔，實爲平生勝事之一。講求茶道者，無此高品味。但余友某君暨其尊人，甚詆之爲充名士，求爲名士而不得者。嗟乎，居今之世但求爲名士，不亦取徑自高者歟。

君精篆刻，兼皖浙派而自出蹊徑，同時有曾君紹杰亦工此，端嚴則謝曾，而遒勁秀逸則遠出曾上。兩家余俱熟識，而未曾一求其刻。渠等不余贈，余則不必求也。

余於君晚歲書，輒有諍言，以爲投世好而輕千秋故耳。自君與當時隱持文柄之某要員頻來往；余避其人，遂不數往，洎其遷居興隆路山頂以後，更未嘗一往矣。聞開館及門者甚盛云。君數貽余書，有數幅極精，曾以其一轉貽林婿，屬善寶之。漸齋書之美者，殆莫若此等也。君亦賜余玉照山房印譜，極精，自爲必傳之作。

君晚歲頗病目，御墨晶鏡，兼留鬚，一日眾中忽趨前曰：「老友殆不余識耶」？相見大懽又復惘然惋然矣。

己巳春，君貽余春帖，書「賀春，弟壯爲拜」，附詩曰「復丁韻謔」，云：「一、老懷：人人皆有老，老亦復何礙，澆之以杯酒，腦袋忽作怪，忽凌河漢高，忽越冰洋外，招歸斗室中，世事任成敗。二、饑飽：人須塡飽肚，始能講空話，空話儘管講，肚飽便不怕，設如腹中空，空講誰有暇，悠悠心物間，孰小孰爲大。三、小大，小或不如大，大每不及小，此理亦易明，殊非置顚倒，莊生倡齊物，我欲齊醜好，好醜一念間，脫略或堪寶。四、饒舌：絮絮徒饒舌，嘿嘿容一切，何必賴飲冰，方能止內熱，此亦老生談，非徒逞詭譎，詭譎雖無奇，不談亦不屑」。數詩可以見其胸次已。詩尾加注云，「適接鄭騫教授詩集，甚佩。如尊處尚無，當寄奉」。余復書索得，實甚佳，已別論之。

君書《放翁入蜀記》，有刻本，余實深知其作此書之心情也。其後，余寫劉夢得竹枝詞，書尾曾略道其意，恨不得漸齋一見之耳。年前重過牯嶺街，幾不識道路，滄桑世變，余髮俱白，君則已化爲黃土矣，復何言哉！復何言哉！

詞家江絜生

江君絜生，皖人，工塡詞，于三原長監察院，招之入幕。翩翩書記，流連歌臺舞榭間，文彩風流，照映儕輩，其行事殆略近羅癭公。坐是，亦未能躋顯貴。既入臺，因與徐柏園有舊，得於台北南陽街機關招待所闢室以居。余知好中，居室之狼藉殆惟魯實先與君，書刊百物塵積錯亂，幾乎無落坐處。君尤多有調合藥膏椀缽，散發一種特殊刺鼻氣味，余常嗤之曰五濁世界。招待所改建，遷峨嵋街一小舍，凌亂如故。晚途微有足疾，須杖而行。

君於大華晚報主編瀛海同聲詩刊數十年。民族晚報改版，余創闢南雅詩刊，兩相競，不相訾也。越歲，余因公府職務遷調，遂以南雅移交吳君萬谷主之。歷屆高等文官典試，輒與君俱，每以小詩相贈答戲謔，有煎茶寫竹之樂焉。

余五十生日，君贈詩云：「早磨霜刃意嶙峋，晚綴雄篇舉世驚，秀句可堪無處寫，寒泉眞感出山清，軍謀已壯三千牘，士價終高十二城，準擬吟箋相勞苦，賓筵謳頌不勝情」。時余正遭斥逐屛居也。君笑謂腹聯是就遂園舊句易一二字耳。余深感其意。因具錄之。

君與人無町畦，其與棄子晚有違言，其失不在君也。常與諸友集夜巴黎茶室深坐胜譚，余以道遠且散歸輒抵丙夜，不輒詣。君忌葷腥，常屬治素食數品與之，亦不常索也。好佛又頗究房中術，嘗以爲余頗樸厚，願以術相傳，不責往昔傳承苛禮。余漫答之，未往就學，固亦不以不學此爲悔，學之亦何益乎？

惕軒與君交厚，電話告余云：「端午日攜素菜往視，君已綿惙，瘦至不堪，偃臥一藤椅上，以竹欖擱腳使中空，未著袴，僅以巾覆之，其下蓋便器也。久不良於行，又無人扶掖，遂不得不如此。詢以尚識余否，但舉手爲禮頷之，一室雜穢騰臭不能留。」君十餘年前與一婦宣告同居，曾讌諸友，特不舉行婚禮儀式耳。此婦曾得君款二三百萬元，君逝時僅餘存十餘萬圓耳，近聞牽涉日本某醜聞案入獄。其養女平素扶掖絜生者，亦因與人戀愛，且惡江臭穢不之理，君於是益大困頓。其歿何日不可知。警察衛生隊發覺，始得悉。安徽同鄉爲之料理後事云。

入臺以來，余所識詞家，如君及袁帥南、楊向時、賓默園、譚味菘諸君，先後徂逝，今絕尠能談此藝者。前塵舊夢，我思如何。

記伍叔儻軼事

曾接繼宗電話，云余評伍叔儻〈窮照錄自序〉雜亂無法度，極以爲是，且以爲怪。

叔儻在台娶張沖（淮南）遺孀，極美豔而不識字。淮南精俄文，曾任駐蘇聯大使，抗戰時爲俄事處處長，與機密，CC派大將要員也。叔儻自以爲年老，不稱與美人耦，美人亦居室甚苦岑寂，叔儻乃促其去舞廳跳舞尋樂。未幾，遂結識一男士，叔儻因即遣嫁，並爲主婚。婚後三日復詣候，問其生活何如。此老亦可謂善能用情矣。又讀其《暮遠樓集》中送妻去日小住及遺嫁諸詩，纏綿惻悱而不戾於正，誠爲上乘之作，他人不能幾也。

叔儻頗精英文，但絕口不一道，惟舊好乃能諗其精詣。其論詩最崇晉宋，極鄙少陵，謂爲傖父，所見與吾鄉王湘綺微同。詩甚佳而文甚陋，所不解也。

因與繼宗泛談詩文事甚久，渠深慨今時惟與余兩人可共說老實話也，余亦頗謂然。渠近來頗躭於製聯，尤多無情對。蓋亦多爲無聊之事以遣有涯之生也歟。

高明與樂幹

高明字仲華，爲黃季剛先生弟子，教學上庠有聲，張曉峰主教部時甚倚重之。然其人實非篤學，其爲〈重刻昭明文選序〉自述治學經過云：「九歲入高級小學即以古文鳴……」又云「教授上庠……後移帳國立師範學院」，夫子自道「以古文鳴」「移帳」，既罕見矣，又云「已不復措意於選（文選），此則所謂得魚而忘筌者」。尋其所圈點之文選首三卷漢賦，乃其圈未終書者。凡所密圈單圈密點，筋節奇妙之處俱失圈標，而平冗處濃圈密點，舛迕失常，無當至極，眞不知其著眼所在。是其治選學所得之「魚」，殆悉已漏網圉圉洋洋矣。更曾見渠一文云：「得某某訃聞」。訃則赴告，聞則使受訃之人聞之也，故凡訃告於聞字提行且印紅字也。乃並此而不知，誠可謂貽羞師門也哉！黃十公子弟子在台者，殆惟潘重規氏能知學，他無聞焉。特蕭繼宗曾爲余言，高仲華所製詞，間亦小有可觀者，而余則未曾見。憶數年前，警務處長樂幹被迫去職，當時有一聯云：「樂幹實在樂幹，高明絕不高明。」則謔而近虐已。

黃季陸先生軼事

黃季陸先生長四川大學，某歲四月一日有女生數輩來請，謂某生急病幾近狂誕，乞校長一往視。命即送醫並屬撫慰。俄諸生匿笑，謂今日愚及校長矣。黃立時顏色大變，謂必開除該生。諸生環來乞情，有至泣下者，謂非該生一人所爲，若開除該生，我等亦願同時開除以贖過。黃嚴訓之後，曰我必開除此生，似事已無可挽回。諸生趦趄怨悱，正擬善後間，黃忽拍案曰，汝等固不知今日何日乎？衆愕然，黃忽改顏大笑謂，非四月一日乎？汝等可愚弄校長，獨不許校長愚弄汝等也乎？先生曾爲余言以爲笑。

黃曾在輔大兼課，講國父遺教。宿學重望，選課者雖大梯形教室亦不能容。黃上下今古無所不包無所不講，聽者亹亹忘倦。比歲終，余私問諸生，羣曰：黃師講課大佳，然吾等終不知師所講何課也。

黃血壓低，必資作事勞神提振之。微患失眠，必夜深始入寢。所居合江街與余寓不甚遠，晚飯過，或電招余往閒談，川人所謂「擺龍門陣」者也。頗好象奕，藝雖非高，然亦勝余數等。劇棋長語，往往至子夜，頗以爲苦。劉紹唐兄亦輒蒙此寵，每相笑以爲一厄。

黄少日爲足球健將，晚好游泳。任教育部長時，輒同諸青年輩泳池角逐，體微胖，笑容可掬，大腹膨亨，羣目之爲彌勒佛。高官而無僚氣，黄殆爲近時僅有之人焉。

記陳粹芬等事

《傳記文學》雜志刊出國父妾侍陳粹芬之生平。粹芬世稱陳四姑，國父在香港時與交識。不甚識字，而奮勇奔走革命運械後勤工作，在日本南洋各處貢獻甚多。與國父元配盧夫人晚年亦甚交好。孫科為盧祝壽時，盧亦挈之並出受賀，特盧陳於宋慶齡則深疾之。

考孫氏家譜紀載，國父元配盧氏，妾侍為陳四姑，復次則宋。孫科為盧出。傳聞國父在日本時結交一日女，距今十餘年前，曾來台灣有所需索，未知確否。雜志又云，孫氏子孫稱盧夫人為澳門婆，陳為南洋婆，宋則為上海婆。甚趣。粹芬在南洋收一義女曰孫仲英，後嫁國父侄孫，即孫德彰之孫孫乾。仲英復原姓蘇氏，論派序則仲英宜為孫乾之姑輩也。

明州先生元配毛氏，迫離後稱義妹，蔣經國為毛出。次為姚氏，聞係滬上蘇州堂子娘姨，緯國即為姚氏所撫養。又次為陳潔如，經國稱之上海姆。近時各雜志於陳之遭遇，迭有披載且出專書，不贅述。又次則為宋美齡。後復傳聞明州在渝時眷一女護士。明州於孔祥熙為僚壻，祥熙之子令侃，終身未娶。聞曾一度圖與其舅宋子文妻妹張某結婚，孔宋藹齡力阻之，遂不諧。果成親，則是外甥娶舅母之妹矣。

孫乾出身日本士官學校，又曾去意大利習空軍，有此學歷，而未嘗一膺顯秩。然而視明州兄蔣錫侯之子際遇仍較好。是子畢業日本士官，有大志，曾爲少將，但爲閒曹，久而苦之，發憤狂易以死。

國民黨權要諸公類皆有或顯或昧之房侍，弗可詳。曾記南京中山公園，林森（子超）主席曾捐贈石磴若干，上鐫云：「有姨太太者不許坐」。準此，則袞袞諸公悉當「三十而立」也。此「三十而立」語，亦有一趣事。清代八股文以「三十而立」命題，一生作破題云：「兩當十五之年，雖有板櫈，亦弗敢坐也。」審奉禁能嚴，則林氏之磴可無作焉。

記陳槃盦先生

陳槃，槃盦先生，中央研究院老院士，著述等身，爲海內士所傾服。其人係傅孟眞先生招致入院者。同時見招者爲俞君寥音。俞旋別就，陳乃老於院中。余屛居無憀，欲就中院閱讀珍籍，並希望能有若干規定可容許之便利。偶於閒談中以此意語俞，俞書一名刺爲紹介。余旋因有院士黃君彰健之助，此等事不必煩陳，遂未修謁；又因已別有職事，未能輒詣南港。此所懷刺，久遂漫漶，今亦不存矣。

余於槃老，輒多有書札往還。有經心之作，必寄奉請教。蓋余詩文實病每多用典，雖非僻，人或亦不能盡知，惟槃盦則爲能究悉耳。茲檢錄數函，以紀與此老之文字交契，我不敢且亦不願藉此「老招牌」以自炫，是朋輩當亦能信之。

「××先生著席，承示尊製旅美紀行之文，清眞雅絜，古近體詩，則出入唐宋諸家，掉臂游行，力破餘地，歎賞反復，傾慕良深。拙作兩事、拙編一事，聊復奉塵。尚冀先生有以教之，所忻幸也。草草順頌道宜不宣，弟陳槃再拜十一、廿七」。按槃厂所寄爲詩稿及所編文稿共三冊，旋又由龔鵬程弟送來一冊。從游者索讀，力誡其善爲藏弆，此人當必能嚴守所諾。槃厂詩清雅典麗，而不纖軟，是眞可學可讀者。

「××先生足下，拙詩疏淺，昨承來教推挹逾分，匪所克堪。尊著近詩，感時撫事，寄慨遙深，至於屬辭隸事之精警，趙甌北評瓶水齋詩：『無一語不鑿空，無一字無來歷』，此二語直可移贈。弟十餘年不親此道，讀大詩不禁興望洋之歎矣。草此奉復，即承道祺。附塵近刊拙札，其中一本頁五六、五八論宋詩二事，原爲某君論宋詩專著而作，年前曾以稿寄渠，而無回響，蓋不以爲然也，足下今亦不可令其聞之，以免發生不必要之誤會。足下高明，爲弟政之，是所望者。弟陳槃再拜。四、四」此函「不可」兩字旁加圈，是鄭重其辭也。槃厂此作亦爲從游者並取去。此等書中研院自必有印本，但所送者乃經其親筆題署，故可寶耳。

其他尚有數函，俱係家常及朋輩瑣瑣，並略道其所謂「家難」及遷居事，俱不錄。其最後一函，尤有趣。「久不聞玉音，××先生安否，弟槃再拜」（不署月日，係快郵寄來），封題「張××先生座下，槃緘」。郵差以常送郵件，故頗熟，乃亦頗詫其封面題署，因以爲問，具答之，乃笑而去。

比年間余正致力於作字，出書法冊，故未有詩文之作，遂疏通問。得函後，隨復一箋具道所以。書印就，遂拉彰健先生同詣其寓，槃厂已沈疾住院矣。其喪也，未得赴告，未能往弔，甚爲闕然。

余與槃厂相知蓋二三十年，曾未謀面。古人謂「千里神交」，今余與此老同居於台北市，亦復未能一晤，乃余疏闊失禮處。然故是大奇事。今那得更有此等人哉？不禁睪然高望矣！寫此以志余愆且致敬禮焉。

女書

湖南江永縣，在湖南湘桂邊界，都龐嶺東南麓，盛產稻米松杉，鑛產有銅錳鉛鋅之屬。古時爲傜族居地，今縣屬上江墟等地，仍有未甚開化者。外來之族有蔣、宋、唐、胡等諸姓，則漢人也。其鄰地或亦有山越遺種。上江墟與大遠傜族鄉毗鄰，其地千家峒乃傜民主要集居之處。

其地女子小脚，事紡繡，流行指腹爲婚，不得離婚改嫁，盛行結拜姊妹，大抵在四月初八日舉行，是日，凡結拜者聚餐讀《女書》。《女書》其字不可識，女子書信往來則用之。書裝釘成冊，以上好布爲封面，書葉之四角，每葉俱繡花。此書於男性則甚秘匿。字體略近象形文，亦有採會意者。頃稍稍流傳，台灣婦女新知基金會曾有出版，附有譯文，而從事研究者則尚無所聞。

世間文字流通，多爲各種族部落間約定俗成而孳衍，若但以一地區女性間流行之文字，則實爲創見。此地區在古昔爲楚文化與越文化接觸夾縫之處，能討究其源流及其形成孳乳，是饒有意義之事，而今時余則病未能也。蓋此區文化蔽僿男丁教育已深感不足，安得另有力量以推行女子教育，而創化傳承一種特殊文字乎？余昔認爲係當時傜苗秘密通訊文字，以避漢人之窺察者，非必盡爲女子之書，特托《女書》行之耳。此意或亦可供討論。

美食

報紙紀大陸各地美食，余頓有食指大動意，然不惟遠不可即，即有亦不能進也，可歎。余微有饕餮名，渥君亦頗能治庖，朋儕或譽爲美食之家。年來血壓漸高，尤其害攝護腺肥大及痛風諸症，於是素所嗜食之諸品，如內臟，如濃湯，如肥脂，如海鮮，俱不能用。看人大啖，且妒且羨矣。近日多用冷開水泡飯，急造泡菜佐食，味亦良佳。此非寡取而深探者不能領其妙。昔金聖歎臨終語人云，豆腐乾合花生米食之有火腿味，余屢試之殊不以爲然，而開水冷飯之美，則眞實語言也。澹泊自甘，大味必淡，古人豈欺我哉。報紙剪黏，望梅止渴並以公諸同好且竢病愈爲大享也。

揚州紅樓宴

紅樓美食在名廚指點下，果然質地有別，吸引不少慕名而來的人。

「紅樓四季開家宴」這句話，是涵蓋紅樓夢這部古典巨著中有關吃喝的最好形容。大户人家飲食的氣勢，是無需藉迎客宴飲才足以顯示的，平素的家常小菜，就足令一般市井人家嘆爲觀止了。

爲使揚州的吃食能吸引仰慕中國文化、景物以外的觀光客群饕們，大陸特別在數年前設計紅樓菜色，並經由知名的紅學專家指點，由於其質地的確有別於一般旅遊風味餐，推出後反應果然不差，客層中尤以講究美食的法國人、日本人居多。

頗以「書卷氣重」自豪的揚州人認爲，揚州菜雖屬於淮陽菜系，但菜名、內容必需形、意、覺皆能呼映，像紅樓宴第一道上的「孔雀開屏」，即純屬以眼觀而不供食用的「看菜」。這道菜取意於有鳳來儀的設計，指紅樓人物賈元春爲妃成鳳一事。而另一道菜「雪底芹芽」則暗喻作者曹雪芹，先以蛋清打成「白雪」，再夾水芹菜於其中，不但形意吻合，境界也相當高妙。

根據小說所載，紅樓飲食中的花茶、麵點、酒餚俱佳，像林黛玉喜歡以零嘴搭配品茗，揚州賓館便在正菜未上前，先以山藥子、菱角、花生等茶食供吃客開胃。另外還以一種香氣撲鼻的酒，取代書中以百花花瓣做成的佳釀。

王熙鳳、尤二姐偏愛油炸食物及飛禽肉，「油麻鵪鶉」、「炙肉骨頭」在紅樓美宴中的份量，便不遜於以江南酒釀、紅糟做成的「糟鴨杏」及「胭脂鵝脯」。除非因季節更迭變換菜單，取代這些菜的則可能是蒸菜「酒釀鴨」。

爲了戲弄鄉巴佬劉姥姥做成的「姥姥蛋」，製作、取食均需費一些功夫，原來這道菜用的不是一般鵪鶉蛋，而是產量極少的鴿子蛋，同時爲了趣味性，紅樓宴侍者會要求吃客以筷子夾食。而非輕易的靠湯匙舀食，看那個客人和劉姥姥一樣貽笑大方。

揚州紅樓宴中最值得稱道的，未見得是大補的「馬蹄鱉」小燉盅，或是以鮮魚肉川成的「老蚌懷珠」，而是爽口清淡的小菜、小點心，像以茄丁，菇丁、松子丁加豆干丁炒成的「茄鯗」，蘿蔔切絲過油調味後的「蘿蔔炸」，以及用蓴菜、小黃爪做成的「蓴齏醬」。以椰絲、豆沙爲餡，藕粉爲皮的「藕粉圓子」，棗泥、豆沙、糯米做成的「如意涼卷」等精美甜點，不但味道好，模樣兒更是討喜，嚐過的人，少有不回味的。

上海藥膳

藥膳益智醒腦、長壽抗衰老，兼可健膚美容，中國人研究它已經近三千年。

中國醫藥界的專家學者認爲，最好的醫生應是借助食物便可療疾，不得已時再藉由藥物治病。基於這項觀點，自然飲食療法—藥膳，在中國人研究近三千多年後，目前又在大陸的推廣下，成爲十分熱門的旅遊餐飲。

上海、北京、杭州、常州等地都有針對觀光市場設計的藥膳，但若以口味精緻度來論高下，上海的藥膳較能符合中西口味。

據大陸的中醫師分析，藥膳的主要功能，不外乎益智醒腦、長壽抗衰老、健膚美容等，一般藥膳多區分爲茯苓、松針、花粉、珍珠、膠股藍系列，以藥入菜不覺藥味是其特色。

上海所推出的藥膳，和一般餐廳上菜項目大致大同小異，也按順序的依冷碟、熱炒、燉盅、甜點排列。從內容上看，並未特定範疇的歸併入任何一種藥膳系列，可能也正因爲如此，在有益健康的全面性上更普及。

以綠豆芽、山渣汁醃拌「晶芽鴨脷」，據說能降低血脂肪。同時對心絞痛患者有減緩作用。「杜仲脆鱔」中的鱔魚能滋陰補氣利血虛者，加上杜仲則有助於筋骨的強健。蛤士蟆加薏仁燉成的「蟾香米仁露」，據說不但能潤肺還能抗癌，尤其是消化道的癌變。

吉林紅蔘、西洋蔘、太子蔘和甲魚同燴而成的「三蔘燴元菜」，據說有軟化腫瘤的功能。以具有抗癌成份的馬梅醬燒墨魚做成的「梅醬炆魚片」，據說有消腫、補痺、利水效果。

黃橙橙的白果，放在水梨中加冰糖燉成的「銀果雪梨杯」，對呼吸道免疫能力差者極有助益，這道燉盅嚐起來反而比藥膳中的「南北雙菇包」、「首烏蓮蓉餃」更像餐後點心。

其實上海藥膳最值得稱道的，是完全不像加了藥的菜，有些菜像五味菜卷、金鉤香芹、韭黃雞絲等，本身就已具有改善體質的效果，無需再刻意添加任何中藥。

太湖船菜

除了船菜，無錫的船點也十分爽口，舟上用膳，眞是教人垂涎三尺。

大陸的水上旅遊，除了桂林、長江三峽及黃河外，最著名的當推江南的古運河之旅。古運河之旅中，又以無錫的風光最令人心曠神怡。

顧名思義，船菜便是指在船上享用的菜。而這條盛載食客的船，功能便不僅止於交通工具而已，除了雕樑畫棟以外，賞月看星時還少不了張燈結綵一番。這是在一般陸上餐廳吃飯時，無從獲取的另一種情趣。

由於各省促銷旅遊，競爭極爲激烈下，無錫的一級廚師負責船菜設計，融合淮陽菜工細、調味精的優點，並加上國外的包裝技巧，使整桌船菜的質與量，均能和台、港、澳、新別苗頭。

像小菜中的「蕃茄切片」、「乾煏牛柳」、「芥茉菜心」，不論鹹甜辛辣，道道都很開胃，把蕃茄斜刀片薄加入蜂蜜醃拌的「蕃茄切片」，稀釋了原有的果酸卻添增了花香的甘甜。微辣的「乾煏牛柳」煏的火候恰到好處，乾爽濕潤度兼具。至於「芥茉菜心」則是以菜心取代西洋芹，點子出得相當好。

「荷葉煏雞」和潮州名菜「鹽煏雞」的不同處，在烹煮過程中加入了蕃茄醬燜，口感上頗爲特殊。把蝦和肉剁碎，釀入豆腐中炸過再紅燒的「鏡箱豆腐」，炸工、調味都是硬工夫，否則整盤菜便無法脆而不硬，甜而不膩了。

晶瑩剔透的銀魚，是太湖主要的水產，將之裹粉油炸做成的「銀魚包」，口感和一般的炸魚排全然不同，把桂魚切成細粒做成的「炒魚米」，是太湖上另一道和銀魚平分秋色的船菜。至於「梁溪脆鱔」，由於把鱔魚炸得酥酥的，是很好的下酒菜。

除了色香味俱全的船菜，無錫的船點也十分爽口，像是小籠包、鮮肉小餛飩和銀魚小餛飩等，尤其在品嚐過以銀耳、竹笙、蔬菜組合成的「扒上素」，濟公活佛手傳的「風橋排骨」，土雞、枸杞同燉的「汽鍋甲魚」後，再吃這些小點，舟上用膳的回憶將更形美好。

右所輯，殆俱係旅游業者之宣傳資料，亦僅囿於長江下游地區，大抵屬於淮揚蘇滬系統。其實若干餚饌，名稱雖美，而口味亦未必甚佳也。我國名菜，如川菜、湘菜、廣東菜、北京菜、陝西、山西菜，俱各有其獨特之風味，此俱未能列述，若夫法國菜、俄國菜、意大利菜、日本菜，以及南洋菜，亦復各能爭鮮競爽，信夫吾人今時之口福爲不淺矣。昔賢所著食譜甚多，近日談食事者唐魯孫、盧迪爲著。余曾於報端剪存張大千宴客食單，調配頗具心思，大千固美食家也。

猴頭菇

鮮猴頭菇，同學文華生兄饋，台灣培植者。初以爲珍饈，精意烹治之，然殊不能佳。菌既小而薄，纖維粗澀，非登品之饌材也。

憶數十年前初食猴頭菇，在湖北老河口第五戰區長官部。同鄉黃君雪邨時任五戰區經濟委員會主任委員，兼爲司令長官李德鄰撰政治經濟文字，甚見倚任。李妻郭德潔自廣西歸，其實李故有元配而因村僿不出酬酢，歷來鄉居，故各官場交往或他項工作活動悉由郭主之。郭帶回果子貍配以鄂地山珍猴頭菌分貽長官部高級幹部，黃饒有所得，設饌餉親知。余時僅一文官少校，微員末秩，特以偶有撰文故，叨陪末席。抗戰時物資艱困，有此美食，不啻天廚仙饌矣。今日回思，覺猶餘味津津也。

果子貍兼羔羊子雞之腴嫩，不肥膩，無羶氣，似微胞而實軟和，甚鮮不佻達，誠佳品也。前年聞臺地某達宦曾得此款客，余賤，未之能嘗。猴頭菇價甚昂，產鄖陽一帶原始森林中，其地舊名神農架，清代官兵清勦教匪，教眾竄此區，官軍不敢入，今時尙傳有紅毛野人蹤迹。菇良特異，山戶言爲雌雄偶，採得其一，循光線於對山迹之，必得其偶。余所見爲乾菌。掘深坎置淨沙，埋菇其中，熱湯沃之，三四次後，菇乃漲大，眞如金獅猴頭，頂毛光亮照人。菇極厚且大，切片調湯，清香貫鼻，爽儁極矣。今時台產之品，既薄且小，毛亦不黃亮，味更粗惡。信乎橘逾淮而爲枳，又況人工所植，實遠異於野生者乎？

菌類之佳者，北方爲口蘑，出張家口一帶，菌極小而鮮，北地盛風沙，菌肉中必含有沙，滂洗弗能淨，然作湯良可口。吾鄉盛松柏柟竹，多生寒菌，九月雁過時尤佳，所謂雁鵝菌者也。眞精茶油熬煉之，乃佐餐上品。昔長沙大麵館有寒菌麵，價倍於常饌。又瀏陽有蕈菌，亦大好，今殆絕種矣。

半屐硯

繼宗嘗自署半屐翁，詢其意，渠云：渠曾蓄一端硯，遊蘇州，與霍姓友人交換一小硯。霍世家子，藏骨董甚多，此硯爲半屐形，極細膩發墨，硯底有刻字，今存拓本。

崇禎壬申花朝得
於廣陵市史氏珍藏　（楷隸）　（壬申爲崇禎五年1632，廣陵、揚州）

半　屐　（隸書）

康熙壬子六月廿四日
朱彝尊作于西陂主人
齋中　（行書）　（壬子爲康熙十一年1672，宋犖別署西陵放鴨翁　朱彝尊竹垞詞人）

此硯繼宗頗珍視，嗣以將入臺，攜行或召盤詰，乃留滬瀆，今不知所在矣。

談玉

余棠村舊居，頗有藏書，但無甚精槧。無宋版書，明板約有一二部，亦非善本，餘悉清代佳刻，列櫥百數十，每歲曝書為一大工役。骨董書畫亦不多，先祖先叔祖最寶愛者一為王孟端畫竹、一為宣德爐，重錦裹之，木盒重扃櫥置樓上，余雖深承祖寵，亦祇得觀三數次而已。此兩物曁明板書，後輩弗能守，覬覦者設局賺去。憶先祖誡命，凡名器重寶，俱非吉祥之物，歷來為此等物謀奪構陷，寃魄戾氣所附必多，何必畜以賈禍。所見玉器，但有一小如意，餘為婦女簪珥、老年人所佩玉飾手圈等，云可避顛仆，故於玉器，實無所知聞。近報端競傳某高級旅社密室中有寶玉名書畫待運，有司查謂訛言。又傳某博物館近數年收購玉器，官商勾結，高價收贗品云云，竊願其又係訛傳耳。昔吾湘宿學易培基氏曾典守故宮寶藏，被誣盜寶，易含恨以歿。易實能硜硜自守，他人則殊不敢必。近日某館新辦玉器展覽，就三年來所收之品闢專室展出，蚩蚩之氓，夫何能辨？即專門之士，非細察深考亦不能辨也。古人有言「懷璧其罪」，世人盡知其義；又云「懷寶迷邦」，茲當下一新解曰，彼人固已懷其寶，特設為遁辭，巧辯僞飾，以迷亂國人視聽耳。此解就今事說之，或亦非苛。彼「深情厚貌」，即內藏奸詐外飾仁厚者所優爲也。

報端有一文字，略論玉器之僞作與鑑定，因撮錄之，此乃普通知識，其詳當求之專家著作。

玉分二種：⑴軟玉（Neplrite）硬度六—六．五度之間，國人稱爲和闐玉，產新疆一帶⑵硬玉（Jadeite）硬度在六．七五—七之間，一般稱之爲翡翠，產滇緬一帶。

玉之斷代，一般分爲：⑴新玉，爲未曾入土者，色澤鮮潤者。⑵舊玉：從地掘出，有浸蝕痕迹，色澤發生變化，但此亦未能悉以爲準，若秦漢之玉從未入土，色澤故無變化，而明清之玉曾陪葬，色澤發生變化，是則將何從定其新舊耶？故有人乃分爲三類。⑴舊玉，凡明清以前玉器，曾經入土，色澤生變化者。⑵傳世玉，漢以來玉器，未經入土，色澤無變化者。⑶新玉，明清時製，從未入土者。

玉器埋藏地中，受各種不同化學成分，溫度濕度及壓力之影響，而產生不同之色澤變化。目前科學技術，雖可以測知其所含成分，仍不能斷定其色澤變化之因素及其入土時間之長短。鑑定玉器遂不能不參考其花紋形制及琢磨方式定之，且並須考明此器物之用途也。

僞作舊玉之方式，大約有二種。⑴將舊玉仿古刻飾，我國琢玉之主要工具「旋車」始於商代，至今仍無重大改變，以之作僞自易，特其風格刻法不同，有經驗者自能辨之。(2)用新玉僞製舊玉，其法甚多，據《玉紀》及《玉紀補》二書所記，常用者如次：Ⓐ老提油，將新玉以虹光草湮之，久之，其色透紅似雞血。Ⓑ新提油，以玉石入紅木屑中煨之，其石色即紅，欲黑，則入烏木屑中煨之。Ⓒ僞石灰骨，將玉件用火燒之，則其色灰死如雞骨。Ⓓ羊玉，以小件玉器劃羊腿皮納入其中，以線縫固，數年後取出，則玉器帶有血紋。Ⓔ狗玉，殺狗不使其出血，乘熱納玉於狗腹中，埋地下數年，取出後有土花血斑。Ⓕ梅玉，以質鬆之玉，先琢成古器形，用烏梅水煮，玉鬆處爲烏梅水搜空，宛如水激痕，然後以提油法上色。Ⓖ以較差之玉用油炸使其變色，俗稱油炸鬼。Ⓗ火烤，使之變色，俗稱烤皮子。ⒼⒽ兩法，民國以來，作僞者常用。

鑑定之法，不外考察其形制，用途、花紋、色澤，近來有以地板蠟擦拭，僞品色澤自然脫落。另一爲用丁香水，此水爲日本傳入，五種特殊化學劑，塗於古玉上，古玉立生變化，其斑斕古色立即消失，閱五六小時，眞古玉則又恢復其古致，其僞者則面目全非矣。

右所錄，余實僅一抄者而已，談玉，則眞門外之門外漢也。「君子比德於玉」，余謹誦之。「彼君子兮，不素餐兮」。余更尸祝彼君子者之不居「梁上」，且不屬於「僞」之一流焉。

鼻烟壺及其他

故宮鼻烟壺展覽，展品甚多而極精，至可觀也。

余幼年蒙先祖賞鼻烟壺一，壺係燒料即玻璃質，壺內作書畫，瑪瑙鼻洗，其精雅雖未如故宮今之所展出者，亦良可寶也。先祖居京師以四十餘金買得之，壺為當時一名工所製，悉其所作，亦不過數十壺。先祖嘗指余語人曰：「是兒讀書悟性尚佳，而記性不足」。余髫齔時所能背誦者，僅四子書、詩經及左傳，禮記亦能背若干，余實極愛此壺，先祖命之曰：「年終背長書，若能全背左氏傳，當以賞汝」。余昕夕力讀之，及命背，先祖隨手指起某處，即應聲朗誦，命止即止。亦非通背，點背數十段而止，其實左傳余亦非盡熟，大概可得九十分左右，膺此賞，先祖實不免有「放水」之意，余乃覺不啻錦袍之賜，先祖掀髯頷首，慈愛之容恍惚猶如昨日也；今老矣，曩時能背此書，隻字不能復記，可愧恥已。此壺亂離中失之，或云為某某竊去。

余舊居書房有枬木書桌，精銅包角。上陳天然石罐、玉筆銅，倣古碎瓷筆洗，菊花石及漢甎硯，此兩硯俱不貴重，湘中人家多有之。壁懸彭玉麟梅花巨幅，及邊壽民螃蟹，邊以蘆雁著名，而此作蟹亦絕佳，題錄辛稼軒采桑子詞半闋，字亦秀勁。前歲見臺灣景印畫冊，彭氏梅花幅，似是余家舊物，然彭作此類畫亦良多，未必即余舊賞之品也，而余特對鼻烟壺則終身耿耿焉。

故宮又有明清書畫扇面特展。說明書謂，古時僅有團扇，摺扇本出日韓兩國，宋元兩代高麗使臣至中國爲貢品或私覿物，名爲倭扇。明永樂年間，成祖愛其舒卷便利，命如式倣製，遂流行浙廣。石田、衡山、子畏、十洲、俱喜爲扇面書畫。此次展品甚多，然爲余最欣賞者殊寥寥。扇面書畫殆實最難工者。余有裱褙各型扇面書畫數小屏，俱非佳品，但聊可供欣賞者也。

麻將經

報紙副刊載〈賭與人性〉一文，敘論頗有次。謂中國人好賭麻將，麻將由馬吊演變而來，據云宋徽宗時即有之，宋人楊大年即曾撰《馬吊經》。馬吊盛行在明天啓時，爲紙牌型式，有四十葉，分四門：萬貫，十萬貫，索子、文錢，萬貫與索子之數字由一至九，十萬貫自二十萬貫至萬萬貫，畫有人形。文錢亦繪人形。由四人作戲，每人八葉，由大而繫小。鄭和下南洋，船員在船中以此爲戲，消磨旅困。洎清代，洪秀全起義廣西，太平軍士兵以馬吊賭酒，於是馬吊在太平軍中遂起變化，被改爲筒化、索化、萬化、王化、東南西北化。此種所謂化，俱太平之封號，此說固不足爲考證，亦可備謏聞。魯君實先曾謂麻將決非馬吊。今渠已逝，無從商兌矣。麻將有「插花」者，且唱且打，余不之解。舊識冷君楓曾著《麻將經》連載某小報，余亦未經眼。冷固精牌藝，然博亦輒負，然則所謂經也者亦不經之談耳。

今日報刊有倣國民黨員守則十二條條文，爲麻將守則，殊有趣，抄附之。

「衛生麻將旨在遊戲，不得有抽頭聚賭之行爲。籌碼輸贏旨在勝負，不得有傷根動本之行爲。圈數先訂旨在消遣，不得有熬夜傷神之行爲。宣布規則四人同意，不得有事後爭執之行爲。砌牌要快旨在益智，不得有記牌暗砌之行爲。快碰慢吃言出法隨，不得有誘敵坑陷之行爲。落地生根見光就死，不得有反覆無常之行爲。輕摸慢放注重風度，不得有摔牌砸桌之行爲。敦厚牌品崇尚友誼，不得有咬牙切齒之行爲。先摸後打出張要快，不得有久思長考之行爲。四圈一局聚精會神，不得有頻頻入廁之行爲。主張自定觀牌不語，不得有場外商榷之行爲。」

昔陳公博精牌藝，博則輒勝；宋子文兄弟輩則雄於貲，子良尤擅商業經營，粵人有聯云：「願公勿與陳公博；生子當如宋子良」，亦趣。

阿芙蓉

客有談及目前安非他命為害甚烈，國民小學生亦有吸食者，深可危慮。余不悉此等毒物之吸食方法，詢問數人，亦無知者。故友謝君文凱有此癖，惜當時未一叩之也。此物當係鴉片一類，鴉片一稱阿芙蓉，余則略有所知焉。

余舊家叔伯輩約三十人。世代以科舉傳承，科舉既廢，守舊之老輩亦不肯下代入新式學堂。時革命風潮甚亟，參與者，或不幸喪身毀家。老輩大多以為與其惡化而參與鬥爭，不若腐化留家而安閒度日。因是伯叔輩殆鮮有不吸鴉片蓄姬侍者。阿芙蓉有提精神促進性功能之力，俗謂有人蔘之功而無人蔘之德者也。凡吸鴉片者輒通宵不眠，達旦就寢，晝夜顛倒。又凡有此癖者輒嗜飲食。舊家東西兩頭，各進俱有庭院，分爨後各自具有門戶，其生活情形亦頗不同。余依母隨祖輩居最內之第三進，出入經中堂大廳，不經各叔伯居處。旋各家又別開小門取便，來往人多，故家中竈火不斷。凡作客諸叔伯家，隨時俱能有美饌可啖，殆今日所謂二十四小時供應者。余母苦節，力戒余不得與此輩人往來，又深得祖寵，時時陪侍，亦無緣與接觸矣。然日久耳目所接，亦頗知鴉片煎熬之法。

鴉片烟多作餅狀，佳者爲公烟，係地方政府售出，如今公賣局之售酒，私烟則爲走私入境，品質高下不一，特烟價爲較賤耳。熬煎時，先具一竹製覓眼筐如斗笠倒置之形，炭火烤竹製紙至微焦黃，鋪筐中數層，銅鍋燭煙土滲水煮至大熟，傾筐中瀝乾，棄其渣滓，但取瀝清之水置銅鍋徐煮之，至濃稠如膏，遂成功爲煙膏矣。忌觸鹽，觸鹽則必敗，成膏後以瓷罏深埋土中去火氣，愈陳年愈好。

烟榻置煙盤，材質不一，有銀者漆者玉者。盛煙膏有盒，爲石或玉質。盤中燃煙燈，燈座多銀製，盛無焰之植物油。燈罩爲玻璃質，燈火頗微。以銀或鐵質烟簽黏煙膏就燈火燒烤之，令微起泡，手指捲緊、再黏、再烤、再捲，即成煙泡。煙鎗分三部，吸嘴多爲玉質石質，鎗管竹質，或竹質包錫，玉質較重甚罕用，其下則爲煙斗，斗之一方鑿小孔，以煙泡乘熱按置孔上，就煙火吸之，煙氣馥郁，視上等雪茄尤芬永。吸之可氣爽神怡。其有癮癖者，非吸煙則肢體酸痛如病厓也。煙癮愈久愈大，乃至終日沈迷雲霧中矣。

昔者大都市妓女，多工裝煙泡，陪客吸食，其樂殆遠適紅袖添香，眞可謂溫柔鄉矣。達官高士染此癖者良多。余祖父叔祖父亦頗癖此。高名重望，殆無敵「陪邊」者。所謂「陪邊」乃指炕上烟盤之另一側相陪吸食也。余爲獨子，體素弱不好弄，讀書亦在中資上，深蒙兩老鍾愛，故兩老輒命就榻邊嬉戲，老人譚典故談藝文，甚樂。余頗能聽受。講畢，即命就架上取某書某卷參證詳讀之，不能解者即必問。幼年所涉獵書卷，似當視同輩爲多。每憶冬日，炕前置小火箱，毛氈覆之，通體溫適，窗外雪花如掌，室內和煦如春，幾乎兩世界也。

故余雜覽旁收，蓋實於煙燈畔得之。回思當日，悠然神往。余中歲嘗自擬如過六十歲稍有成就，則當必吸阿芙蓉，以迨兩祖之歡。今逾七十歲矣，海涯偷活，生事艱難，即如烟燈等類器物，臺灣亦未嘗有，深知此生必無此緣無此福分。此是小遺憾，更亦屬大幸事也。

余絕非宣揚阿芙蓉文化者。余叔伯輩煙癖者多，或尫疾早死，或蕩盡家產，田疇屋宇骨董藏書之類，俱掃地以盡，世族門風無復可問。祖父輩篤老無力究正，母氏亦祇嚴戒但守倫序尊卑禮分，不許與之接觸。廛市外間又有所謂「燕子窩」者，爲窮乞煙蠹麕集之所，余但於說部描述中曾有所聞，不知其究竟。特一事仍可略記，在渝州日，乘滑竿長途入山，滑竿伕多吸鴉片者，途中就道旁烟戶，轎桿不卸，隔窗就煙燈擎鎗猛吸即行，狀至惡劣。今隔五十年矣，不知尚有此情景否？

總之，此等萬萬不可接觸，不可抱冒險心理嘗試。青年人尤當愼之，否則萬劫不復矣。香菸且當禁戒，矧此蘊患劇深之毒品乎？

米湯與苦藥

女弟劉正之妹劉上，余介其從蕭一葦兄習畫，恐未必能竟業；余作劉正添粧詩，寫就裱好，適劉上來，囑其至蕭處取賀聯，並持余所書軸送蕭一觀。一葦旋來電話：「字不甚好，但有一種說不出之味道，大約如麻將牌中之十三爛，固是一副大牌也」。此語頗趣。

陣雨中，實先忽來電話，詢余對其《轉注釋義》讀後意見。余實不甚解，特平昔以爲清儒解經，輒利用假借轉注等等手段，七轉八轉，必求如其意中所欲解者而後已，甚疑之亦甚厭之。此時不欲再事與諍說，遂漫語以應，渠竟大歡。謂今日湖南人讀書者惟渠與黃彰健及余三人而已。余自知淺學，決不能與此選，聞之亦頗快意。甚矣，人之好名好諛也。魯固不肯諛人，但阿好之意則實濃，

龔鵬程弟來云：渠於餐席晤王壯爲先生，王問渠以余近來詩稿及書如何，龔未敢應。壯爲旋笑謂，當爲余鈔寫詩稿以補余嬾云云。此殆緣龔或告渠余適來困慵之故。余豈敢屈漸齋爲書手耶？

惕軒電話，於周棄子令郎信極多感歎，欷歔對語，彼此俱難爲懷。旋謂余挽賀楚強聯

頗似范肯堂，不意談周事乃加收米湯一缽也。愓軒招余下週一聚餐，謝之。

陳起鳳兄電告，師大教授唐某談及余撰魯實先事略中有用「一二八之役」字樣，為不合古文義法。夫古籍所謂「泛舟之役」「遷延之役」「甲子之事」「甘露之變」「甲申之變」等等，豈不與此相類哉！又何以能入古耶？此固一專用名詞專門用語之類也。章實齋有「古文十弊」之文，為說甚隘陋，余曾大闢之，但其中固亦饒有識見處，能知實齋書，斯可免於此等似懂非懂之說已。

黃彰健兄電話：謂得徐復觀信，談余所撰魯實先事略文，謂甚有法度，為今時所罕見。特其中所云郭某之招與國家諮訪孔誕日意見兩節可刪，一不盡、一不實也。並望余為實先生作傳。渠曾於余曩所撰駁林語堂《蘇東坡傳》文，深致讚譽，囑續寄稿去。余倦不常作文，近實無以應，所糾魯文各節，當徐正之。徐曾同飲讌，雖意氣風發，亦並無不近情處，治學勤劬，頗具遠識者。

余曩作劍芬作鱠詩，廖君井丹刺為「大炸八塊」，此作改後存之，又另撰一古體諷喻詩，廖直訾曰「不知所云」，稿遂廢。余昔曾苦學后山詩，五十生日渠有詩云：「張侯往往動高興，閉門血戰陳無己，夜半詩成舊創裂，驚人句動衫袴紫」，蓋譏余痔苦疾也，詩今不存集中。

余撰蕭繼宗八十壽慶序，李君嘉有極讚用筆靈活，余亦頗信其非貢諛。近忽有人傳方某某言謂壽頌用七古歌行為不合體云云。何其不讀書而好雌黃若是？殆傳言者之過也。其高遠者不必談，蘇氏〈韓文公廟碑〉，詎亦不曾讀耶？曾滌生氏屢言壽序非古，是則本無體例之可言也，何可執爲四言？

余序熊君質傳書法集，有人譏議其中列敘篤守父教力疾精鈔其尊人翰叔先生日記兩段爲闌入，能刪此類乃佳。余素持書以人重之論，蓋本蘇氏說也，書實爲一種藝能，人不足貴何有於書？嚴介溪書實大佳，世賤其人書乃弗傳耳。黃孝子端木山水畫千載重之，端木畫並非能工，特以尋父蹣跚萬里，以至孝而傳其畫也。是則以余言爲贅者，或爲不知本矣。

陽明山歸車中，林桂圃兄正色責余過懶：「不肯寫一箇字」。初頗茫然不解所謂，繼乃知其責余不肯寫一書耳：其實魯實先黃彰健兩兄已先有此責言矣。自審毫無學問，其何書之可寫耶？《明代北方邊事考》，雖著手多日，資料蒐集不能得，又豈敢草率爲之乎？輒欲就小小事故小小範圍撰小小文字，或可免遭大罵。然又旋作旋輟，懶懦不振如此，則實乃可罵之一端。

看相與算命

在渝州時，大約爲三十二或三年，湘人在渝者舉辦湘災籌賑，王芃生師爲主事者之一，余奉命參與執役。其時名影星「白楊」，係湘人，爲籌賑，賣票爲人看相，余分得一票，遂詣楊請談。楊姝何嘗解相人術耶？我爲看楊姝而往看相也。渠云：「太透支了」，余時甚瘦，故渠所云如此。來台後陽明公園看花詩，有句云：「我來來看看花人」，乃即當年找白楊看相之意。

夏君鐵肩，以官累落職閒居，疏說曾湘鄉《冰鑑七篇》成一小書，遂亦爲人相面。余仿陳含老筆法爲書市招。夏頗與文化界人士有交，肆況頗不惡。嘗語余謂：「眼光甚露且多露白，亦間上視，三十九歲大凶」。余時職事極忙迫，又貧困多病，瘦尩不支，心甚惡其言。作〈曇花詩〉略寄鬱伊無奈之思，呈簡惕園先生。簡老先生字叔乾審觀再四，頻頷首，曰詩大佳。旋取詩箋碎之，徐語曰：「子正英年，此類詩可無作也」。老輩之愛人以德如此。

詣東海大學，席間晤趙君滋蕃，初識也。趙頗負文譽，正主講東大。筆名爲文壽，名將傳作義女壻，倜儻不羈，甚豪飲，席間頻目余謂：「察君眼神，當壽逾九十，此爲一種光之分析，君信乃甚佳」。席間人多，不及詳叩，是殆或然，余今已過八十矣。

相人術自古有之，宣聖固已謂「觀其眸子」，「人焉廋哉」，荀卿亦頗道此等也。曾湘鄉觀人輒默察其器宇容止骨法，此等宜或可以察識其人品，至於氣運部位之類，我則弗敢信已。姑布子卿說，亦只可聊備一說耳。

鄉老崔君黃山，喜爲人算命，曾爲余譜一「流年」，逐年論余命運，一小卷，紅筆標圈甚多，果如所言，則余誠當大富貴矣，或崔老世路訣辭，又或是勉我之辭也。

同事易君培薰亦好論命，謂余官不過中品，或當小有名，財源則甚歉。易君忤於上官，鬱鬱不得志，逝且廿年矣。

曾昭六翁習密宗，亦頗爲知好算命，謂余「命尙不錯特值運非佳，既不能貴又不能富，所幸無大患而已」。此翁亦墓木拱矣。

「苟余行之不迷，雖顚沛其何傷」，余向執此論，運氣不運氣，可論可不論。但葉子戲勝負則信關乎「手氣」，蓋無可疑。近來有神棍，輒聲言爲人「改命」「改運」，其說蓋甚誕耳，而市兒乃爭趨之。

毷氉雜譚

春節酒聚，老友縱談極歡，自午抵晡無倦者。雜記趣語數則。

有曾於湘省某縣署主掌民政者云：「當抗戰時武漢保衛戰前後，軍事孔亟，臨驛路各鄉保於駐軍暨過境軍隊糧草供應，民力實已殫盡，過軍強押鄉保長逼索，亦無法支濟。此等事頻頻發生，地方政府良深痛苦。又其時兵役徵抽壯丁，徵工修路掘路搶築工事，派捐各種臨時科稅，保長任務劇繁，又無公費給與，殆無肯出任者。某一保長任事已近十年，屢辭不獲，地方人民改選亦無效果。民政部門有一例行工作，每月表報當地人口，凡出生死亡遷入遷出，俱須塡表申報。該保連數月表報現住人口俱爲一人，其地並無疫癘災變情形，不省其何以如此，行文查詢不覆，召至縣府面詢，答曰：『如非全保死盡僅餘我一人，我何至近十年保長交卸不掉？設不調整，下月表報將一人亦無，蓋我將自殺了事矣』。旋余離縣調省，不悉後此如何區處」云。以視今時台灣里鄰長必須競選且須賄選乃得，其情況眞不啻霄壤也。

瀘溪龔德柏君爲留日宿士，治新聞有聲，抗戰時在渝任軍委會國際問題研究所主任秘書，佐王芃生先生主持所務。龔於情報呈報及研判等，輒憑臆度逕自批發，屢遭委員長侍從室查詢，王龔因致不能調協。龔忿辭職，其辭呈有云：「敬此辭職，即請照准，實爲兩便」云云，所中以爲奇文。勝利後在南京辦救國日報，總統大選龔力支程潛，因與粵系捧孫科者忤。粵名將張發奎氏率眾搗毀該報，連數日不能出刊。張在北伐時所領之第四軍號稱鐵軍，所向克捷，咸聲震宇內。宿與中央有隙，樞府遷台，留滯香港甚久，後經梁均默等勸促始旅台小住。曾於某大老寓中見其作葉子戲並陪作飲宴，甚隨和，兩目炯炯若有威稜，餘無異相，太史公所謂「李廣恂恂如鄙人」，殆信然歟。座中某君忽云，龔君辭呈尚不爲甚簡。昔邱昌渭在李宗仁代總統時任秘書長，李去國，邱旋提辭呈，文曰：「呈爲呈請辭職，謹呈總統」。另無他語，則可謂簡之又簡者矣。

某叟云：曩在中學時，頗隆意氣，見南昌行營政治訓練機關所頒教告有：「精神上進，生活下流」，及「信仰不到迷信程度，不足以言信仰；服從不到盲從程度，不足以言服從」，覺其言大反常情，因於報刊投書闢之，幾至被禍。此政訓機關主持者，入台後仍迭膺顯職，曾於某次會集談次，舉以相詢，其人素堅愎而給辯，亦囁嚅無以應。

又某君云國民黨中央召開一專題會，與會者六十餘人，發言盈庭，而多無是處，良不足聽。有某君者適與鄰座，取發言便條以鋼筆作山水小幅見貽，甚有致。某並另作一絕句云：「有人開口便懸河，有人入定唸彌陀，有人有話千千萬，無奈時間已不多」，相視而笑。此可爲一般會議定格詩。此會議自下午二時至六時散，一無成議。

今時政要輒聲言「三不」或「四不」等主張，意良可佩。坐中某君述張獻忠過張飛廟題詩云：「廟中有個張翼德，風吹鬍子呼富拂」，不得下句，策馬去。後有過者，爲續成云：「世間如此好詩句，何不打個不不不」？首「不」平聲，次「不」去聲，末「不」入聲。意指「下氣通」耳。總而言之，吳佩孚失敗下野後，所持六不主義，或較今時政客所稱者爲能自我實踐也。張獻忠詩不爲過也。

曩在南京舉行國民大會會議，會畢，請梅蘭芳及名票趙培鑫演戲以娛代表。京中一市民堅欲入會堂觀劇，門警阻之。市民忿然曰，「我，國民也，渠等，代表也，乃代表國民者也，代表能入，國民何以不能入？我爲國民、爲主人，授權若干代表行使議政選舉等權，若夫觀劇游樂等等，並不在授權之內，今親自行使，云何見阻不能參加？」堅持良久，聚觀者益多，司事者恐肇釁，軟硬兼施，此市民乃退，然已煞費周折矣。首屆國民會議，秘書長爲洪蘭友，某記者以大會事詢其感想，洪云：「余但盡心工作而已，既不敢感，更不敢想也」，時以爲應答得體。洪故政壇長袖善舞者。

某君云：近今衢道及學校廣場中拆除巨人銅像甚多，曾記曩日成都某茶肆有劉君者工爲諧謔之文，其銅像聯云：「口喝四面風，敢問何時開馬路？手揑兩把汗，謹防他日鑄銅元」。此聯甚趣，揆之今事，亦尚有貼切處。

某退休將軍云蔣緯國酒次與同座調笑，時朱撫松朱匯森俱爲部長，一長外交，一長教育。緯國曰一對豬部長，朱豬諧聲也。一客問誰爲公豬誰則母豬乎？蔣徐云：「教育部長豬會生，固母豬也」，合座大笑。緯國好談諧，趣事極多。

又云：昔于役代山，代山滃州縣也。曾見一輿，載華服婦人，輿旁有紅聯，三人舁之，俗所謂三丁拐也，今時蓋甚少見。問之居人，曰：「此租妻也。有租約，租可逾年，租價視年齒妍媸出身不等。在租期中受娠者，所生子歸租戶。租妻之有排場者，或導以鼓樂云」。代山距定海上海非遠，尚有此怪俗，亦不可思議矣。昔袁子才有詩云：「借妾生兒古人有，兒生還妾古人無，宋賢豁達竟如此，寄語人間小丈夫」。此妾眞乃所謂「丹穴」，所生兩子俱貴，一爲名儒，一爲達官。但亦係借妾，而非租妻也。

有自命爲「老賊」之白髯叟云：余忝爲首屆國大代表，與南京之會，頃聞某君所言市民爭道觀劇事尚不能稱爲絕大妙悖之事，若如抬棺失棺糾葛，則眞令人哭笑不得。緣國大代表選舉，選出之國民黨籍代表，須禮讓民社青年兩黨提名之人，故當選者有「觸地雷」之憤怨，天津市當選人趙遂初，因被迫退讓列爲候補，挾忿趨南京，印名片曰「候補民主烈士趙遂初」，抬棺欲赴會堂開會，外國記者群爲之拍照，人流騷動，入夜，此棺材爲人抬走，大約是國大司事者所爲也，趙遂於報端登一尋棺啓事，其警句云：「得票落選，本屬傷心已極，扶櫬作戰，可謂視死如歸。」「詎當夜半，忽失棺材，生雖不能代人之表，死豈能無葬身之昊？」「此乃不祥之物，他人果何用之」？餘不能備舉。誦者聽者，俱笑不可仰，捧腹而至於笑出眼淚。此爲「春集」最有趣之節目，其文恐非今日民意代表諸公所能辦也。越日，髯叟鈔全文郵到，因備錄之。文曰：「尋棺啓事。夫得票落選，本屬傷心已極，扶櫬作戰，可謂視死如歸。某行年六十，獲票五萬，來處不易，去日苦多，既簽署之合法，無退讓之可能，早已傾家蕩產，寧辭破頭流血？政府無解決之良方，個人有拼命之必要。詎當夜半，忽失棺材，生雖不能代人之表，死豈能無葬身之具？竊盜自古平常，只圖珠寶。而今偷兒特別，竟取棺材。死或不死，原在未定之天。賊是何賊，簡直莫名其妙！惟是所備之具，早量身材，寬窄長短，都合尺度。此乃不祥之物，他人果何用之？道路謠傳，謂某以退爲進，應知某不願種瓜得豆，豈肯以棺易官？首都治安，向稱靜謐，今於交通繁盛之區，失此笨大奇重之具，各記者目覩證明，美聯社拍照是實。如不發還，必當報案。休謂老頭子無法抗爭，請問警察廳如何交代？」

可

小報方塊文字一則云：某行政單位首長，於其下屬所簽公文，概批一「可」字，惟字則大小不同，意旨各別：稍大者意謂「大可不必」，較小者則謂「非同小可」，惟字型中正者乃眞爲「可」也。部屬揣摩不易，深以爲苦云云。

抗戰時端木傑爲後勤副部長，某高參請假，首批曰「可」，次請續假，復批曰「仍可」，再續假，端木批云「亦無不可」，嗣更批「無所不可」。可謂調侃之至。

某機關首長批建言者所上書，實數意頗相徑庭，首長咸批「可」，發交執行單位，所屬司員上覆，逐條駁議，其中有一語曰；「不知所可」。

許筠廬建四可詩社，固取興觀群怨義也，有誚之者曰：君殆爲某咖啡館小妹所魅倒也乎？胡名社亦勇效此姝聲口輕呼哥哥也！聞者絕倒。

雜錄謏聞

晨餐中，渥君指一新聞告謂：「台南東山鄉金春山金店，前夕竊賊潛入，主人警覺，度格鬥未必能勝，乃上樓覓槍械，情急不得，乃取重條金塊一袋，伏於梯間，瞄準猛擲之，偷兒負創大罵而遁」。自來以金條消災解難者，蓋亦多矣，然皆用文解，此則用武解矣。而余更深憾於此偷兒之『智』，乃至不識『阿堵物』也。古人有以金彈彈雀，今乃有用金條砸偷兒，信乎古人之不及今人矣。

某雜志云：名駒「我的回憶」，前年一台灣豪商購自西班牙，擬命騎師御以參加加拿大奧運會騎術比賽，與會事受阻，此駒運回台灣，月前以水土不服病斃，此極可惜，擬作詩哀之。

又載：南部一農家，蓄貓臨產，發現有新產鼠一窩，主人遂以哺貓，忞啖之，但留其一，貓且乳之，有照片。鼠長，遂爲貓出力捕鼠，是殆亦虎倀之類也。覘人之國者輒取收買間諜，此良可取資焉。

電視報導，法國新有一小黨，曰「懶惰黨」，主張每週僅工作三日，已推舉總統候選人參選。「懶惰黨」名甚新亦可笑，其實科學文明，其目的固在使人以絕少勞動而得最大享受也。余素懶，設具法國籍，必爲此黨之選民。

某報載，南部一屠者，怒其姘婦燙黑人髮型，大不美，一日被酒，以屠刀削此婦之髮且盡，囚於一室，婦大哭號救，鄰戶爲破扃乃得出，傷處醫縫八九針云。此屠伯蠢惡固可惡，而爲婦削髮時，實乃手下留情矣，倘使放下屠刀而成佛，蓮花座上當如何位置也乎？或者爲歡喜佛耶？

報載：台北市郊某宅庭院發現一長蛇，急報消防隊捕去，隊員擬烹食之。次日該宅庭柯上又見一巨蛇蜿蜒瞻望，再由隊捕得，蓋前所捕者爲雌蛇，此則雄蛇，爲失偶故來尋也。因並養之。旋由中央銀行一畢姓佛教徒領飼之。以雄蛇之憐念故雌，遂使俱能免於烹割，蛇類之愛情可謂肫篤，亦見至誠之可以感動人天也。豈不可諷喻今時青年男女朝結髮而暮仳離者哉！卓文君可以不賦〈白頭吟〉已。

某報載一舊聞云：一九三二年義大利獨裁者莫索里尼下令云，女人瘦，殊令人反胃，禁止所有刊物出版品登載瘦女之照片，違者可判令入監，且又令政府分發增肥食譜與婦女界，鼓勵增肥。墨宣稱：惟有體態豐滿之婦女始可以顯示義國婦女之風範云云。此故事極爲有趣。莫氏與我國楚王愛細腰者大異其趣，楊貴妃當含笑九泉，趙飛燕林顰兒輩自恨之刺骨矣。墨氏的是可兒，審美有卓識，與我同感，蓋瘦女郎實不甚好看也。惟臃腫蹣跚之老婦則醜耳。

李蓮英居燕京皮硝胡同，世謔稱「皮硝李」，滿清末代權閹也。不聞其爲暴虐，身後財物亦無損失。近日報載一小文，蓮英墓在北京一學校校園內，文革時，校長及黨書記教員等，發其墓，堅白如玉之像白玉門固閉，久乃鑽啓，紅木棺飾以金色花紋，啓棺，但見有頭骨，餘並無之，棺中有鎮棺珠及二寶石云。據此，則蓮英葬日固已身首異處矣。生非顯遭刑戮，死乃忽罹分屍，怨毒之於人甚矣哉。但據燕市歸人云，李閹墳似不在校園內，或傳聞之異云云。按蓮英乃諂事慈禧后者也，慈禧棺發被污，蓮英以殘斷之身追侍於地下，不甚宜乎？側聞蓮英宅收存貴重貂皮甚多，年久慮毛脫，賤價易出。於此事更重有感焉！胡爲不廣收古董珠玉字畫之類，既可久藏，復可利爲炫鬻也乎，其智固下若而人一等哉！

某報載：南美熱帶森林有怪獸，體似蛇，有鱗甲爪翅，栖樹間，劇凶毒，獸類見之輒死。能禍人，非死即病，人或謂之蛇妖，然所憚者爲白鼬之臭味。畏鏡，自照其形極醜，羞憤而絕。又畏雞啼，入山者輒攜一雄雞與俱。此實可怪。故鄉相傳，鬼類畏雞鳴，雞鳴後即不敢爲祟。又辟邪之具爲門楣上懸一鏡，可照破諸妄。又黃鼠狼被追逐急，輒放屁，其臭無倫，諺云黃鼠狼有三個救命屁也。此與蛇妖事頗相近。

報載芬蘭每歲舉辦世界揹妻冠軍賽，有愛莎尼亞年輕夫婦，連獲四年冠軍。其競賽方式爲妻俯身於夫背，夫緊抱其兩腿，快步通過木柵泥坑水灘以取錦標，首獎可獲等於其妻體重之啤酒云。此賽事殊有趣，余則敬謝弗能已。我國舊有「老漢馱妻」一劇，其揹負之方式，乃與此適相反焉。

鄭孝胥民國五年（一九一六）六月十三日記：（朱）古微談：太常仙蝶與甚熟，嘗至浙江、廣東。四足，黃質黑章，翅有小孔，飛甚遲重，其來無時，逼視不避，飲燒酒，在北京時見數十次。鄭記又云：（唐）元素言：在淮城見河淮諸神，有淮瀆大王最小，位最尊，形如小黑蛇，通體金鱗，來往倏忽，與金龍四大王，栗大王等皆常見。共集一盤，蓋以黃紙。有官行香，則皆昂首若答禮然。鄭、朱、唐，俱名人，應非以虛語罔人者。殆信有此異事歟？太常仙蝶曾見於龔定盦詩，淮河蛇神則各說部多有紀。

鐵路機務掌故

昔觀摩臺灣鐵路局時，有副領隊吳某，好發言，批評鐵路局以往種種措施。局長董萍殊不耐，以吳殊無交通工程常識，於答覆言詞間頗揶揄之。吳語塞，董且先離席去。旋由領隊梁某演說調和氣氛，草草終場，可謂灰頭土臉矣。看該局所發資料，其中有頗關掌故者，因擷錄之。

北寧路未展築至瀋陽前稱平津路，當時司機司爐概由英人或印度埃及人擔任，國人之任司機者自張美始。自此殆十年，始全由國人取代。張爲河北唐山人，鐵路創始時，司機與站長並行，但司機爲外人，列車到站，站長必須跪接，緣乘車者或有高官，故站長執禮恭也。張任司機後，建請改用立正敬禮，特張以曾蒙清室重賞，賜穿黃馬褂，部分站長敬禮之，仍行叩頭禮。其所以蒙賜之故，因慈禧太后某次由北京去瀋陽，當由京出發時，西太后適與諸臣談話，渾不覺車之移動，甚爲嘉悅，抵津，袁世凱迎駕，特命賞張美黃馬褂。西太后曾乘火車三次，皆由張美司機。抗戰軍興，張美流轉至西南，在湘桂鐵路服務，僅管機客貨車，場所在廣西全州。抗戰勝利後，任張家口機務段長，卅八年退休，已八十歲矣。在鐵路局工作最久。又據張云，當年火車輾死行人，必稱軋死聾子一名。蓋遜清時地方發生命案，牽涉傳證甚多，以開車者爲洋人，恐引起外交事件，地方官遂將死者雙耳刺破，驗屍時塡明係屬聾子結案，表示火車鳴警笛而行，行人不理，緣聾而致斃，司機遂無過失矣。以後循例每每如此。此節見胡道彥撰〈漫談鐵路機務掌故〉文。

又周賢頌著《一個沒有過河的小卒子》云，九一八事變後，國聯調查團李頓爵士所乘專車，即爲慈禧太后御用之車，周全書余未之見，據鐵路局所引資料，周蓋老鐵路工作人員，且負有特殊工作使命者也。

又據資料云：卅四年十一月新瑞安輪載鐵道人員來台。此輪不及千噸，甲午之戰，李鴻章在該輪上簽字割讓台灣，日寇敗降，光復台灣，接收人員搭乘此輪，蓋實具深長意義焉。因並及之。

記二女伶事

女伶顧正秋，工青衣，在金陵已露頭角，逮入臺，以伶工甚尠，一枝獨秀。鬻藝民樂戲院，享譽並時無兩，倚之爲活者綦眾，「顧劇團」名大噪，賣座無虛席。顧方妙齡，色藝俱臻極選，涎之者眾。顧與一任姓者夙契，殆有白頭約。時有權貴宰時會者，欲得之，顧婉拒，求益切而拒益堅，權貴爪牙百端擾之，迫解散劇團輟演。顧之拒權貴，實緣與任之相戀也。任故能吏，主臺灣省財政。遂羅織諸罪拘繫之，刑名可至死也。顧終不屈，時時詣獄饋牢食者數年。獄解，任顧耦結，夫婦種草莓於金瓜石一帶，亦稍稍致富。任婚後約十餘歲以疾終。顧終身不演唱，僅公益義舉受邀偶一出場，而趨者亦如騖焉。

香港電影女伶鍾情，世謔稱之曰「小野貓」，色姣美有小鳥依人態。張善琨組文化團來臺，前此所揭權貴者亟謀親暱之。而鍾入臺乃與舊交漫畫家曰牛哥者密會，三數日離團不見。主邀此團者爲某文化機構，無以償權貴之欲。時牛哥方供職經復會，橫加罪名爲「妨害台港文化交流，破壞光復大業」。罪頗重，由於會中文化界人多，故集會聲討之。某不諳事者，抗聲曰：「何謂藝人？此輩固昔所謂戲子也。戲子人人得而玩之，不得遂爲某之禁臠也。

玩戲子又何破壞國家政策之可言耶」？議遂寢，而牛哥旋亦褫職。鍾嗣此數年不復來臺。聞後來稍染煙霞癖，力禁斷之，從師習書畫，亦小有成就。臺地曾展覽其作品。

此二伶者，可謂篤於所愛、堅貞不屈者矣。彼衣冠之士，視此爲何如哉！

統一教婚禮

報載四萬名統一教徒，在教主文鮮明一手配對之下，於南韓奧運體育場舉行婚禮，其中大多爲種族不同、言語不通、素不相識者。此種婚姻生活家庭組織將如何維持？眞匪夷所思也。新聞又報導，有兩萬名新人則透過衛星轉播結婚，則又如何合兩性之好耶？其婚禮新郎皆著西裝紅領帶，新娘俱白色禮服，全部所費約九千餘萬元。其統一配對者，容許四十日共同生活適應，再行圓房。且亦有已結婚甚久，而復參加此典禮，冀獲主教文鮮明之讚頌禱告云云。此等事殆亦亂世之怪聞也已。

三十六計

俗所謂三十六計，《陔餘叢考》等書言之甚詳，他書亦有論此者，弗能一致，亦正不必一致也，頃於報端見有考說此事者，因黏存之。

「卅六計走爲上計」，語出晚明〈主敬者傳〉，其餘卅五計流傳各家說法不盡相同、都有此許出入；一種說法是：

一、金蟬脫殼之計，二、增兵減灶之計，三、移花接木之計，四、撥草尋蛇之計，五、圍魏救趙之計，六、假途滅虢之計，七、暗渡陳倉之計，八、聲東擊西之計，九、釜底抽薪之計，十、瞞天過海之計，十一、指鹿爲馬之計，十二、詐降反間之計，十三、借刀殺人之計，十四、欲擒故縱之計，十五、借屍還魂之計，十六、過河拆橋之計，十七、反客爲主之計，十八、守株待兔之計，十九、一箭雙鵰之計，二十、調虎離山之計，二十一、魚目混珠之計，二十二、移屍嫁禍之計，二十三、請君入甕之計，二十四、養敵自保之計，二十五、落井下石之計，二十六、陰錯陽差之計，二十七、順手推舟之計，二十八、先發制人之計，二十九、見風轉舵之計，三十、無中生有之計，三十一、李代桃僵之計，三十二、苦肉之計，三十三、空城之計，三十四、美人之計，三十五、連環之計，三十六、走爲上計。

當時尚流傳有卅六著走爲上著之說，清余洪年太史《舟中札記》云：「卅六著者，猶言卅六種行事也。」茲併述於此：彈琴、撾鼓、吹笛、鳴笙、讀書、高歌、垂釣、賞月、觀燈、看花、飲酒、吟詩、塡詞、馳馬、乘車、遊山、玩水、禮佛、參禪、擊筑、拍板、臨池、繪畫、奕棋、品茗、泛舟、踏青、放鷹、射獵、聚宴、獨思、投壺、猜謎、練武、蹴球、遠走。

上述「計」與「著」皆以「遠走」爲上，大抵「死」「走」兩路散，到了無計著可施時，便以一走了之爲上了。

風濕痛高血壓驗方

余近苦風濕痛血壓高，一葦特鈔示驗方，託回台友人專程送到，足見老友關切，並告云渠早歲曾患風濕病，服之極有效，且未復發，因錄之以告同病。

白朮一錢	秦艽三錢	靈芝三錢
狗脊四錢	防風四錢	獨活四錢
羌活三錢	淫羊藿四錢	當歸四錢
五甲皮四錢	甘草二錢	川芎三錢
白牛膝四錢	續斷四錢	

右方十四味，浸在二觔半燒酒內，兩星期後，每晚睡前飲用一小杯。

高血壓秘方

藥材：白胡椒七粒、南杏仁四粒、糯米七粒、桃仁二兩、枝子一兩。

說明：(1)將上列五物研成粉末。
(2)用鴨蛋（雞蛋）的蛋白混合後，捏成餅狀（蛋二個）。
(3)晚上睡前貼在腳底，男左女右，用紗布包好。（腳底凹處）
(4)第二天早晨起床後除去（一副只能用一次）。
(5)如腳上發現有藍色乃正常現象。
(6)輕者二服，重者三服：連續使用不可隔天。
注意：禁止口服。
效率：永遠斷根，屢試屢效，患者受益甚多。

沐浴

連日寒流來襲，江絜生邀去小上海浴浴，熱湯暖室，按摩搥揑，盡修趾甲爲快。所談甚多，俱是委巷瑣談之事。

洗澡，蒙藏人蓋終生只三次，出生、結婚，洗屍是已。南京一帶人上午則皮包水謂飲茶，下午則水包皮則謂沐浴也。澡堂往時最豪華者，殆莫如福州，池底裝有電炬，其別室作鴛鴦浴者尤增情趣。更有特出者則在澡堂宴客。可留連終日也。

沐浴各地習俗不同，頃於報端得一小文，因抄附。

澡，可以這麼洗

各地風土民情不同，使得每個國家衍生出不同的洗澡文化。這裡有四項罕爲人知的洗澡名堂，眞可教人大開眼界：

豬血浴

印尼的「布魯島」，嬰兒生下來有四至三十日的「閉觀」期。當「閉觀」期滿，全村人就聚在一起慶祝。他們殺一頭豬，每人用豬血塗滿身體各部位，同時也派人幫關在小房間裡的母子送豬血，母子也必須「血浴」。只有經過豬血浴，新生嬰兒才被承認獲得生存的自由與做人的權利。

新娘浴

美國「夏威夷」一帶的離島，結婚儀式在海濱舉行，婚禮當日，歌舞完畢，娘家來的客人把新娘舉起，投進海中。男方的客人也可以抬新娘再丟海一次，這個熱鬧活動被稱爲「新娘海水浴」。

黑泥浴

羅馬尼亞的「泰基爾湖」沙灘上，很多人用湖中黑泥塗抹身子，再躺在太陽下曝曬，據說這種黑泥浴可治多種皮膚病。

麻油浴

印度的小孩從小就要學會油浴，每周一至二次，油浴用的是胡麻油，有時加些藥物，可依各人體質及藥理要求加以選擇，有些治半身不遂，有些治風溼骨痛，這些油必須塗遍全身。怎麼樣，不是蓋的吧？

右之所述，尚未及土耳其浴，其實土耳其浴，蒸而復打，打而又溫洗，乃眞有益健康也。今時台地盛行三溫暖式洗浴亦甚好，惟有心臟病者不宜耳。

譽非其宜

近日報紙爲山胞李光輝事大作宣傳。李係台東山胞，爲日人強徵作戰南洋，日敗降後，留滯印尼一荒島卅年，近爲印尼空軍發現，營救至雅加達，日本國請印尼送黃赴日，我國則商李同意，返回台灣。李妻已贅入一黃某者爲夫，逾廿年矣。類此等事，年來頻有發現，日人藉以鼓舞其戰敗深受挫折之「大和魂」，其大加渲染，自屬固然，特不解我國新聞界乃緣何爲此發狂也。夫李出征，身分則日本之「皇民」也「皇軍」也；其所作戰之對象，則我國抗戰之盟友也；其所效忠不渝者則「日本國」「日本天皇」也。此台灣爲日本統治民族屈辱史之殘痕，諱之洒之惟恐不及，乃竟追隨日人大事宣傳，政府報紙且爲闢專欄連載，毋亦大不顧國家民族立場矣乎！即令專爲表揚李某克服困難環境奮鬥生存之能力，夫李固生長於本島文化閉塞偏僻地區，本早已習慣於荒蠻生活，良無足怪也。此種加色之報導，以新聞宣傳價值、新聞教育價值衡之，俱爲負數，實不知所可也。而對於我台籍壯丁婦女爲日本強徵，遭受死亡凌虐傷害痛苦，依公理正義向本索償，曾不見有爲出力聲援者，又豈人之情也哉！

「旯旮」「梓童」「忍俊」

右三語余俱不知其語源，因徧詢諸友。
李嘉有云：查大陸出版之辭源，「梓童」字出《西游記》，此間諸辭書均不載。
蕭繼宗云：「旯旮」字呼角落，謂拐角處也，新字典中有之，舊字典辭書闕。
「忍俊」迄今尚未悉其語源。

家山紀勝

余高祖中憲公國重，清制正四品曰中憲大夫，舉辦團練以應曾湘鄉之招。太平軍蕭朝貴敗死長沙，潰兵劫掠吾家，火屋廬，掘窖金，男婦被戕害六口，又文武教習各一，死難凡八人。曾祖朝議公號止園，清制從四品曰朝議大夫，被擄，刃傷其額，得間逃還。廬屋復建，榜門額曰張大夫殉難故宅。湘鄉編書「忠義之門」，欽署欽差幫辦湖南團練前任禮部右堂曾國藩題。又聯云：「湘水照清徽，八口捐生，精魂欲傍蔡忠烈；睢陽溯祖德，一門殉難，賓從更憐南霽雲」，南霽雲死難事，世能詳；蔡忠烈者，蔡道憲明崇禎時爲推官，張獻忠犯長沙，蔡誓眾堅守，城陷被磔死，從殉者九人，朝予謚忠烈云。於驛道旁建亭曰五松，一本五株，鄉老以爲張氏五房科名瑞應，一時名賢題詠殆徧，有圖冊行世。再建祠羅湖，享堂正編藍地金字錄朝旨，廡廳左湘陰宗棠編題「篤光堂」，泥金作榜，光烱烱然，有長跋紀中憲公死難經過，文長不能悉記。朝議公墓在祠側，先君祔焉。去故宅里許爲甘棠村，新構一廬曰臥莊，朝議公退老隱居吟嘯其中，有集曰《愧屋小吟》藏於家。影堂懸黃先生兆枚聯云：「幾曾走避黃巾，莊臥故山雲，書帶遺留一種草；猶記趨承素履，座談連夜雨，詩囊分付五枝松」。

一世以為絕作。今文獻有闕，黃公科名仕迹已大難考，但悉其為湖湘大名士。余幼日讀書莊之南軒小室，環宅老松深竹交蔭，清邃極饒佳致。重遭時難，得鄉訊俱蕩析不復有存者。先民之言曰：「無忝爾祖，聿修厥德」，余海涯窮老待盡，更何所冀幸，「瞻烏爰止」，眞不知涕泗之何從矣。

農曆新年

今日農曆大除，昔人詩云：「插了梅花便過年」，我亦有此清趣，特臺北不見梅花耳。狼犬最畏爆聲，聞之必奔竄入室，可笑亦復可憐。通城爆竹，過年熱鬧，只苦壞了狗也！

憶幼日過年情景，遐想萬端，輒復記之。

湘上故廬喫團年飯，往往至午夜，童稚衣著必華鮮，糖果盤廳事室皆具，插花及門貼紙咸新換，鞭炮聲盈耳。壓歲錢紅包各纍纍，無怪「小孩望過年」也。鑼鼓喧天，闔宅燈燭通明，熊熊爐火，即空房雜屋亦然。孩童結隊穿越巡遊，笑躍歡唱，實一年度之盛況。先妣及諸叔嬸或擲骰鬥牌守歲。先祖素嚴飭，此際亦拈鬚頷首，諸禁盡撤。團年飯後，以迄新正初五，完全自由天地，萬事大吉。

開年元旦，中堂拜年賀歲，旋本家晚輩拜年者陸續至，不留飯，蓋各各俱拜年甚忙故，此無關我輩事，自有叔父等招待送迎。我則必有一工作，爲開歲書紅，紅牋莊書元旦發筆萬事大吉，或迎祥迪吉等語。畢事後，即與同輩遊嬉，如踏氷撲雪堆雪人鬥點子之類。夜宴後，稍遲，即睡。

鄉俗拜年，初一崽（即兒侄輩），初二郎（即女婿輩）初三初四拜街坊。余家僅叔祖有一女余呼之曰五姑，適常府早逝。故初二改爲佃戶拜年，每桌必有主人相陪。余不喜與舊社會所謂「粗人」輩相共，每堅臥不起，佃家諸戶亦自爲博局，不之禁，迄晚乃散。故每年正月初二余但臥床喫點心糖果而已，行事曆上我實應無此日也。

初五送年，老輩祭拜後，餐饌必有豚尾全魚，既送年則功課工作復常。惟元宵燈會，別是一場歡鬧，當另記之。

中秋節

中秋節余鄉舊俗，月餅外糖果則有菱藕。菱不甚肥且至八月已近老，藕則殊肥嫩，糖則有包穀糖玉米釀製，桂花筆桿糖、藥糖，乃米或麥製成者，又有桂花牛皮糖，兒時頗嗜食此品。節饌必設鴨及牛肉。鄉俗禁宰牛，秋節則宰良多，可大噉矣。七十餘年夢痕心影，倍覺惘然。

中秋賞月詩，余推東坡七古數作爲最工，乃如一篇有韻散文，奇趣橫溢，孰謂不可以文作詩耶？若坡詞之〈水調歌頭〉，世盡能誦之，亦未有他作能逾於此者。以敗穎寫坡詩爲長卷，意在用涪皤法，覺亦有別趣，鵬程寶琳伉儷來，頗欣賞，因以貽之。

有人饋月餅，其價每個逾二百元，內容爲蛋黃二枚和以蓮蓉棗泥之類，度其材料費當不出卅元，不知其爲何價昂若此。又昨日報載減肥藥品之類，進口價每瓶不過五十元，而藥店售出索價乃近九百元，亦云黑心黑手矣。又茶葉成本每兩廿元而售千元者，又誠不可思議也。

小報刊載有談中秋節小文一段，有古賢所未及之處，亦可徵今昔風俗之變，因黏存之。

中秋節又稱「仲秋節」、「團圓節」，是我國重要的節日之一。時在農曆八月十五日，恰值三秋之半，故名中秋。

登台觀月泛舟賞月 飲酒對月等風雅的活動，遠在兩漢時代，便已開始，不過時間是在立秋日。到了唐代，賞月更蔚爲風氣。北宋太宗年間，始規定八月十五日爲中秋節，有拜月、祭月、賞月 吃月餅等民俗。「夜市駢闐，通宵不散，閭里兒童，連宵嬉戲。」熱鬧的情形，比今日臺灣有過之，無不及。

吃月餅—中秋節最典型的代表食品就是月餅。唐代以前已有帶餡的餅子。北宋蘇東坡詠「小餅」詩中有：「小餅如嚼月，中有酥與飴。」是最初把「月」和「餅」聯繫在一起的。

「月餅」一詞見於明代，田汝成的西湖遊覽誌餘：「八月十五日謂之中秋，民間以月餅相遺，取團圓之義。」月餅最早在家庭中製作，也是起於明代。

清．袁枚的隨園食單書中，記載月餅的製作法，並讚嘆月餅的佳味「食之，不覺甚甜，而香鬆柔膩，迥異尋常。」如今，月餅的口味繁多，有蘇武、廣式、京（北平）式、寧式、潮式、滇式等，在外觀、口感、表皮、餡心、味道上，皆各具特色。

我國幅員廣大，因此中秋節這一天，不一定都是以吃月餅爲主。例如：江蘇南京一帶食烤鴨和鹽水鴨；雲南昆明每戶必做「合家大月餅」，一人分一塊吃；山東泰安一帶吃小包子；江蘇武進早上吃糖芋頭。

賞月及其他活動 中秋節時天高氣爽，明月高掛，是賞月的絕佳時機，因此在明月東昇時，千家萬户便在庭院中、樓台上，擺上月餅，柚子或文旦等賞月談心。

而北平一帶祭月；是把西瓜切成蓮花瓣形，供於月下，或雕成牛形，取「西牛望月」之意。該風俗，始於明末，今仍留存。

海南島儋縣一帶，青年男女於八月十五日夜，匯集於鎮上互贈月餅、香糕、背心、花巾、彩扇等，成群結隊，招搖過市。晚則擁出村口，到預先約定的地點，舉行盛大的對歌活動。

八月十六日過中秋——全國各地都是八月十五日過中秋，但是在我國浙江寧波一帶，傳統以八月十六日過中秋節，傳說是因爲宋代有一位宰相史浩，每年必自京城臨安（今杭州）趕回明州（今寧波）和百姓共度中秋節。但有一年，史浩趕路時，在途中因坐騎受傷，只好夜宿紹興，到明州時，已是八月十六日了，百姓一直等到史浩回到家才過中秋節，以後便沿襲到現在，寧波一帶過中秋節改爲八月十六日。

右所述，僅蒐介各地節日風俗而已。若元末國人謀舉義驅胡，以密箋書「八月十五殺韃子」，藏於月餅中，密相傳遞，則實爲一民族英勇奮鬥故事，又當是吾人所不可不知者也。是則前揭文字中謂月餅家庭中製作始於明代，是又可商榷者。

小記窮學會

民國初年，津滬俱曾有「窮學會」，長沙亦有之。南北兵爭被禍劇，閭閻不安，旋散。以故知者甚尠。會爲遜清遺老所集，余生也晚，莫能道其詳，「窮學」之字碻爲「窮」否，今亦弗能究也。聞老輩言，會員俱滿清品官，且必正途出身，月兩集，談學術藝文或游覽，輪流作東道主，每集出席者交大洋一圓，輿夫之犒在內，不足者由主辦貼補之。余稚齡未嘗隨老輩與，祇聞初時會事甚盛云。

羅氏表叔，席履豐厚，家饒園亭之勝，好附庸風雅，老輩云祇半通或粗通而已。自視爲遺少，輒爲主邀，且常謁諸老之門。以其上世官秩出自捐辦非科舉正途，會員不適格，特緣其殷勤好事，由會旌之曰「窮學會行走」。

余六七歲時，羅表叔忽動復會之念，柬請諸老爲雅集。老輩凋零星散，與者祇十許人。余侍先祖先叔祖赴席，坐中有叟佚其名，作道士裝，余數凝視之。王壽慈翁似係叔祖鄉舉同年，摩余頂舉三字命對，曰「道可道」，余略尋思徐應之云：「臣對臣」，諸老詫笑以爲敏悟。蓋清時朝考卷開首必云「臣對，臣聞……」余家積存歷世此等習作考卷盈室，數嘗見之，故能如此云爾。蓋亦頗切當時情事焉。

彭清藜翁係前清翰林，其聲音特清越，誦詩文眞乃鐘磬響。於此附述兩故事：余在台曾參加一詩歌朗誦會，係由作者誦出；又一次由好作舊體詩者浼其女弟子誦出，聞之欲嘔，汗毛殆根根立正矣。俱未終會而退。更一事爲某老友在家朗讀古文，操湖南土腔，其夫人屢戒之，不改，遂嚴辭告曰：「倘更爾，將與君離婚」。回思彭翁當日抗吟高詠，眞不啻雲璈之與土缶也。

羅表叔著裝亦甚有趣：瓜皮帽紅頂，帽前綴綠玉，寶藍色長袍，鼻煙色坎肩，腰繫繡花黃紬帶，黑雙紏鞵，深藍套袴，踱八字步，雙手擎水煙袋，若反接置於身後。套袴有袋置紙媒即紙撚，燃其一端，吹之即微有明火，用以吸水煙者。背微僂，作語時，昂首硬頸，目烱烱動，眉有時而攢，瞻視亦非常也。指斥時政，語甚峻厲。非童丱所知，大抵是「橫議」爾。

此會後，殆未嘗賡舉，湘中窮學會有無集刊詩文，今益無可尋考矣。

記「酒」

臥莊後院有藏書樓，列櫥數十，某日先祖挈余登樓檢書，每啓一櫥必急檢櫥中異狀翦紙納袋中，余詢爲何物，不之答。越旬午飯後，潛至後樓。樓之過道置數罎，封蓋甚密，啓視俱糖霜，結塊甚瑩潔有異香，取食極甘美，蓋係陳年糯米釀酒，備產婦和藥用者。積年家未添丁，酒置弗用，液汁遂結塊如冰糖焉。連啖之，遂酩酊頹臥罎側。逮晚膳，偏室覓余不得。僕夫明火炬環宅二三里許澗塘田隴大呼俱無應聲，舉家惶哭。老傭文婆婆忽曰：「下午頣官子曾至後院」，余小名頣曾，文故爾稱也。眾奔趨後樓，余僵臥昏瞀不省事，遍體紅灼。樓罕人居，蚊蚋所聚，肢體蚊螫盡腫，挈下百方急救乃蘇。以徑醉故，所欲覓致之剪紙，迄未能得。逮稍長，乃知藏書樓最易致雷火，司雷火者爲女神阿香。女子避諱男女淫褻事，剪紙作男女交合狀，阿香見之必退避，可資以防雷觸，其作用殆如今之避雷針云。

在金陵日，與同事方君恭甫友善。方定遠人，寓瓜圃橋一日式獨立官舍，有妻妾各一。殆爲爭寵故，俱離家去，方塊然獨處。值周六，又大雪，方語余∶今當與君爲消寒飲。頷之。方茹素，置鴛鴦鍋。余葷食，方則但惟蔬菌之類而已。有一巨罎，滿注爲二十五觔，見存尚約十七八斤也，俱花彫。老僕頗習事，能治饌溫酒烹茗。方舉示一餠，傾液汁若米泔者貯醆中，無香氣，亦無味。方告謂此逾百年之女兒酒，酒中至寶丹也。壺酒微溫入汁液少許，更熱之，異香勃發，遂滿室生春矣。傾談漫飲極歡。先是，余電話一友人告方寓址，約午後來取委辦稿件。其人三時許至，戶外酒香濃溢，宅中有談笑聲，不敢叩門。迨五時又至，亦如之，遂徑返。此君亦可謂解事矣。酒盡歸，殆近七時。方所飲略過余，俱未至醉，此為一大樂飲事。

播遷由廣州再趨重慶，余時為聯勤部科長，處長則黃占魁將軍。其夫人來渝，同人觴之以申賀。黃適因急召不能至，僅夫人來。笑謂余曰：「聞君善飲，今同仁聯歡，宜盡興也」。余素輕女子酒量，漫諾之。酒至，為瀘州大麯，性至烈。先各滿斟三小椀，飲俱盡。進饌，觥籌交錯，更飲幾何，余弗能知，席未終，已傾跌食案下矣。同仁扶載歸，酒困歷數日。旋知黃夫人為貴州茅台酒廠主人女。入臺灣，舉以語友人熊君質傳，熊曰：曩在駐菲使館，酒會中與富婦飲，泥醉至不能支。大凡女子之敢飲者量必宏，愼毋與角。蓋信然也。

記「答」

族七嬸居近棠村，家苦貧又多子女。余家洗濯被幃每倩之爲助，亦兼寓賙給意也。某日，嬸事畢與妯娌聚坐三嬸房絮談，先祖母亦在焉。余課業畢，奔趨祖母膝前坐。偶聞嬸言：「獻七爺搭（即捎）一信，即生一小孩……」，七叔名獻侯嬸故爾稱也。余茫不解所謂，因問云何搭信即生小孩？諸嬸默不聲，祖母則目止余，不之省，續問：「所搭爲何信？信且如何搭耶？」祖母恚，推余離膝，嚴語謂：「大人講話細人（即小孩）聽，不許問」！余抗聲對曰：「祖父常云不懂即須問，今我實不懂，緣何不可問耶？」祖母益恚，雙頰赤，牽余還臥室，戟指責曰「渠、汝嬸輩也，汝敢出語輕薄如此，不聽，即重笞汝。」祖母向憐愛余，從不加責，今何峻切至是？搭信何以生小孩？問搭信何以即爲輕薄？百思不可解。有頃，詣先妣室，先妣曰：「祖母爲汝好。凡詩書不解者可詳問。唯此，童稚則不宜問、不可問」。不迨午膳，時余已逾七歲，得與長輩同席，叔祖指一篙問曰，此何名？余對不知，祖父曰，「不知何不問？」余續對：「祖母云，大人講話細人聽，多問必打。」兩老大詫怪，余因具陳所以，諸叔咸匿笑目余，兩老則掀髯笑不可抑。向來未見有此狀也，余益滋惑，然終亦不敢續有問。逮稍長，乃略悉「搭信」與輕薄之義，此實生理知識上之隔閡誤會使然耳。今茲小學課程已講授性教育，當不更有余蒙昧無知受責之事。特童稚而繁爲講受此等事，其爲甚有益抑或有害耶，此則又余今時之惑也！

讀書城中時，因鄉廬附近有流行病，戒暑假不必歸，就李肖聃師處附課。舅氏等爲余購置皮鞋藏青嗶嘰呢褲線布隱扣學生上裝，斜插自來水筆於前襟；固當時學生普通流行裝束也。余更梳理西式頭，詣黄坭塅順星橋師寓。余固歷以鄉鄰後輩趨謁呈藝，屢蒙嘉許者也。叩門入，執禮惟恭。既不命坐，復不置理，踧踖不知所措。受學諸人先後至，師忽曰：「課室地板毁壞塵積多，張某某可毋入，恐污其皮鞋也」。余仍尾隨諸人入内，師分別講授詢問，獨遺余。課畢隨衆出，以爲大辱深恥，不敢更詣，亦不欲更詣。肖師旋以書抵先祖，謂「文孫頗染時下浮習」云云。迨返家，先祖怒余欲笞，賴祖母掖護而免。夫一嗶嘰袴自來水筆固甚細事爾，自信尚恂謹安貧不浮華，何至勞師馳函聲咎，至如此也。師最方嚴，長衫無領，雖冬日亦必冷水浴，課藝特重書字必循許氏說文、必文言文，非是者弗閱。余問業日淺，受開益自亦弗深。同時湘中究許氏學者孫先生繼虞，孫甚和煦，從游者亦盛，其講學殆如道家常云。

談「書」

余看書頗自信能尚知好歹，但其佳處輒恨汲取不多，且又善忘，其未當者則欲駁之，何養德不周也！「今其老矣，殆擾擾以終古」，我思曾湘鄉之言，瞿然惘然。

前日整理書櫥，見一蠹魚，極詫，余翻書尚不爲大不勤，竟亦有蠹矣。凡所蓄者，兒輩當無一人願讀且能讀者，余卒後，諸書之遭遇將何如乎？曩繼宗曰：「錢幣之用在顯示並發揮其所具之購買力，苟藏置弗用，是扼殺其購買力矣，復何所用，不幾於廢物也乎？」余於書亦云。書籍之爲用，在供人閱讀，藏置而不供閱讀，則何取乎有書？是以凡余所有書不禁人借，不禁人取，至須續閱或工具書者，概命之曰「草鞋書」，胡爲如此命名？古人固別稱草鞋曰「不借」也。若夫草鞋既敝且破，故當棄之如遺，抑何不借之有？

昔長沙船山學社富藏書，多有經王湘綺皮鹿門等諸家點註圈讀者，人爭趨之，殆有圖書館之用。重遭時難，或悉已燒燼矣，惜哉！余亦好圈點批註，書眉輒朱墨爛然，俱不知何時何人取攜以去，不復存在。余今八十餘歲矣，約七十年不溫經，所圈記者厥爲諸史稗史詩詞雜記諸藝之類，龐雜無宗旨，觸目隨感命筆。異時重觀，境異而所感乃大不同。輒復自悔當日如此荒誕，欲就所批者更批抹之，此或亦頗類乎朱子有晚年定論之說歟。書既脫手矣，人之從之駁之笑之罵之，余無可從問，然固深幸書之尚有人讀也。我或負書，書則良不負我也。

余曾講授子史詩文若干專書，但作講授綱要。指述其源流旨要參會之書目章次，各家詮析平議，研究之重點與途徑，以及欣賞比較，與夫其對後世之影響等等；不更綴文，課講時分別敷言，連清吉弟曾請將國策講綱徑即梓行，余不敢許。若干講論或已由從學者納入學位或升等論文，設余更作講義不幾於余襲彼文乎？彼等能申吾說，斯亦可矣，何必我居其名耶？唐君宏亮電索講稿，祇零章亂葉，未能爬梳整理，無以應之。凡所閱諸書書眉批註，即講綱之大本也。

余昔頗喜中華書局四部備要，字體悅目書品亦稱手愜心，惜其校對不精，譌舛纍纍，勘正爲苦。文化復興會新註新譯之本，更益加甚，不復道論。大陸集諸宿學，標點註釋古籍多種，甚便初學。惟是古本句讀及註解，昔賢各有所見，聚訟紛紛，今所謂新編本者，但取一說，定於一尊，則考異折衷不復可得，亦是一失。商務書局所出人人文庫，採口袋型式，其國學諸書多就原來國學叢書諸種擴增，新收亦不少，頗覺便用。繼此而起則各書賈競編套書，如鵬程弟爲金楓出版社所編，選書頗精要，倣四庫提要意，爲導讀、爲總序，雖各書校輯者詮說或有深淺之不同，要尚不失軌度；其他諸局所編未能細窺，度亦如之。其鴻編鉅典如商務館所印四庫全書，定價甚昂，則非余所敢問。其偶有零本售出者，亦間或購存。

初來臺省，苦不得書，輒就牯嶺街舊書店高價求之。今物力殷阜，印刷術日益精進，書乃隨手可得矣。然而選擇亦正不易。學海無涯，回頭是岸，今既耄矣，雖有暇晷不深讀矣。昔人云「要讀人間有用書」，不讀蟹行文而讀直行文，其爲無用可知。現存諸籍，過訪者已不遽取，圖書館或不願接收，時乎時乎，吾其爲祖龍已乎！

《明代北方邊事述略》寫目

昔龔自珍有〈擬進上蒙古圖志表文〉，書志未成，表亦未上，但有序目，倣漢人著書體也。余茲略師其意，而不取其法，以成此篇。

自政事機構退居後，頗有志研究南明史事，略明海洋對大陸競爭方略，考前代得失以爲鑑，有出版家願爲連續披載，而某暗主文化宣傳者，甚忌余，力阻尼甚且禁止之，遂不果就。而移其心力爲明代北方兵事之研考。勞精神於此者有日，自度亦頗有所考知，欲成一專書。

叢考諸書，所紀述每有岐互，或諱避或回匿甚或誣曲，眞迹難明。余中歲後逐日俱作日記，因就所見公私各籍，及個人考尋所得之結果與意見，錄在日記中，或詳或簡不一。其前此之意見與後來發現新資料參詳之意見，又輒有殊。數十年間有關此一研究之日記文字，殆逾百萬言也。

余以生計，不能不在上庠講課，俱爲古典文學，編寫講綱，亦分其時力，此考較工作遂乃有時或輟。又以資料不能蒐集，全闕與部分闕漏情形往往而有，甚且有在台灣不能獲取之資料，有待覓補。凡與前修差異之議論觀點，必須更爲廣徵據證，加以充實或修刪，不敢貿然命筆定稿。故其中少數已無疑義及事迹簡單之章節，綴文粗就，惟因分段撰述，無法銜接一氣，祇屬零章，絕大部分尚未屬草。有關圖表鈔自他書與自行調製者亦有數十幅，待修正者亦頗有之。嘉靖以後各章細目，更須詳定。

今已耄荒，所待資料更迄未能得，曩老友魯君實先曾嚴語曰：君如必待蒐集完全，將畢世不能成書。信哉良友之言，追悔何及。余慮日記所載考論未精未當或後來已有刪正之諸語，爲人引說，不惟於人爲貽患，於己爲貽笑貽羞，遂舉日記全部數十冊一舉摧燒之，以歸清淨。當熊熊焰火光中，竊自心傷淚落也，然而捨此無他法也。蓋從游諸人中，無人講治此一問題，無可付屬也。

余乃無用之人，讀無用之書，爲無用之事，一切心力唐捐，終身憾事，夫復何言。茲檢未燼草目過而存之，後倘有人能偶爾采及，則余之厚幸而未可妄冀者爾。

明代北方邊事述略　草目

（此係綱要初稿，但示大略而已，標目均待斟酌改易）

第一、北伐驅元

（壹）明太祖北伐

(1)明太祖之廟謨

(2)山東、河南、陝西、北平、山西軍事。(附圖)

(3)徐達、常遇春之勳業。

(4)南方經濟力量對北方之扼制。(運河、海運……等)

(貳)元朝政治軍事形勢

(1)民眾對暴政之反抗。(社會階級、賦稅、刑法、吏治)

(2)民族革命因宗教活動而勃起。(白蓮教、香軍、書院所保存的文化力量。劉福通、關先生、李喜喜等在北方之竄擾。並參究徐壽輝部宗教成分之分析。)

(3)水災兵亂之餘中原殘破。(賈魯治河、義兵)

(4)元室內訌。(元順帝、皇后、太子、孛羅、脫脫、搠思監、廓擴帖木兒、李思齊等)

(參)元順帝北走

(1)明太祖對元裔的態度。

(2)元順帝的抵抗計劃。(第一次及第二第三次計劃)

(3)元室殘餘勢力及其反抗行動。(窩闊台、帖木兒、西陲回教勢力並喇嘛的影響。並補述元室歷來對西邊蒙古所建諸國之失和經過。)

(4)王保保、孔興脫列伯、納哈出等反攻行動。

(肆)明太祖對元室殘餘勢力之摧破

(1)西征軍事。（降李思齊　破王保保　斬張良臣　懾服諸藩）

(2)來自西方的新威脅。（察合台帖木兒之復興　明西征軍不敢急進，以洮州為軍略重點。　明室備戰施措）（此並須應照應成祖時帖木兒東侵及其挫頓。）

(3)北征軍事。（徐達、常遇春、李文忠之北征。馮勝、藍玉之北征。降納哈出，捕魚兒海之捷及其影響　附圖。）

(4)南征軍事。（巴匝納瓦爾之消滅。——此可稍略，但在析明打破蒙族新月形戰略包圍形勢，及南陲回教勢力削弱。）

(5)對西方及西南諸國之聯絡通好。（綜合敘述明初諸帝時諸使臣及所遣宦官之事蹟。）

第二、明太祖對國防（特別為對北方）之施設（上）

(壹)當時戰略政略重點——形勢、需要

(1)北邊及西北邊為緊邊（切斷西方及諸蕃之聯繫，輯睦回疆　遮斷其與藏部、喇嘛教之聯繫。）

(2)分化蒙族內部——蒙族對文化吸收力甚弱　斡難河一帶基地無所建設——（因地理及文化因素，使之不能成為城郭國家。）

(3)充實及加強中原及西北部國防建設　（修繕邊牆　加強西北方兵屯——其時中原空虛　山陝人民供億甚苦。）

(貳)明太祖對北敵處理之基本觀念

(1)對元帝室保持尊重優禮態度——此爲一奇特之現象。（少數元裔遷置海島。）

(2)對元朝歸降官吏之寬遇　對漢人向心蒙元者之嚴處。

(3)對內地蒙元強占民田之處理。

(4)對蒙人及色目人之漢化及徙邊。

(5)積極推進西北地區之漢文化復興建設。（教材、師資）

（參）兵制

(1)軍民分治制度　世襲職業軍官與士兵。

(2)京軍與邊軍之裝訓與待遇。——特別注意其成分如籍民爲軍，降附分子，充發罪犯等之岐遇。

(3)釐定兵部與都督府之關係（軍政與軍令分開　衛所及軍之調發訓練　軍人出征裝備給養之規定。）

(4)對北方軍功特別優敘之規定。

（肆）馬政

(1)太僕寺與行太僕寺。

(2)民間養馬與官養馬。

(3)釐定太僕寺與兵部之關係。

(4)馬種之講求與馬源之開拓——檢討改善中原一帶馬不蕃息之原因，但亦未能有切實辦法。

(伍)屯田

(1)軍屯。(衛所屯田)

(2)民屯與商屯——應就三種田在洪武及以下各朝腹地與北邊興屯詳作比較。

(3)北方沿邊屯田之水利及農產——特別注意陝晉水利建設。

(陸)開中——應溯述元代時大商人之興起,並闡明對蒙元物資貿易控制之作用。

(1)中鹽　邊粟與開屯。

(2)中茶　對西蕃特別重點。

(3)中馬　收西蕃馬爲多。

(4)運道　集散地　數量　及三者盈縮情形。此並應附帶析述爾後各時期政略及軍略運用關係。

(柒)吏治(含文化)

(1)教育

(2)考試　會試北卷錄取之規定——此雖係仁宗時釐定,但洪武朝已具此觀念。

(3)銓選　(遠方選——後來多乙科出身。　考課遷轉之特別規定。)

(捌)諸子之分藩　(附圖)

(1)北方諸王護衛兵力最強,權力最重。

(2)北方諸王有軍事調遣指揮權。——此應附帶述及北方諸藩先後興亂之影響。

(3)瀋王未之國。

(4)附述當時有遷都西安之擬議，此原爲經遠之計劃，但太子標及秦王死後，其議漸寢。建文、永樂兩朝政局變遷，諸王權力削弱，藩王漸且爲邊政之累。 西北建設未能積極興施，影響甚鉅。

第三、明太祖對國防（特別對北方）之施設（下）

壹、歸附部衆之安置

(1)就地安置。（元裔特殊權力及其風俗習慣容許保持。）

(2)移民實邊與降人內徙。（須並述爾後所產生的影響。）

(3)朵顏三衛（兀良哈）之建置。

貳、封　貢

(1)封　（名號　位秩　承襲規定　恩禮隆殺（宴饗、班序）特殊恩賜。）

(2)貢　（貢期　貢道（特別規定之貢道）貢品　護貢人數　賞賚。）

——各部族不同，依會典作簡表（並須參有關諸書，蓋會典頗有闕舛。）

(3)互市　（地點　商品（特別管制之物品項目及數量）場期互市地方之警衛措施。）

（貢賞與互市於邊防極關重要，依各部族之文化程度、生活需要之不同，有其差別，且因其與政治、軍事情勢之變化，明朝處理之方式亦有不同。）

（參）對北方軍事要地之經營

（其後各朝增置之重要軍事基地，俱須有先事之簡單提述。）

(1)開原

(2)大寧

（肆）大臣巡邊之規定

明代北邊國防設施，規模大備於洪武一朝。成祖五次北征無功，且因靖難之役用兵，經遠之國防建置因之而有所毀壞（如兀良哈撤衛等），其後各朝祗有隨時補苴之設施，無大興置。

第四、北元局勢之演變

——蒙古諸部族之分析——

（壹）瓦剌

(1)源流—釋名

(2)踞地。

(3)爭權經過。

（貳）韃靼

(1)北元稱韃靼之始——釋名。

(2)傳國璽。（博爾濟錦氏後裔爲北元王統傳嬗之基本要件，並附述爾後明朝假造傳國璽事件甚多，須略釋明其重要原因。）

（參）明廷對新形勢之運用

(1)阿魯台　馬哈木　互爭雄長。

(2)明朝扶植瓦喇削弱韃靼。（附圖）

（肆）元順帝至坤帖木兒王位傳襲情形

(1)各種不同紀載之考較（考明明史之闕誤）。

(2)本雅失里對西方回教各國之聯絡情形—須再詳考。

(3)上述有利形勢之運用，明廷持之不堅。

第五、明成祖之北征

壹、靖難之役後的北方情勢

(1)靖難之役，西北諸軍未經征調，宿將重兵爲新主所忌，成祖因遣中官監軍。

(2)西北邊將因(1)之影響，不敢輒有所興建作爲。（宋晟對西北之安定　宋晟以後楊氏諸將事蹟。）

(3)成祖對西北諸蕃之招徠與開拓。（哈密—忠順王　朵干百夷之安撫　天方之通貢　西方諸部部種之分析及其相互關係　撒馬兒罕通好明廷之重要效益。帖木兒東侵道死之事，明史無紀載應詳考。）

(4)大寧衛故地畀兀良哈後北方邊防情勢之變化（成祖對朵顏三衛初期之優遇，羈縻與

分化　東北諸部族南移之迹——朵顏三衛、建州衛。）

(貳)成祖軍事建設之基本觀念

(1)放棄分藩之拱衛夾輔觀念（仍逐步削弱各王權力。）

(2)軍事重點在京營之建設（強幹弱枝，演化至對諸王之禁制。）

(3)注重火器之運用，火器爲戰力中堅。（神機營火器爲安南之役所獲重要兵器知識。）

(參)成祖北征前之經畫

(1)遷都北京——此須從內外互爲影響析述。

(2)通暢漕運——附敘海運之銷長。

(肆)邱福北征覆敗——從內、外政治軍事形勢，促致成祖決心致力北征。

(伍)成祖五次北征經過　（附圖）

第一次北征　第二次北征　第三次、四、五次北征。

(陸)成祖北征軍事之檢討

(1)作戰兵器　主要爲新兵器（火器）使用　馬力缺乏。

(2)運輸工具　武剛車運動量不足　人獸力運輸有限，糧運（糧儲）困難。

(3)大軍運動不靈活（水源困難，敵非城郭國家易於遁避。軍隊不能久屯沙漠　用兵方式（陣式）之不適用。）

(4)作戰戰果　人力、財力蒙受損失　外交羈縻運用更形僵化　政治經濟俱無戰果收獲。

（柒）成祖用兵心理——並論其與太祖之比較

(1)爲繼位者太子（仁宗）仁柔，必須親自力摧北方強敵。

(2)屢戰無戰果，負氣用兵。

(3)太祖在求元朝之賓服與求寶（傳國璽），成祖雄心在肅清沙漠。

(4)戰爭心理影響（大軍難能征行沙漠，轉趨重於防守觀念——此觀念在太祖晚年命諸子分藩備邊時即已萌芽。）

第六、明代之邊牆（即長城）

——此下四章均係通明代全史敘述，與其他各章分時期者性質不同，是否宜爲此安排，仍須斟酌——

（壹）各朝築繕大略（附圖片）

(1)洪武初徐達築山海關以西。

(2)成祖時自宣府西直達西北境。

(3)憲宗（成化八年（一四七二）余子俊守延綏，奏修榆林東中西三路邊牆一千七百餘里，東起清水營，西至花馬池。　十年（一四七四）寧夏巡撫徐廷章，築黃河嘴至花馬池間邊牆三百餘里。）

(4)孝宗（弘治十四年一五〇一）土魯蕃擾陝西邊，修嘉峪關禦之。　次年總制秦紘復築固原邊墻，自饒陽至清虜衛花兒岔約千里。

(5)世宗（嘉靖九年一五三〇）總制王瓊西修邊墻至蘭州。其後翟鵬、翁萬達相繼總督宣大，於是紫荊等三關及宣大間之邊墻皆得加強修葺。

(貳) 極邊與次邊

(1)極邊　山西保德河岸東盡老營堡二五四里，西路了角山迤北而東，歷中北路抵東路之東陽河鎮口臺六四七里，宣府西路西陽河迤東，歷中北路抵中路之永寧四海台一〇二三里皆臨巨寇，險在外者。

(2)次邊　老營堡轉南而東，歷寧武、雁門，北轉至平型關約八〇〇里，又轉南而東爲保定界，歷龍泉　倒馬　紫荊　吳王口　插箭嶺　浮圖谷至沿河口約（一〇七〇）里。又東北爲順天界，歷高崖　白羊抵居庸關約（一八〇）里，皆峻嶺層岡　險在內者。

(3)內三關　外三關。

(4)翁萬達又加強修築宣大邊墻　京師得以久安。

(5)遼寧省中有若干段邊墻修築　遼東邊墻外，兀良哈　建州常爲邊患，築城禦之。——遼東邊墻之築，始於王翺，於正統中始修山海關至開原邊墻，其後守臣屢增葺，越鳳凰山而至鴨綠江口。

(參) 九　邊　（圖）

遼東　薊州（次邊）　宣府　大同　延綏（榆林）　寧夏　陝西（固原）　甘肅　太

原（次邊）——參正《九邊考》之闕誤。

（肆）邊墻構築

(1)各地形制不同。

(2)次邊城皆築以磚石　每三十六丈築一堡寨　置烽火台於上　要害之口置堡塞二三重。

（伍）通訊設施

(1)烽火　塘報（驛遞）——各地里程及數目。

(2)各種等級軍報規定。

（陸）各地區邊防緊弛之季節性

(1)西北　正北　東北。

（柒）邊民

(1)收降部落　（附城駐牧之安置）。

(2)捍邊部落　（斥候之運用）。

(3)邊吏貪功避罪所造成邊民之痛苦與抗爭。

（捌）守城與屯種之規定

第七、北邊之官守及監察制度

（壹）巡撫——詳查設置年代駐地及轄區之張縮

⑴遼東　宣化　大同　延綏　寧夏　甘肅　順天　山西　陝西。
⑵各巡撫依季節之駐地移動，及臨時兼轄。
（貳）總督（總制）——沿邊三總督之重要性
⑴薊遼　宣大　陝西三邊（設置時間　轄區）
⑵各總督事權輕重大小並非一律　駐地亦頻有變更。
⑶遼東一帶爲緊邊後，建置日繁，置撫多至十數　事權不一　及對邊務之影響。
（參）文武官司
⑴臨民之官（事權及銓選升遷與腹地不同之處　考《職官志》疏略之處）。
⑵領兵之官（九邊之兵各統於總兵，而以副總兵之貳，復佐以參將、游擊等等　職事按任務及官階分別　城守巡邊任務之調配　各總兵設置情形《職官志》不明晰，須詳考）。
（肆）監察（巡視）之官
⑴巡按御史　巡撫御史（紀功御史）（御史與守臣之不協調關係）。
⑵鎮守中官　監視中官（宦官與守臣不協掣肘，或勾結姦貪之關係）。
（伍）特別設置之官司
⑴佐雜（非特設、臨時差遣）。
⑵邊民之自衛自治組織。

——此章並須檢究　兵部與邊帥人才培養之道　中樞政局變動與邊務得失影響　楊氏、石氏、李氏等世將之憑藉，及其對軍政上之妨害　北邊武臣設置，成祖以後始有考述，蓋前此皆採攻勢行動。

第八、明與韃靼（北元）對峙局勢

（壹）基本原因　（明自成祖以後即無大規模攻勢行動，元順）

(1)明自成祖以後即無大規模攻勢行動，元順帝殂後，即無有組織之反攻力量　雙方皆無積極之政治意圖。

(2)北元自脫離中國本部後，即仍退化至部落游牧民族形態。

（貳）明朝對韃靼之一貫政策

(1)分化其內部，攜貳其鄰族，以夷制夷——特別孤立博爾濟錦部族。

(2)經濟封鎖與制約——視太祖時更強化。

(3)軍事上倚長城爲固，完全守勢作戰，並利用內附部族以捍邊圉。

(4)文化改造。（以文化漸摩使逐步漢化　以宗教力量消滅其慓悍性格）

(5)政治羈縻。（仍以封貢爲主　並以差別待遇，挑撥各部族之互相嫉視與爭執）

（參）軍事力量檢討

(1)明朝自土木之役後，將吏懦怯，無敢北向深入者，出邊百里即爲罕見之事。但仍爲有組織之防禦抵抗力量，足防韃靼之深入。

(2)明軍不能長時間征行沙漠——缺馬、糧運困難、水泉缺乏。此為歷來未能解決之困難。

(3)韃靼軍無力攻陷城郭，且無政治組織能力，不能完成有效之佔領，其入侵但為經濟目的，劫掠與騷擾，且其軍隊畏雨（多次戰役因雨敗退）畏痘（天花）不敢長期駐留，更且畏中毒（食物、器具）。

(4)韃靼戰略資源缺乏，尤其火藥、鐵器，攻城戰具奇絀，軍民俱已失去成吉斯汗時代之雄風。

(5)韃靼人駐河套後，本已有發展之基礎，而未能善加利用。

第九、北邊各時期作戰

(壹) 戰爭指導

成祖以前採積極攻勢，以火器為主，後此亦漸減其效力。英宗以後，純粹以長城為固，故明代對北敵之軍事思想，完全以邊墻為出發點，概為一種城守作戰思想，對於長於飆擊之敵人，為有效戰術。故研究有明北方戰爭，必先了解長城形勢及其構築狀況。

(貳) 各邊形勢

(1)訓練　各邊因地理狀況，及所面對之敵軍種落及勢力強弱，各地訓練重點因之而有異——各軍長技與缺點、戚繼光所論最精晰。

(2)軍器　除一般通用軍器外，有各邊特殊使用之戰具，且邊墻護城工事，亦各地不同。

（火器壕塹拒馬器連環伏塹　弓矢　戰車……）（附圖片）。

（參）特殊作戰戰例

1.李文忠北征之役　藍玉捕魚兒海戰役　成祖第一次北征戰後　也先及俺答兩次圍攻北京戰役　紅鹽池奇襲作戰　寧夏圍城之役　宣大作戰　寧遠作戰　松山作戰——此但僅述其作戰方法特異之點，其他不觸及

（肆）作戰基本戰力

1.作戰卒伍　邊帥倚家丁、蒼頭爲作戰主力，寖成風氣後，遂少正規大規模作戰。

2.戰術　（偷營　夜襲　捕斬零騎——邊圉亦因多事）

3.用間　（通事　及其得失）

第十、與明代北邊有關各民族及國家略述

（壹）蒙族所建之諸大汗國

(1)成吉思汗所建西方三大汗國：欽察汗、察合台汗、窩闊台汗、未幾窩闊台汗消滅，續建伊兒汗，西方仍爲三國。

(2)欽察汗（拔都），俄大部、波蘭東部　阿羅斯境內大公諸王，無不臣服。十四世紀中期漸趨分裂，十五世紀末爲俄人所推翻。（一三六八左右，正值札尼別格，瑪麥依，脫脫迷失等紛爭時期，亦俄人抗稅起事時期。　此國親回教。

(3)察合台汗　包有天山南北路　西土耳其斯坦　阿富汗及印度西北部，後分爲二，蔥

嶺以西為西合台汗國，以東為東察合台汗國，西國於十四世紀中期為其臣下帖木兒所亡，東國政權最後為回教之和卓所有。（一三六八年正帖木兒崛起之際）

(4)伊兒汗　元世祖弟旭烈兀建，擁有波斯及地中海以東之地，對大汗最忠實，十五世初為帖木兒所亡。

(5)窩闊台　歷傳至海都時，與元世祖長期交兵，海都卒，又與察合台互鬨，一三一〇年國亡，地為察合台所有。

(貳)塞北遠征與東北經略

此均在前數章中已有析述

(參)青藏地區。青海西藏地區於明初內屬，置朵甘（青海及西康境）、烏斯藏兩行都司。尼八剌（尼泊爾）等國俱來朝貢。

(肆)西北諸邦通貢。明朝西北領域僅抵哈密，與西域關係極為密切。葱嶺東之別失八里（即東察合台汗國）葱嶺西撒馬兒汗（即帖木兒汗國），自洪武以還貢使不絕。帖木兒為蒙古疏族，據有西察合台汗國故地，西滅伊兒汗國，東服印度。永樂二年一四〇四興師東侵，中途病死（此須再詳考）。一三六八之際惟帖木兒能有力助元。帖木兒死後，西域大小諸國皆賓服。

(伍)西藏。成祖永樂元年八月，遣侯顯使烏斯藏，徵尚師哈里麻至京，頗寵遇之。其後與西藏甚通好——又其後並利用喇嘛教以漸摩俺答。

（陸）高麗　於元明之際，忽而附元，忽而附明。洪武廿五年一三九二大將李成桂簒位，受明册封，改國號爲朝鮮。事明甚恭謹。

——此章條目俱須更加斟酌訂定。對於西域、西番關係，尤須加強考述，與俄羅斯關係並須詳查——

第十一、明代國力極盛後初露衰徵

（壹）北征名將多死於交阯之役

(1)宣宗時交阯旋棄。

(2)鄭和所擴張之海上勢力旋亦收縮。

——遠溯太祖即爲一閉關主義者。爾後我國海洋競爭見絀於西人，此種觀念影響極重要，依歷史經驗，蓋東南方素無入侵之強勁勢力也。）

（貳）各鎮守（監視）中官之貪啉僨事。——（尤其重要邊關）。

（參）兀良哈處置棘手。

(1)溯述成祖破兀良哈事。

(2)宣宗寬河襲破兀良哈並非眞實之勝利（兀良哈事先無入犯迹象　臨戰　兀良哈無作戰之積極意圖，明所俘殺皆爲近塞駐牧之部眾，諸酋降伏並非心悅誠服，且適以召怨。）

(3)英宗朝朱勇擊兀良哈之役，益使三衛仇明。

——此俱種因成祖當時處置失策，乃以召患，此問題關係明代北方邊事甚大，亘數百年間幾無十年之安定。）

(肆)宣德正統間國防施設漸趨頹讓

(1)政情影響　成祖時國力（五次北征）已稍見疲弱，仁宗仁柔，宣宗好文但亦微具用武意向，性格矛盾。　英宗初政寵用宦官王振紀綱敗壞。　成祖仁宗時雖三楊輔政，但俱無開拓之才，且爲朝局變化所牽掣，亦爲士論偃兵所影響。

(2)兵制　Ⓐ軍伍空虛　逃伍　冊籍不確　清軍衍生流弊　Ⓑ京營缺乏訓練　買名　役於權門　工役　老弱充伍　Ⓒ兵器窳敗　製作疏劣　庫儲陳久　請發須有貨賂　Ⓓ中官害政　兵仗局　軍器局　鍼工、鞍轡諸局，俱由中官掌理。多所需索

(3)屯政

軍屯　以征戍罷耕　官豪勢要占匿　由此兩因使屯額減半。　至於商屯，因沿邊屯地多變赤鹵砂磧、正糧、餘糧　守城　屯種之法則敗壞。

民屯　爲皇莊　王田所侵　獻納者多（爲逃賦之故）。

(4)開中　Ⓐ則例更定　商人苦苛隘　大利盡爲中官勢豪所攘奪　Ⓑ鈔法之不通影響開中之實施——此在國初已有此弊，爾後愈趨愈甚。

第十二、也先之崛起

(壹)遠因

(1)此本爲明廷縱瓦剌以制韃靼之結果。

(2)瓦剌日強，遂失其政策運用之平衡力量而不能制。

(貳)脫歡　也先

(1)考述其爭逐角力事蹟（圖）。

(參)北元世系

(1)由本雅失里至脫脫不花。

(肆)土木堡之役（圖）

(1)作戰經過——並考述明代邊墻情勢。

(2)戰爭結果。

(3)戰局檢討Ⓐ北敵本有可乘之機（脫脫不花與阿拉關係分析）　Ⓑ英宗並非完全孟浪（其勢不得不戰）　Ⓒ英宗之失在於不知己。

(伍)景泰帝與于謙

第十三、土木堡役後之新形勢

(壹)瓦剌之驟衰

(1)也先雖獲勝而未獲得政治經濟上之實際戰果　也先弒脫脫不花　也先稱汗。

(2)阿拉知院與孛來。

(3)也先餘裔與哈密之關係。

(貳) 韃靼之復熾

(1)河套諸部互相消長情形（麻兒可兒　馬古可兒吉斯……消長關係）。

(2)小王子之再考辨。

(參) 明朝勢力之衰落

(1)京營精銳頓盡，自此不復有對北方大規模攻勢。

(2)兵制之改革（設置十二團營，自此漸有以募兵爲主之趨勢，爲兵制上之大更張）。

(3)英宗復辟後朝局紛更（由中央政局之紛更，遂致西北緊邊失統籌制馭之力。）

(4)怯敵觀念抬頭（言戰者多係虛憍　此爲形勢與觀念大轉變關係所在）。

第十四、韃靼入主河套

(壹) 河套之重要性

(1)開平　東勝撤守後，明廷北方國防線之再度變化（圖）。

(貳) 三邊總制之設置

(1)四鎮　三鎮　九邊　邊防形勢之推遷發展。

(參) 宦官影響軍事

(1)西陲用兵無功之原因分析。

(肆) 王越紅鹽池之捷

(伍) 西部與套部之衝激關係　（圖）。

(陸)余子俊對邊墻之營繕 (陳鉞對東北經營之蹟，爲清人所諱而不彰，並須引考。)

(柒)套部勢力消長情形。

第十五、達延汗之興起

(壹)瓦剌勢衰以後情勢

瓦剌失卻制衡力量，勢必衍成新的角逐。

(貳)達延汗統一大漠南北之經過。

(參)脅服朵顏三衛與松遼平原之蒙古部落。

(肆)對明朝之威脅

(1)大入延綏以後之諸入侵行動。

(2)西北諸將之戰功與敗衄。

(伍)明廷失應付之策

(1)中央與邊帥，在政治關係上，彼此疑扞。

(2)邊將及中樞怯弱心理，虛憍心理之充激。

(3)無人敢任實事，彼此推責。

(陸)達延汗對內外蒙古諸旗之建置

(1)分封諸子。

(2)今日蒙古旗盟仍有其遺軌者。

第十六、明武宗之亂政

（壹）武宗之性格秉賦

⑴好武　材技亦有過人之處。

⑵憤前朝之積弱，思有以振之——亦有時會使然因素。

（貳）京營之腐敗（整頓京營而引用非人）。

⑴邊軍入衛影響（京軍無力平劉六劉七齊彥名等之騷亂。邊兵入衛引起政局之變化不安　江彬、許泰之見寵。）

⑵威武團營

（伍）武宗巡遊無度

（陸）武宗朝之連年邊患

第十七、哈密局勢之變遷

（壹）成祖以後對哈密與吐魯蕃諸措置——溯述與檢討

（貳）西域、西蕃勢力之分析——各時期消長情形

（參）忠順王承襲問題

（肆）吐魯蕃之興起

（伍）吐魯蕃與哈密之衝突

（陸）處置哈密事件之朝局波瀾

(1)由議禮恩怨餘波引起。
(2)由邊事而挑動中央政局之報復相尋。
(3)彭澤　陳九疇　王瓊　張璁等之傾軋關係。

第十八、明中葉北邊情況

(壹) 邊民生活

(1)陝西、山西、甘肅諸緊邊災荒與賑濟之統計——詳查諸不同紀載資料、核實比較。(表)。
(2)邊民與降附部落間之各種衝突(表)。
(3)耕牧之不安。
(4)山陝一帶民間騷動事件之統計分析。
(5)明廷中樞人事安置,所引起山陝民間之潛在不滿。(據《七卿表》分析,但此表亦有舛失。)
(6)由滿四之亂,檢討明廷邊事措置之諸種乖方。(尤重吏治廢弛。)
(7)邊民生活之痛苦,與罪犯之逋逃。(包括王室逋犯。)
(8)白蓮教之乘間活動。(趙全、邱富等。)
(9)各邊民風與民力分析　(表)。

(貳) 邊軍生活

(1)燒荒　守墻　屯種　修堡及婦女強迫守墻者之艱苦。
(2)月餉　年例之不敷。(開中屯田敗壞後所生之影響。)
(3)邊軍之驕悍(大同　遼東之兵變——此亦軍餉絀乏與家丁制度交互影響所衍成)。孛拜之亂。
(4)邊軍不願敘功而願給賞。(馬芳等事例)
(5)尚首功所引致之濫殺(殺附部降人　殺民)。

(參)　邊將生活

(1)邊將受制於鎮守監視中官與巡按。
(2)大同、宣府之聲伎(並敘固原、蘭州等情況)。
(3)債帥　(豪賈放利　社會畸形發展)。
(4)邊帥之豪侈。
(5)世襲軍官制度所產生之流弊。(買功　賣功　併功之弊,家丁蒼頭之蓄養,導致將帥不以兵為重。)
(6)天順以後　北方邊功封爵之分析(以恩倖與政治作用為主　絕少實際戰功。)

第十九　俺答入侵

(壹)　吉囊與俺答

(1)北元之世系。

(2)達延汗徙帳而東後　套部獨盛之新形勢。

(貳)曾銑之搜套

(1)搜套策略之檢討。

(2)曾銑　翁萬達等不同之主張——得失與勢力消長。

(參)俺答屢請封貢

(1)明臣之頑昧與貪功。

(2)邊臣之不敢負責任事。

(肆)俺答大舉入侵　(圖)

(1)山西之糜爛。

(2)直薄北京。

(3)西邊之震撼。

(4)周尚文　馬芳等之戰功　邊將賄敵之風。

(5)辛愛與老把都之入侵。

(伍)嚴嵩藉外患以殺政敵

(1)夏言　曾銑之死。

(2)言官楊繼盛　沈鍊等之死——(世宗護短態度,及馬市弊端)。

(陸)京營兵制之再改革

(1)恢復三大營舊制。
(2)人事之不協調與倖濫。
(柒)仇鸞寫追敵之敗衄
(1)京軍　邊軍　兩者完全腐敗狀況。
(2)諱敗爲勝冒功邀賞之風。
(捌)朵顏三衛倚俺答寇明報怨
(1)東北漸轉爲緊邊。
(2)薊遼總督之設置。

第二十、俺答受封後北境之安謐

(壹)俺答受封經過
(1)把漢納吉　三娘子之作用與影響。
(2)王崇古　高拱　張居正之持議與建策。
(3)叛人之解還伏法。
(4)河套諸部(吉囊)之繼續受封。
(5)俺答之佞佛——喇嘛教之作用。
(貳)順義王之傳襲
(1)乞慶哈　撦力克　卜失兔之傳承。

(2)三娘子忠順夫人之特殊影響力。
(3)松部　海部之梗化。(圖)
(參)明廷羈縻政策檢討
(1)邊臣對三娘子之羈縻聯好與運用——並衍生因羈縻而玩寇之闕失。
(2)朝議之不同觀點　(言路、廷臣彼此不切實際之爭持　影響政局安定　邊將與邊務之整備)。
(肆)西部與套部勾結情形
(1)明安暴斃後之邊境風波。
(2)寧夏圍城之役。
(伍)西北邊境之粗安
(陸)順義王力量之衰落
(柒)板升

第二十一、土蠻(圖們)之代與
(壹)北元世系
(1)土蠻之釋義。
(2)插漢兒之釋義。
(貳)土蠻入侵之行動　(圖)

（參）虎墩兔（林丹汗）之崛起
（肆）東北緊邊迭生事故——朵顏三衛乘時入侵
(1)速把亥　炒花之擾邊。
(2)長昂　董狐狸之擾邊。
——三衛啓釁，多半曲在明之邊吏——

第二十二、萬歷初年之邊防

（壹）邊圉粗安
(1)北境敵勢稍衰，且東南倭患稍平，兵力有可轉用，兵事略有整理，邊備稍充。
(2)張居正頗明於邊事。（用將能適機宜）
（貳）戰車觀念之再興起
（參）內三關防務之改變
（肆）北邊諸將之戰功
(1)李成梁。
(2)譚　綸。
(3)戚繼光——對當時邊軍制之改革，屯堡之建修，風氣之改革，著有貢獻。）
（伍）防務配合措施——防敵騎飆突措施
(1)京東水田改革。

(2)農作物改進——擬議中未竟之功。

第二十三、援朝鮮之役

(壹)廷臣不同意見　(石星　王錫爵)

(貳)對豐臣秀吉之封貢　(廷臣　使臣之貪黷無能)

(參)援朝鮮之經過　(圖)

(肆)由邊事引起朝臣之論爭趨激——引致政局不安

(1)人力。

(2)軍餉。

(3)對東北(滿州)之影響——此須另詳專章。

第廿四、建州之興起

(壹)傳說及世系——孟特穆以後稍詳

(貳)諸衛建置

(1)建州衛　建州左衛　建州右衛之設置經過。

(2)建州西南移情況。

(參)努爾哈赤遼河流域之經營

(1)諸部。

(2)爲金所用之漢人。

(肆)薩爾滸之役
(1)戰爭經過（圖）。
(2)明朝大敗之損失。
(3)戰後影響——此爲一大關鍵。
(伍)五入長城——各次戰役經過（圖）
(1)袁宗煥有取死之道。
(2)漢人中信仰白蓮教者之暗中影響。
(陸)思宗和戰乖方
(柒)雜考（奴兒干都司之再考證　亦失哈之再考證　王翺　李秉　趙輔　彭誼　馬文升等對建州撫治征討事蹟之再查證　汪直　朱永　顧養謙等對遼事乖錯事實之再查證）。

第廿五、察漢兒與兀良哈之衰亡
(壹)「影克」之考證
(貳)明廷聯絡西部之失策
(參)朝鮮與後金關係之演變
(肆)後金併滅諸部經過　圖　及表
(伍)元之傳國璽入金

第廿六、

（壹）邊軍與流賊之關係及其影響

（貳）軍餉問題

（參）驛卒與礦丁並白蓮教之影響

（肆）邊帥之設置調遣擢廢乖方

（伍）明代北方邊防總檢討——對東北方軍事　另作詳細紀述與檢討，本書但有簡略敘述

南韓漫游雜記

距今約十五年前暮秋，余與諸友偕，初游南韓，曾雜誌所感，茲略追輯之。

漢江曩泛濫爲患，且甚污染，今疏濬整治，江岸林木球場憩亭茶肆，俱修潔，江水澄碧淪漣，頗具清新氣象。因思我臺灣高雄愛河，台北之淡水河、基隆河，何乃不治如故？豈韓人能而我不能耶？

516 廣場即武器展示場，陳列各式飛機戰車槍砲之屬，及鹵獲北韓金日成之座車，場中懸各次戰役照片甚多，極富教戰意義。旋游南山公園，園爲紀念安重根烈士建，安爲謀復國刺殺日酋而死，其爲邦人永遠欽仰俎豆祀之也固宜。園規模不甚大，多處有華文題識。數十年前吾華助韓復國，出力固不尠也。紆途過日治時代之總督府，今南韓總統府在此府前，歷覽甚久；南韓總統治公並不在此，而在青瓦台，此處惟具形制而已。漢城市中大漢門，猶保存中國城垣制，題識亦用華文。其新建之獨立門，兩黑柱甚高，據聞此處係朝鮮歷來迎接中國天使之處，韓人此與其示人以歷史上之痕迹以警省邦人耶？此典其近來刻意消泯漢字之用意殆又相徑庭矣。漢城衢道甚寬濶，市容整潔，高大建築甚多，車行極有秩序，較台北爲佳。

天岳山爲漢附近鎭山，雖不甚高而地處形要，山半舊時塞垣疊堞蜿蜒如帶。此處爲國防要地，禁止攝影。入夜即不許通行。山腰有樓可縱觀眺，夕陽危堞，頗引人遐思。台北陽明山山凹處，亦有一樓，與此樓構形頗同，而地處卑迫，蜷置不能瞻眺之谷地，紅黃間雜，徒破山林清趣，可謂不善學已。過此即青瓦台，未竟遊。緬想吾華戰國時期，各國都城多在臨江倚山之處，蓋爲民食供給著想，糧食水運消耗少，人獸力運輸則消耗多也。城郭多在山腰，高處環置城堡設有瞭望臺箭垛，天岳山之建構殆近此，又其綿連之狀又若我之長城，而雄偉則遠遜矣。

晚詣華克山莊看歌舞，此爲一有名之遊樂場所。賭場亦頗大，但較美國拉斯維加斯、大西洋城則有大小巫之別矣。初演一韓國歌舞劇，聲高而節緩，質直以轉折，殆〈樂記〉所謂「粗厲猛起，奮末廣賁」之音者耶？舞姿亦弛緩，能表其土俗而已；餘則西洋歌舞也，燈光配合，羣姬粉裝誇炫，雖不甚有特殊美感，蓋亦不甚惡，藝術價值則當弗論矣。座間設饌就食者頗多，大抵爲日本人、台灣人，韓人則良尠。漢城夜九時半後店舖即打烊，視台日諸埠城開不夜者有異，雖然，余寧取漢城之措施也。

成均館有三數友人，電話俱不值，此校月前曾舉辦李退溪學術研究會，余謝未與。退溪治朱子學有聲，其學術造詣非甚高，然頗重內省，此是宋朝理學家宗旨。推廣其學，或可有補韓人近來專求富強之人文偏弊歟。心靈無安頓處，其終極必僨事也。

次日晨起於旅舍外環巡覽，覺空氣頗清新，不似台北塵囂。凂人以韓語詢紙店，蓋余早歲作書極愛高麗髮箋即俗所稱苔紙，今所得者麄不堪用，欲親訪購之。詢知有兩處，其一已撤店，又一則此紙已停產矣，另有一店道遠未能詣，或亦無此等貨品也，爲之嗒然。

參觀朝鮮李朝王宮，正宮曰景福，左曰千秋，右曰百歲，殆以王位自處，不敢僭稱萬歲也。規模略仿清宮制式，具體而微。螭陛前廣場，鋪以青石，朝儀文武官分列，自正一品至從九品，立表著石，位次井然，俱漢字。宮中輿服，座設，鍾簴之屬俱無存，惟空宇而已。宮門均封閉，正殿當是臨朝之所，左右兩殿則當爲治書燕見處，宮右有宅一區，紅廊綠瓦，或乃是妃嬪所居者也。逾垣數百步有「會慶樓」，乃宴賓之所，頗高敞，約可布百許席，四周環水，僅一橋可通，今亦封閉，令人頗擬想光緒當年所處之瀛台矣。過此又有水心亭閣，可攬四山濃翠，云是國王賞月遊觀處所，景物故特佳；四周環有小屋，亦尚精麗，水池人稱之曰湖，有荷，秋深已近凋落，湖濱長廊有學生爲風景寫生，取景良得。步道右出，有苑林，雜植諸木，其旁叢丘，則朝鮮歷世諸王葬所，標識韓文不能讀悉，其近側又有叢冢，瘞妃嬪之類，或略當所謂「宮人斜」者邪？景福宮有觀光照相者，可假王服攝照，價昂，台幣可通用。

民俗館各櫥廣陳耕織井臼炊爨之具，牧養、喪葬、婚慶、儀具俱備，陳官服最多，就中並有朝鮮國王旗旌表節義及任命官吏文書，有署乾隆年號者，可徵藩邦恭慎之意，館設甚簡質，與吾華民俗大略相同，特婚禮中有樹竹枝及執刀鐮者（不明其旨，導游者亦未能解說，余意刀鐮），尚可謂乘夜搶婚之遺，竹枝或辟邪之意乎？返經奧運會場，建築甚閎偉，工費之鉅可知，而韓國國際聲譽，亦緣此會而騰上也，韓人經營此會歷八年，據云爲一最完美之奧運會。韓國黨爭最激烈，輒有羣眾暴動，在會前數月，政黨協議暫時一切停止忿爭，高呼團結。現此會既畢，將來是否仍能和平相處，良未可知。

參觀高麗人參公賣所，購得其最佳者數合，歸貽親友。韓國今時並無野參，俱參田人工培植，栽培區不能被陽光直射，咸以黑色篷蓋掩之，篷之取向大約爲朝東北傾斜二十至卅度爲宜，須留細縫，以利雨水滴落滋潤，參自外觀即可辨認其參齡，每生長一年，直幹即生出一根分枝，六年後即可收取，過此則或將腐爛，或表皮木質化，加工甚難。種作者多有婦女，凡在月經期中即不可入圃，如入種植區，參即敗萎，此或爲一神話也，但亦足備謏聞。人參採收後，須休耕十至十五年，蓋土壤元氣爲參所吸己大傷矣，休耕期中可植辣椒豆類等農作物云。

詣慶州，沿途所見農舍，屋頂多粉漆各種顏色，乃係緣奧會所加飾者，一時或頗耀目，歷經風雪侵蝕，塵積頂斜，益顯其頹敗矣。所產水梨甚佳，果碩而甘脆，台地所無。慶州一帶上空禁止飛機通過，雖云保護觀光資源，亦或爲隱藏其軍事施設，防行間者攝影歟。天轉寒，衣薄瑟縮，入夜有詣石林照相者，余倦臥未與，且照相機又忽生故障也。

遊佛國寺，殿宇新修尚雄峻，有泉甚清冽，云汲飲可延年，凡寺剎必多有此類傳說，不足異。聞此寺在我國宋時香火甚盛，寺僧規課甚嚴，咸擅技擊，元兵侵韓，寺僧迎戰胥鬥死，邦人憫念，遂復建寺以表其忠云。轉詣嫣鐘寺，傳聞云昔新羅某王鑄大鐘，久不能就，術者謂須得童男釁鐘乃可，有貧農子甚穎慧而多病，僧語之須投拜佛門，愈後，僧復來謂當携之出家，庶期永壽，母亦聽之，此童遂被選爲釁鐘者，母聞訊哭追之，童將被投入洪爐，瞥見其母，疾聲大呼，聲未終被投爐，旋斃，鐘成，其聲最洪，如兒啼聲。此事與我國干將鑄劍事蓋甚近似。途經瞻星台，台按五方四時二十四節三百六十日爲分，俱是師我國星曆之法，台半圯，雖加修，殆僅能具觀光意義，無可用之矣。慶州有朝鮮五大林囿，某王常於此畋獵飲宴，留連忘返，遂以失國，園近已闢爲農畝，或且鞠爲茂草焉。再經書出池，其傳說故事，殆近我國河出圖洛出書之意，石窟巷鑿山石爲之，頗幽邃，有肉身菩薩相。

大陵苑爲新羅諸王葬地，塚數座，若邱陵，視漢城諸王墓爲高大，松柏翳然，白楊蕭蕭，掃除甚整潔。其旁有所謂天馬塚者，已發掘，以殉葬物有石馬因以得此名，固不知其爲何王或權貴墓也。殉物有金冠，製作甚精，有佩劍，劍柄鑲玉，陳列墓道內，墓築若拱門，覆土約三重，明器甚多，韓國史事甚闕，莫可考知其物名。此墓視常人墓爲閎偉，若與大陸最近發掘之明陵相較，則相去不可以道里計矣。若遠論秦始皇陵，則殆泰山之於培塿。照相機修復，曾攝影，亦買得此陵照片捲。

慶州爲觀光地區，保存古蹟甚多，除禁空航外亦不許有高峻建築物。大抵爲兩三層，結頂多採中國廟宇宮殿之式，建構內容則採西式，雖別具風格，但並非美觀。結頂尤覺不能配合。道路平整，一望秋原膴膴，不似昨日所過貧瘠寒峻之區。有關箕封及漢唐用兵諸蹟，俱在北韓，容他日再爲訪察，諸友有感風者，遂輟遊賦歸。

綜此行觀察，韓人貧富懸殊，富者有私人飛機場及飛機，貧農則殆無完袴，此蘊亂之根也。韓國市招非從翻譯他國文字殆不可識。此邦近主廢除華文，然而其國旗則固採我國八卦爲徽也，一國文化必以其歷史爲本根，廢華文則其歷史不可讀曉矣，故邇日又有停廢之議。韓文非兩字併連即不能表示一完整意義，字形仍取方塊，結字有取日文者、中文或西文者，雜揉拼合，殆爲一拙劣形體；自吾人觀之，或略近西夏文，流布決不能廣，且當不能規久遠者。漢城建築甚偉觀，特爲直線形，所謂石灰森林殆是的喻，弧形圓形建構絕少，韓人體力強，富戰鬥精神，惟覺其藝術性格爲少耳。韓國汽車等俱曾銷售美國，而台灣則無，視韓人爲有愧矣。李承晚於韓之復國饒有貢獻，以政爭失敗，放逐海外荒島，篤老苦病亦不許歸國，且不許歸葬。又另如印度之甘地，爲印度復國大英雄，而爲其信徒所刺殺，此兩亞洲民族之性格，良覺不可思議。溯韓國歷史，久爲中華藩邦，近世又曾亡於日本，欲洒其歷史仇怨，其奮力圖強，自可欽敬，惟其既強之後，求國土之拓張，北則蘇聯，西則中國，東則日本，舉非區區一韓所敢犯所能犯者，其亦將何以自淑耶？韓人之仇日，理固然已，美國則大有造於韓國者也，其親美者以富商權貴爲多，大多數韓民則殊對美仇視，此美國之處理不善耶？抑韓人過分自強不肯稍有遷就之心理使然耶？又韓人因政黨之角力挑起民間之騷動，尤以青年爲然，尋仇報復，仇殺鬥爭，殆鮮寧日，而工商業乃未遭甚大損害，出口力仍強，此亦余頗尋思不得其正解者。

東瀛游紀

余屢過日本，但每次俱僅數小時，小遊東京市區而已。得數友皆因作東瀛游。遊日本、記日本事者多矣，所見所歷俱恒數，不煩舉矣，就頗有感觸者漫志之。

連清吉弟在九州大學游學，抵福岡，即招之至，亦促其參與旅行且爲余導游焉。福岡距台灣甚近，離福岡不遠有曰篚原者，乃元世祖十八年（一二八一）征倭軍，爲颱風吹襲破舟敗衄，棄士卒數萬於海島，盡戰死，叢瘞其地，余不忍往，就酒肆小憩，追思此一往事，心固未能平也。同遊者有欲觀日女特別表演，余不能尼，屬連棣返校，次晨來會。爲此猥褻表演者乃多台灣女郎，甚恥之。國初留東及居京滬諸大師，或有不甚護細行者，甚至冶游之貲亦歸學生代支，余學問萬萬不敢望前輩，故行檢乃彌自飭焉。

海西大橋爲日人自殺者常選之處，自高橋墜入清波，蓋未有不能成其志者。大抵海島民族性卞狹，且久濡染其所謂武士道精神，變質加厲，遂自殞者彌多。自大橋遠眺，有三近似煙囱者，矗立雲際，乃二次大戰時，日將山本五十六所建信號塔，由此傳信自殺神風飛機以創盟軍，日本敗降已久，山本且早伏辜，此塔現仍保存，此豈紀念其「太和魂」乎？誌痛乎？而盟軍駐日亦任其存此惡蹟，抑獨何心哉！橋側近為佐世保，係戰前日海軍基地，艨艟巨艦，今不可復見，其地商務則日見式微矣。

過荷蘭村，為荷人集居地，建築俱荷蘭式，數月前，有曩代荷日往還之木舟陳列此處。又有大陸贈日之駱羊養殖於此，此為可愛而罕見之動物。入村周覽，須購票。

過長崎，此埠與廣島在二次大戰中俱遭原子彈轟炸，埠幾全毀，現時居民又亦幾百萬矣。昔余嘗疑吾國革命宣傳品《揚州十日記》謂滿人及新附軍屠城，死者達八十萬，而環考數年後過者之詩文，仍極稱揚州之盛；死傷如此之多，復盛乃如此之速，為不近情理，遂認此紀述為近誣。今以長崎市電車尚存舊日風貌，高阜有教堂半燬之迹仍存。市建「原爆館」，陳列各種劫餘物事，如炊具、戶口名簿之類，足使人怵目驚心，亦可旁證《十日記》之說為若可信已。聞原子爆炸後十數年間，日人多不願來此工作，亦不願與此間人結婚，蓋怵於幅射線遺留症也。市郊有和平公園，鑄石相甚大，半為基督相，半為釋迦相，極有趣。蓋長崎原為佛教勝地，基督教進入，兩教教徒遂生衝突，械鬥死傷甚眾。多方調解釋怨，因建此園，或者亦取吾華三教「將毋同」之意乎？台北新公園改稱「和平公園」，殆又係「師夷之長」耶？台北之園乃為紀念二二八事件而易稱也，迹頗近同。台灣近來殆顯為一種移植之文化，社會交接及游樂殆全法美國，乃由電視傳播引介而成，政治活動有取師日本派閥角逐，更且青勝於藍，誰敢謂「缺乏吸收力」或謂「不善學」哉！

胡蝶夫人故居，即在哥拉巴公園上端，余曾詣訪胡蝶自刎之居室，尙整潔，度亦非當時故物也。此爲一淒豔之愛情故事，一日本咖啡女郎與荷蘭水手熱戀，而男方移情別娶，終使此女憤恨以死。此故事曾有文學家、戲劇家，撰小說，演電影，良足感人。余曾擬仿長慶體作長歌，力不繼乃輟。復圖改作絕句，不愜意。途中見有「東京火災」招帖，乃日文結構與吾華不同之處。蓋東京火災保險公司也。門司有一市招「出賣大日本」細看之乃「本日大賣出」也，此亦余所見之陋。啜日本茗，甚甘香過龍井茶矣。

遊秋吉台，無甚可觀，轉至秋芳洞，洞極閎闊，中有田疇、邱陵、村落、流水、小橋景象，白雲在上，不覺人在洞中也，當較美國賓州仙人洞爲勝。惜燈光設計配合不佳，甚爲減色，洞中小河流漣漪轉折，當是地下伏流所聚，最可愛賞。聞今時桂林諸山洞多已有修飾改善，不審視此洞何若，以本質言，桂林諸洞仍當爲最佳者。秋芳洞洞口有買大蘋果者，台灣遊客多，擁擠爭購，設攤日婦厲斥其必排隊。日人媚美國佬，亦不敢輕大陸人，獨對台灣人輕鄙，寧復不知恥不自重耶？

馬關樓爲我國恥紀念地，甲午戰敗，李鴻章簽訂馬關條約，即在此樓。李遇刺受傷，日皇曾親來致慰問，樓側有駐蹕所，樹碑矗然。館中懸簽約時照片，欷歔不忍覩，曾作一詩，亦不欲留。過赤間神宮，羣趨入，余甚覺頹喪，不與。旋游瀨戶內海海底隧道，工程堅鉅，較高雄海底隧道遠勝，其上即關門大橋也。夜宿阪九丸輪上，微覺熱，瀨戶內海有跨海長橋，爲遠東第一。原計經過時諦觀，倦極睡熟，比醒則距橋已甚遠矣。竊歎橋塊或可有黃石公，而我則深媿吾宗子房者。

經神戶至大阪，遊豐國神社，巡游大阪市，時正有菊花會以名卉招客。吾湘宿學曹孟其氏亦好蒔菊，因兵亂所藝菊爲潰兵蹂踐至盡，遂終身不復賞菊，言念往者，爲之憮然。此市，前此曾召開世界博覽會，規模甚大，會後所遺留諸器物，作深坎藏之，云當俟五千年後掘出，以驗廿世紀文化成就與文化精神，日人頗重歷史，然其所謂史殆多近神話。登天守閣，甚高峻，繚以石垣，護以溝河，內部陳設亦富縟，爲日本藩臣圖自固之所，旋遭亂劫殺相尋，近時修復，殆已略遜蓄觀。令人頗思董卓之郿塢也。

至奈良，遊東大寺，銅佛甚大，迴廊亦具趣味，呦呦鹿鳴，別是一境。後遊京都東本院寺，乃日本淨土宗勝地，棟宇莊嚴；續詣清水寺，寺有茆草殿，具蕭散之致，附近所產八女茶甚有名，又清水燒，與有田、九谷爲三大名燒，所謂燒即瓷器。再遊平安神宮，已近扃扉之際，僅得遊覽庭院。綜是日所訪俱爲寺刹，入寺須脫鞋，並不得燃香、焚冥紙，寺俱淨潔，近時台灣亦有仿行者。本擬遊京都日本故宮，須先時申請，交涉洽談甚久，仍未能入。

幼時讀白香山〈琵琶行〉，心感其事，又曾讀近人所著一小說，以日本琵琶湖爲背景，言情悽豔，更頗羨之。今車過琵琶湖，甚荒寂，風景不如意想之佳，信乎文人筆底之多虛誕已。詣浜明湖，登樓延眺，乃較琵琶湖爲有詩意。余昔游美輒多作詩，此行有數作，胥荒腔俗思，不可解，才盡也乎？趨白絲瀑布，小留，再詣鳴沢冰穴，洞奇詭，徑道傴仄，側身匍匐而下，亦是此行另一番滋味。夜宿山中湖。

山中湖旅邸晨起，清吉持鏡拍日出景象，連攝十數幀，俱效果甚佳。途中復攝富士山遠景，亦殊好。此山覺有王者氣象，高聳獨立，遠處羣峰環拱之，有坐明堂朝四夷之想，此山七至九月可遊觀，今封山，非經申請特許不得入。同行有人謂日本三寶爲富士山、櫻花、藝伎，其信然歟？

抵東京，住新宿區一旅邸。同行多往游狄斯奈樂園，余曾在美歷游加州及弗羅里達兩園，度此必無以過之，謝不能偕。同清吉往神保町書店訪書。中國舊籍及翻印本多，特價甚昂，翻宋版離騷經竟索價萬元，欲購而苦乏貲，買碑帖數種。出店已過午矣，就食一麥當勞店，連數日俱食日本料理，此際固已略饑且換口味，雖粗食亦覺其美；余於日本餐俱不甚欣賞，但頗好生魚片一味，至於韓國餐則泡菜爲可取；中國人之自甘爲「土包子」者，殆莫余若。

旋遊明治神宮，規制甚闊，遊客多，匆匆隨衆巡覽，無所欣獲者，出門時，覺林木極盛，晚鴉尤多。晚就食一中國餐店，一女侍驟謂余：「君爲湖南人」，其時余說話殆不及三句耳。又謂清吉：「君則台灣人也」。其辨音能力實大過人。余居重慶甚久，不能說川語，在台灣幾五十年，非但不能操台語，且亦聽不懂。奇笨也哉！

游新宿御苑，苑地極廣，以林木、草地、池沼爲勝，玉藻池尤美。並無亭館，良不解其意。臥草茵中攝一影，同遊者清吉外有楊君及薛姓女郎。此苑誠佳，然回想北京頤和園當其盛時，當是何等壯麗景觀，而爲八國聯軍所燬，此種罪行，舉世夫何能忘。旋詣秋葉原買家用電具數事，價甚廉。詣銀座，前歲曾一詣之，無甚意趣。特覺其新娘妝和服甚可愛，其可愛在笨重，視吾華昔時鳳冠霞帔爲尤勝。

東京捷運設施甚便利。余認最劣者爲美國紐約之地下鐵道，臭不可聞，車中塗畫狼藉，不堪入目，東京則整潔多矣。燈塔夜光燦爛，爲一奇觀。夜遊東京近郊，平疇廣袤，一獨立屋，電炬通明，爲一遊樂場所，設在在台灣，殆必遭劫掠，一客云，此乃緣有黑道保護也。余竊謂日本黑道乃不敢滲入政治，台灣黑道則大舉入侵矣，而於市廛之保護乃竟遜之。

明日，乘飛機返台，清吉則屬其乘「新鐵」返，蓋渠尚未及體味此一特快火車況味也。且堅後約，擬補訪此行未遊諸勝云。

遊陽明山

獨游陽明山。晨乘公車往，過午歸，野餐甚適。花不盛，游人則多，大都爲近五十許人，青少年甚少，有煮茶者飲酒者，有作牌戲者，有偃臥曝日者，前此蓋無此等景象。此園余不游久矣，今頹老，高處不敢登，下梯磴尤恐失足，甚懔懔也。

園新闢停車場、攝影棚飲食肆亦增設多處，園中有一集中市場，土紅色建築，乃竟空無一店闃無一人，此建築物頗近似韓國漢城一公園中建築物，我倣彼乎？彼倣我乎？無從問已。園之建構實大費心力，特金銀氣太重。其爲城市乎？山林乎？泉石之勝乎？中國園林抑西方式公園也？櫻花所植最多，實近乎日本型之「雜拌兒」矣。

若干年前，明州先生入夏輒山居，約爲三四月。先生夫婦居邸，今空無一物，但存長桌一，當是其時小型會談用者，亦近損朽。入此邸區，係新闢之徑，當年固警戒區也。追念疇昔，頗欲作一詩，以俱是常情感喟，遂輟。

繼宗宗毓夫婦力戒余獨遊，語甚質切可感。越月，彪壻玄女約隨中鼎公司健行團遊此山擎天嶺，攀登極累，玄女等更欲登覽夢幻湖，余勉強至半山憩所，遙望磴道陡窄，力倦而止。渠兩人賈勇卒登，余獨據山亭，風來四面，白雲時度，儼然有坐明堂朝四夷之概，然而並無出塵想也。得斷句，以續到休憩者群兒所擾而輟，歸近日晡。兩腿酸痛，就熱湯沐浴稍舒。雖甚疲乏，自慰尚能遠足，未遽衰也。

登觀音山

挈言兒攀登觀音山。九時過，自塔城街趁車，人少位空甚適，下車有小學遊覽團在山麓游觀。余等先行經凌雲舊寺再詣新寺，俱作禮掣籤，舊寺籤語均好，新寺則反是，孰吉孰不吉，或者神靈亦不能決也。國防醫學院有數十員生春遊，在寺前作橋牌戲，或者此間亦有賭神歟?良覺有趣。復前行，兩路一舖柏油達八里，一爲山徑可登山巔，有碑大書「登硬漢嶺」，謂此山爲硬漢嶺，登山者必爲硬漢也，遂拾級而登。余等俱著皮鞋，遇下山者詢前路，咸云甚費力，且云皮鞋登山易滑跌殊不便，意頗沮，終賈勇行；石級盡，攀崖牽藤，匍匐而上，稍平處拄杖助力。數日前有雨，山徑仍滑，積陰落葉橫道尤沮洳，力痛氣喘，凡三四憩乃登極巔。巔側有碉堡，堡有戍軍。山巔有石牌樓，更進，有石寮，極望太平洋，淡水鹹水濃淡殊色，日光照射，雲影遮拂，浪花迴蕩，麗彩紛呈。迴望島上諸山，蜿蜒奔轉，中夾淡水河如帶，眾壑陰晴倏變，亦復氣象萬千。披襟當風，直比羽化登仙矣!山風甚冷，復加衣，憩半時許下山，坡勢極陡削，幾不容足，牽路旁小竹，踏蘆草，以杖支體，緩緩而下。幾若縋城。山麓有採石公司，工程頗大。途遇王母宮賽會，舁輿者前行五步卻行三步，若不勝負重者然，狀至可噱。復前行，有公墓，尙修飭；抵淡水河干問渡，左行里許，得濟，小汽船鼓浪而行，迴望觀音山塔尖，杳在雲際矣。上下山滑顚數四，微言兒支力，殆必滾落致傷。老年殊不能勞事筋骨，茲遊雖殊勝，亦良可戒也。淡水松鶴餐廳進海鮮二色，噉麵，飲啤酒，餒矣，覺其味彌佳也。言兒欲乘小火車，候半小時，淡江諸生放課麕集，度不能得坐位，仍乘汽車歸，已日晡。下肢酸痛，頗憶少時騎烈馬，夾腿半立使縱馳，兩股力不能支，幾不能下馬，今日實良似之。

游銀河洞

久蓄念游銀河洞，今週二適無事，又値三月三日，而氣象台云今有局部小雨，遲疑不敢決發。渥君謂：即有雨亦甚小，不足慮也，乃囊雨繖暨血壓胃疾等藥以行，自笑尙不能如渥君之勇斷也。

由公園臨時車站趁車，久候不至，及車行乃不甚擠，過新店青潭至大崎腳下車，預戒女車掌通知，遂得於此停車也，已九時半矣。入山、有山徑皆鋪柏油，可行摩托車，昨雨過，路無纖塵，道旁雜花間發，時吐微香。溪流兩側有正建巨廈者，度爲賓館，竊意此等處尙未能通行中型車輛，旅客滋不便，是又何利可圖耶？行二十分鐘，緣石磴入一寺，奉濟公，但有廟祝，口音似河南人，寺雖新建，規制頗隘，香火或亦不旺。投錢行禮，詢廟祝入銀河洞尙須行十餘分鐘，但祇有磴道，中一段並磴道亦無之，前日有香客數人，乃畏險中廢也。時正飄細雨，賈勇而上，石磴雨滑，攀緣甚不易，余衣著甚重，緣石級乃大喘熱，內衣兩重悉汗濕，凡三憩乃畢登。名潤洞潭，泉水極清澄，四山草木蓊鬱，今雨意又濃，遊者不至，凡三十餘分鐘，但聞雞聲，不見一行人蹤跡，山中空氣極清鮮，煩囂盡滌矣。潭側佇觀飛瀑，四壁蒼石中一線若輕縠，飄迴無定，有危石下承，瀑頗細，若仲春水盛當益可觀也。

入銀河洞古寺，石溜甚大，疑在疾雨中行，寺鑿石壁構建，故甚窄，合奉釋道。有一僧裝者正側案進午膳。寺極陋，惟甚陋，塵俗氣乃盡祛，似視台北近郊諸寺爲獨勝，矧余獨游其間，益覺其靜謐深古，有仙靈氣，彌愜幽尋焉。神座鐫昭和某年建，爲倭夷踞臺殘迹之未悉滅去者，何有司目之不察乎？神壇前有小窗口，臨窗設座，於此觀瀑乃彌見其美。坐憩約廿分鐘，還經石潭，覺巨石乃頗類佛面，眼耳口鼻畢具，特左面石損遂不見頰及左眼耳，入寺時已有此感，至是諦觀，益見其肖，或者左面之損，乃釋迦不欲以全面目示人耶？忽動一念，謂果如此，誠心求之，當能觀其隱約之全也，時有一葉墜石間，乃覺眞如添一眸子焉。昔昌黎東坡禱於山靈輒有應，余何人斯，乃亦徼此福耶？故夫遐想幻覺傅會，世事皆可作如是觀耳。退入磴道，有赤色小蛇橫道而過，所謂土蝮者，性奇毒，俟其過乃行。循舊徑約卅分鐘入馳道，回抵台北已三時許，市肆進牛肉麵一簋，饑不暇擇矣。還家小睡起浴，覺通體鬯通，擬作山詩紀遊，久未能就。

卷尾贅言

此輯諸文，係自歷年日記中採錄者。日記已焜燼，此殘存之跡爾。卷中約四分之一曾浼熊質傳兄覈正定去取。旋熊去美，未敢續煩之。其扶病爲余檢校之勞，彌深感篆。稿寫竟，請龔君鵬程檢校，粗爲類次授梓。此輯實所謂「過而存之」者，存之在我，棄之焚之則在人；此所言既云贅矣，復何言哉！辛巳孟冬眉叔張之淦識，時年八十有四。

附錄：張之淦先生事略

張先生諱之淦，字眉叔，晚號遂園，民國八年八月廿一日生於湖南長沙甘棠村。高祖曾祖皆嘗辦團練以應湘鄉之招，俱官四品，有勳業，湘鄉榜其宅曰「忠義之門」。蓋五房科名，一門孝義，爲世所稱也。考履陽，宣統元年己酉科備取優貢，選送湖南公立第一法政學校，最優等畢業，歷任耒陽縣知事、湖南礦物局秘書等職，著有《筍香吟館詩存》。民國十二年卒。卒時，先生僅四歲，賴妣唐太夫人撫教之。嗣就家塾，習詩文、誦經史，五經皆卒業。師事常德趙曰生先生，又從李肖聃先生及族里諸長老問學，所造漸邃，史部尤爲精熟。自廣亞中學畢業後，入湖南群治農商學院，習時務，以謀應世。因與所積舊學相漬相染，遂通古今之變。而日寇侵禍三湘，不得已，避兵入陝。遊西安、漢中，入第五戰區政治部，思以所學貢爲世用。又遊劍閣、青城、峨嵋等處。爲王芃生先生識賞，任軍事委員會國際問題研究所研究員。感激時事，故贊力樞府，不遺餘力。至抗戰勝利，始返南京，任國防部聯勤總部參議，安輯流亡，期致太平。乃不旋踵而神州鼎沸，萬姓流離，遂倉皇經廣州、海南，轉重慶，遄來臺灣。民國卅九年，在定海東南長官公署，已而返臺。四十年，先生受元戎特達之知，供職於介壽館。歷任參議、秘書等。時大亂未定，海宇待安，先生勞謙幹濟，宵旰弗懈，實多拾遺補闕之功。暇則與館中成惕軒、李漁叔、廖井丹諸君商略詩文藝事。又任考試院典試委員；主編民族晚報「南雅」詩欄，與全省詩人廣有唱和；並任新生報主筆；編學粹雜誌「夏聲」詩欄。揚扢風雅，一時主盟焉。唯因秉性骾素，多忤時賢，遂於民國五十年出爲中國國民黨中央設計委員會委員、考核紀律委員等。於利害叢蝟之地，參協調停，費力實多。然謂此非士君子立身行道之時也，故思孔子，欲刪詩書、正雅頌、教生徒，以興人文。發憤作《明代北方邊事述略》等書，又設帳宣講於淡江大學，授左傳、戰國策、呂氏春秋、漢書、六朝文、李商隱詩、蘇軾詩、歷代文選等。紹續往哲，啓牖庸頑，聞法者無不歡喜忭踊，欽服莫名。夫先生久歷政局，而皭然不染，凡議興革，俱出公心。且亦以此，洞達世務人情，善能體國經野，詳古今治亂之故。及經世之懷厄於時命，乃思所以繼往聖、傳絕學也。指授經史百家源流旨要，俱極精詳；平議學術之是非得失，則皆洞中肯綮。製有講疏若干種，均可爲後學之津梁。民國七五年，復以《遂園書評彙稿》獲中山文藝獎之文學理論獎。該書詮析王湘綺、陳石遺、梁啓超、汪辟疆、章士釗、林語堂諸君論詩語。評者謂其議論悉本大公、衡評務歸至當，至於考訂之精、文字之美，猶其餘事。實則先生著述皆如是也，豈僅此一書而已哉！然自此先生即絕意仕宦，專志讀書養氣，並遊美洲、游日韓。遍考殊方風土，附以吟詠，成《美遊詩記》《日韓詩記》等書。又致力書道，民國八十八年展覽於歷史博物館國家藝廊。其書剛健婀娜，變化不可方物。曾刊爲書法作品集一帙，談藝者咸珍寶之。民國九一年，方裒集歷年詩文，編爲詩集、文集及《遂園瑣錄》，而忽感不豫。醫者奏刀，欲爲心臟血管清淤，竟溘然逝矣。時在八月十三日。悲夫！先生負氣桀伉，不與俗諧，然志行皓懿，學殖淵深，固爲世所欽仰也。時文建會適議爲先生制設錄影片，以昭麟采，孰謂其遽化耶？先生晚歲，頗自傷功業無成。謂世亂弗靖，君子於此，既匡濟無門，又不能避世潛心以述著，流傳詩文，殊不足道，故多燼去。此才人志士之哀也，夫復何言！先生配劉渥君，賢嫻貞諒，德爲世稱。長子澤奕媳蜀陽在大陸，次子季言媳小蘭在美，長女次玄適林；次女萱，小女曼玄在美；孫述周孫媳少珍、載宗；孫女欣怡適江；曾孫鍾佑，均有學行，能世其家云。歲在　壬午，門生龔鵬程　謹述

國家圖書館出版品預行編目資料

遂園瑣錄

張之淦著. – 初版. – 臺北市：臺灣學生，2002 [民 91]
面；公分

ISBN 957-15-1144-7 (精裝)
ISBN 957-15-1145-5 (平裝)

1.論叢與雜著

078 91016338

遂園瑣錄（全一冊）

著作者：張之淦
出版者：臺灣學生書局
發行人：孫善治
發行所：臺灣學生書局
臺北市和平東路一段一九八號
郵政劃撥戶：〇〇〇二四六六八號
電話：(〇二)二三六三四一五六
傳真：(〇二)二三六三六三三四
E-mail: student.book@msa.hinet.net
http://studentbook.web66.com.tw

本書局登記證字號：行政院新聞局局版北市業字第玖捌壹號

印刷所：宏輝彩色印刷公司
中和市永和路三六三巷四二號
電話：二二二六八八五三

定價：精裝新臺幣五一〇元
平裝新臺幣四四〇元

西元二〇〇二年九月初版

07811

ISBN 957-15-1144-7 (精裝)
ISBN 957-15-1145-5 (平裝)